KB123359

시조문학의 정체성과 문화현상

류해춘

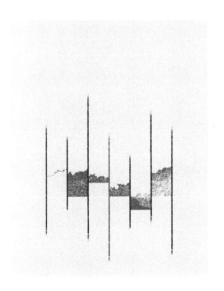

보고사
BOGOSA

학문의 세계는 빠르게 변하고 있다. 1990년대까지만 해도, 한국의 인문학은 그 자체로 민족주의 학문의 중요한 영역이었고, 한국문학에서 시조문학은 창작과 연구 분야에서 언론이나 학계의 많은 주목을 받은 학문의 한 분야였다. 많은 주목을 받으며 학계를 선도하던 분야의 인문학이 아무도 예측하지 못한 가운데 요즈음은 대중들과 학문후속세대들의 관심 밖으로 점점 밀려나고 있다. 이를 극복하기 위해 최근에는 '인문학의 개혁과 혁신'이라는 절박한 목소리를 사회의 여기저기서 드높이는 현상이 나타나고 있다.

학문이 자신의 역할을 하지 못한다는 비판론이 무성했던 것은 어제오늘의 일이 아니다. 인문학은 이러한 비판 속에서도 새로운 변화와 개혁을 통해서 조금씩 현대사회에 유익한 담론과 그 문제점을 파헤치고 환경문제와 빠른 성장에 관한 새로운 담론을 끊임없이 제기하며 시의적절한 고급의 담론을 우리 사회에 생산해 내고 있는 사실을 부인할 수는 없다.

필자는 일찍이 '2000년 우리나라 인문학 연구의 현황과 문제점'(인문비평, 창간호)이라는 대담에서 인문학의 변화와 개혁을 강조한 바 있다. 20세기에는 기초학문으로서 주목을 받았던 인문학이 사회주의의 몰락과 함께 등장한 신자유주의가 지닌 경쟁의 효율성을 극복하지 못하자 우리나라에서 인문학은 오늘날 개혁과 변화를 통한 구조조정의 문제에 직면하고 있다.

한국의 인문학은 효율성과 형평성을 강조하는 사회과학, 자연과학 그리고 과학기술 등의 학문과 경쟁해서 새로운 이론을 어떻게 정립할 수 있을까? 지금의 현대인들은 과학기술의 발달로 인터넷과 네트워크로 막대한 양의 데이터베이스를 구축하여 현실공간Atom과 가상공간Bits이 동질성을 추구하는 인공지능과 예측가능성을 본질로 하는 4차 산업혁명의 시기를 살아가고 있다. 이러한 시기에 창의성을 바탕으로 하는 인문학의 콘텐츠가 개혁하고 혁신하는 것은 미래의 세대와 학문의 균형을 위해서도 중요한 문제이다.

이 책은 변화의 시기를 맞이하여 대학에서만 안주해온 지난날의 연구방법을 반성하며 새로운 시대와 소통을 하려는 계획을 가지고 연구를 해온 필자의 모험적인 글들을 모아서 '시조문학의 정체성과 문화현상'이라고 이름을 지었다.

제1장에서는 시조문학의 정체성과 주체성을 탐색하는 작업으로 시조의 본질을 이해하여 시조의 수사학 그리고 가사와의 관계를 살펴보는 연구를 수행하였다. 이러한 연구는 조선시대 정형시定型詩인 시조와 서정장시抒情長詩인 가사의 비교 연구를 통해서 시조문학의 정체성에 관한 연구와 당시의 수사학과 그 향유방식을 점검하는 작업을 하고자 했다.

제2장에서는 시조문학에 나타난 여가문화를 살펴보았다. 새로운 시대를 맞이하여 노동의 중요성과 함께 여가생활에 관심이 많은 현대인들의 삶의 모습을 우리의 시조문학에서 탐색해 보는 작업은 선인들의 여가문화가 현대인들의 삶과 어떤 상관성이 있는 지를 검토하는 일이라 할 수 있다.

제3장에서는 사설시조에 나타난 대중예술의 성격을 탐색해보는 작

업이다. 오늘날 대중예술의 시각에서 조선시대의 사설시조를 점검하여 19세기의 대중예술인 사설시조와 21세기의 대중예술의 미학을 검토하고 비교하는 일이라 할 수 있다. 현재 인문학이 지닌 인문정신을 대중문화가 담당하고 있는 현실이 건전하지만은 않다는 측면을 고려하여 인문학의 콘텐츠를 새롭게 개발해야한다는 방향성을 제시하는 연구를 하고자 했다.

제4장에서는 시조에 나타난 녹색담론과 그 정신을 살펴보는 작업이다. 이 연구는 환경의 중요성을 강조하는 21세기에 조선시대의 시조문학에 나탄 환경담론이 어떠한 양상으로 전개되는 지를 검토하는 일이다. 과학기술의 급속한 발전과 환경의 중요성을 감안하면 늦은 감이 있지만 우리의 고전문학에 담긴 녹색정신을 탐구하는 작업이 필요하다고 할 수 있다.

오늘날 우리가 살고 있는 사회를 위험사회라고 말한다. 이 책에서는 현대의 위험사회를 극복하면서 인간성의 위기를 탈출할 내용과 시조문학에 담긴 문화의 향기를 현대사회에 알맞게 풀어내고자 노력했다. 현대 인문학의 위기탈출은 연구자들이 학계에서 부지불식간에 습득한 편견의 자세를 극복하는 일이라고 생각한다. 필자는 시조문학의 연구를 지속하면서 선택의 편향selection bias이라는 개념을 피해가려고 부단히 노력했다.

선택의 편향이란 쉽게 말해서 어떤 사람이 자신의 논지에 부합되는 사례들은 선택하고 그렇지 못한 사례들은 무시하여 자신의 논지를 증명하는 방식을 의미한다. 이 책에서는 자료 선택의 영역을 최대한으로 넓혀서 인문학과 시조문학의 위상에 부합하는 방법으로 선택의 편향을 극복하고 인문학의 발전에 기여할 수 있는 대안과 그 방법을 찾고자 노력했다.

선택의 편향을 지우는 연구의 시각을 추구함으로써 시조문학의 주체성과 정체성을 정확하게 파악할 수 있으며, 한국의 인문학을 대표하는 시조문학이 지닌 조용히 앉아서 텍스트를 눈으로만 읽는 연구와 문학으로서 감상만의 상처도 치유할 수 있을 것이다. 뿐만 아니라 시조문학과 인문학이 과학기술과의 소통과 융합도 자연스럽게 이루어질 수 있을 것이다.

뒤돌아보면 필자가 1980년대 말부터 시조연구를 시작하여 벌써 30여년의 세월이 흘렀다. 지금까지 연구한 글들을 정리할 기회를 가지고자 흩어져있는 글들을 함께 묶어서 책으로 출판하기로 마음을 먹었다. 처음 연구를 시작할 때에는 무리한 논지를 전개하여 동학同學으로부터 질타를 받으면서도 젊음의 패기로 인문학의 개혁과 혁신이라는 자신의 논리를 내세우며 의기양양했던 지난날의 추억을 회상해 본다. 처음에 자신만만했던 시간들을 이제 새삼 뒤돌아보니 그 많던 세월은 다어디가고 아무 것도 이룬 것이 없다는 생각에 부끄러운 마음이 앞선다.

앞으로는 더욱 차분하게 삶과 건강 그리고 학문에 정진하고자 다짐을 한다. 그동안 나를 걱정하셨던 부모님과 가족 그리고 학계에 진 빚을 덜고자 이 책의 출판을 결심하고 기획했다. 인문학의 출판이 어려운 시기임에도 이 책의 발간을 위해서 노력해주신 보고사 사장님과 실무자 선생님께 이 자리를 빌려서 감사의 말씀을 드린다.

하늘의 촛불이라는 오도산吾道山을 바라보면서
2017년 7월 11일 류 해춘

시조와 가사의 갈래와 향유방식

2장
시조문학과 여가문화

산수시조와 여가활동의 양상

사설시조에 나타난 여가활동의 양상

사대부시조와 여가활동의 양상

3장
대중예술과 사설시조

대중예술의 미학으로 본 사설시조

사설시조, 시적 화자의 유형과 그 특성

대화체를 수용한 사설시조와 그 실현양상

4장
자연시가와 녹색담론

15세기 자연시가에 나타난 녹색담론

1장.
시조문학의 정체성과 향유방식

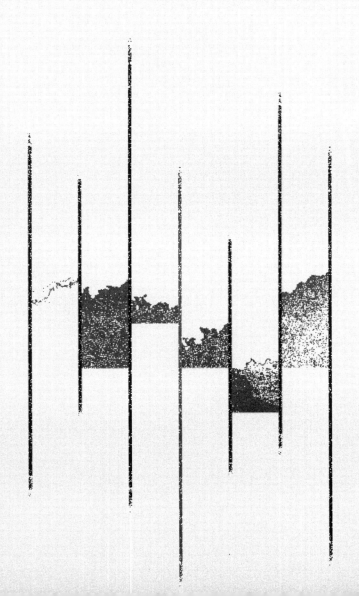

한국 시조문학의 존립기반과
그 본질에 관한 연구

1. 정형시와 시조문학

21세기는 과학기술문명의 시대이다. 과학기술의 발달로 인해 정보문화, 영상문화, 지식문화가 성행하여 인문학의 위기가 도래하고 있다고 한다.[1] 고려 말에서부터 21세기 초인 현재에 이르기까지 700여 년에 걸쳐서 한국의 정형시로서 중요한 한 갈래를 맡아왔던 시조도 그 존립기반이 21세기에 접어들면서 흔들리고 있다고 할 수 있다. 하지만 현대시조이든 고시조이든 시조는 한국의 정형시로서 우리 문화의 중심부에 자리 잡고 있으면서 한국인의 정신과 그 미의식을 훌륭하게 표출하고 있다.

어쨌든 시조는 한국인의 주체성과 정체성을 가장 잘 지닌 우리의 정형시라고 알려져 있다. 21세기에도 시조문학이 과거처럼 우리 문

---

1) 인문학의 위기와 그 진단이라는 측면에 초점을 맞추어 『인문비평(창간호)』에서는 「우리나라 인문학연구의 현황과 문제점」(도서출판 월인, 2000.)이라는 주제 아래 인문학 각 분야의 전공자들이 모여 대담을 가졌다.

화에서 한국의 정형시로서 주도적인 역할을 계속 유지할 수 있을까?
이 의문에 대해 어느 누구도 간략하고 명료하게 자신의 견해를 밝힐
수 있는 사람은 많지 않을 것이다. 그 이유는 시조가 지니고 있는 민
족문화로서의 측면[2]과 정책으로서의 국어교육의 문제[3], 그리고 현
대시조로서의 창작문제[4] 등이 다양하게 얽혀져 있기 때문이라 할 수
있다.

이처럼 시조의 존립기반은 민족문화, 국어교육, 시조창작 등의 측
면에서 접근할 수 있고 각기 다른 영역에서 많은 전문적인 실적을 축
적하여 왔다. 각 영역의 탁월한 업적을 바탕으로 하여 21세기에는 시
조와 관련된 각 영역에서의 전문성도 중요하지만, 전체적 연관성에
대한 시조의 존립에 대한 파악과 그 검토가 더욱 절실한 시대적 요청
이 되었다.

여기서는 이러한 논의를 효과적으로 진행하기 위해서 세 가지 측
면을 검토하여 한국 시조문학의 존립기반과 그 본질을 살펴보고자 한
다. 첫째로는 민족문화로서 시조가 지니고 있는 정체성[5]의 가치를
살펴보고자 하며, 둘째로는 국어교육으로서 시조가 지닌 주체성[6]을
수행시키는 정책과 그 학습현장을 살펴보고자 하고, 셋째로는 오늘
날 창작되는 현대시조로서의 특성인 독창성[7]을 찾아내어서 그것이

---

2) 김학성, 『한국 고전시가의 정체성』, 성균관대학교 대동문화연구소, 2002; 김대
행 외, 『국문학과 문화』, 고전문학연구회, 2001.

3) 김선배, 『시조문학 교육의 통시적 연구』, 박이정, 1998.

4) 임종찬, 「현대시조작품을 통해 본 창작상의 문제점 연구」, 『시조학논총』제11집,
1995; 김제현, 『현대시조작법』, 새문사, 1999.

5) 철학연구회 편, 『근대성과 한국문화의 정체성』, 철학과 현실사, 1998; 탁석산,
『한국의 정체성』, 책세상, 2000.

6) 탁석산, 『한국의 주체성』, 책세상, 2000.

가지고 있는 기본적인 기능을 규명해내고자 한다.

여기서는 세 측면에서 논의가 진행되고 있지만 그 각각은 한국 시조문학의 존립기반과 상호 깊은 관련이 있으며, 이를 종합하여 이해할 때 비로소 시조의 존립기반은 그 실체를 온전히 드러낼 수 있을 것이다. 따라서 한 측면의 이해는 다른 측면의 이해에 디딤돌이 되게 하고 상호 보완적 역할을 하고 있어 시조의 존립기반과 그 실용성을 이해하는데 많은 도움을 줄 수 있다.

2. 민족문화로서의 정체성

한국의 민족문화는 음악, 미술, 문학, 민속 등 다양하게 존재하지만 20세기까지 서구 문명의 근대성에 의해 대부분 파괴되고 있는데 비해 시조문학은 현대에도 연면히 계승이 되고 있어 그 생명력이 한 없이 길다고 할 수 있다. 오늘날까지 시조가 전승되어 온다는 사실은 시조의 내면에 뿌리 깊이 침투해 있는 우리 민족이 가꾸어온 정형시로서의 정체성을 지니고 있음을 보여주는 것이라 할 수 있다.

우리 민족이 면면히 창작한 정형시는 크게 한시漢詩와 시조時調 두 가지를 들 수 있다. 한시漢詩는 오언五言이나 칠언七言의 절구絕句나 율시律詩로 동아시아의 가장 보편적인 정형시라 할 수 있다. 시조와 한시는 한국의 정형시로 한시가 시조로 전이되어 불리어 지기도 하였

---

7) 현대시조는 고시조와는 다른 현대성을 지니고 있으며, 현대시조는 현대의 자유시와는 다른 시조의 특성인 정형시의 형식을 지니고 있다. 여기서는 이러한 현대시조의 특성을 고시조와 현대시조를 구별하는 다른 독창성이라고 부르고자 한다. (김학성, 「시조의 정체성과 그 현대적 변환 문제」, 『시조학논총』 제17집, 2001.)

고, 시조가 한시의 악부 형태로 표기되기도 하였다. 이와 같이 우리 민족은 표기문자를 달리하는 두 장르를 넘나들면서 정형시인 시조와 한시를 동시에 즐기기도 하였다. 가도賈島의 「심은자불우尋隱者不遇」라는 유명한 시를 시조8)로 읊은 예를 살펴보고자 한다.

① 松下問童子 송하문동자 　　　솔아래 동자에게 물으니
　　言師採藥去 언사채약거 　　　　　스승은 약캐러 가서
　　只在此山中 지재차산중 　　　다만 이 산중에 있으나
　　雲深不知處 운심부지처 　　　구름이 깊어 알지 못하네

② 솔알의 아히들아 네 얼운 어디가뇨
　　약藥키러 가시니 ᄒ마 도라 오렷마는
　　산중山中에 구름이 깁허 간곳 몰라 ᄒ노라

　한시漢詩인 ①을 시조로 노래한 ②는 원시의 제1행과 제2행의 의미를 각각 초장과 중장으로 노래하고, 제3행과 제4행의 의미를 합쳐서 시조의 종장으로 노래하는 기법을 보이고 있다. 표의문자인 한자어로 창작한 음수율의 정형시를 표음문자인 한글로 번역하고 한 행이 4음보율과 3장형식의 정형시인 시조의 틀에 맞추는 방식은 다양하게 존재할 수 있다. 한시의 정형성은 시조가 정형성을 지니면서 지속되도록 하는데 큰 역할을 했다고 할 수 있다. 조선시대 동안에는 한시와 시조가 서로 표기문자를 달리하면서 우리의 정형시로 경쟁하면서 지속해 왔다는 사실은 한국문학의 정형시 전통을 풍부하게 하였다.
　이 장에서는 시조가 지닌 민족문화로서의 정체성을 살펴보기로 한

---

8) 정병욱, 『고전시가론』, 신구문화사, 1982.

다. 현재까지 시조는 다양하게 연구되어 왔지만 크게 양식, 사상, 연행 등의 세 가지 측면에서 주로 이루어졌다고 할 수 있다. 그러나 시조문학의 본질이 무엇인지를 고민하며 한국 시조문학의 정체성을 밝히려는 작업은 거의 없었다고 해도 과언이 아니다.

우리 민족 문화의 기본전략이 되다시피 한 "한국적인 것이 세계적인 것이다"[9]라는 관점에서 시조를 분석하여 보면, 시조는 한글로 된 한국 고유의 정형시로서 그 가치를 충분히 지닌다고 볼 수 있다. 시조는 3장 6구의 형태를 기본으로 하여 고려말엽에 발생하여 조선시대를 거쳐 현재까지 면면히 그 장르를 이어오고 있다. 전 세계 각국의 문학을 살펴보았을 때, 우리 민족이 소유하고 있는 시조형식과 같은 정형시는 다른 어느 나라에서도 찾을 수 없다.

이런 점에서 시조는 우리 민족의 고유한 문화로서 그 가치를 인정받을 수 있다. 나아가 시조의 특수성을 논의하기 위해서는 시조 작품들이 서로 맞물려 있는 각 분야의 공통분모를 함께 찾아나가야 한다. 만약 그런 공통분모가 존재한다면 그것은 시조의 정체성이 되고 다른 문학과 구별되는 주체성이 될 것이다. 그래서 한국의 시가문학사에서 시조는 '3장 6구(45자 내외)'라는 형식의 특성을 지니고 있어 다른 시가인 향가, 고려가요, 경기체가, 가사 등과 변별성을 지니게 되는 것이다.

시조는 16세기에 발생했다는 설도 있지만 일반적으로 옛날부터 유래한 문학 형식이 고려말엽에 사대부에 의해 만들어지기 시작하였다고 한다. 성리학에 조예가 깊고 유학과 예악을 중요시하며 유교적 정

---

9) 쟝 피에르 바르니에 저 (주형일 옮김), 『문화의 세계화』, 한울, 2000.

치이념을 실천하려는 사대부들은 시조문학을 통하여 인간의 성정을
교화하거나, 자연을 매개로 하여 성리학의 사상을 간접적으로 표현
하였다.

> 백설이 ᄌᆞᄌᆞ진 골에 그름이 머흐레라
> 반가온 매화梅花ᄂᆞᆫ 어늬 곳이 뮈엿ᄂᆞᆫ고
> 석양夕陽의 호올노 셔셔 갈 곳 몰라 ᄒᆞ노라

이 시조는 '3장 6구(45자 내외)'의 한글로 표현된 정형시의 양식을
지니고 있으며 고려 말 이색(1328~1396)에 의해서 지어졌다. 이 시조
는 자연물을 다양하게 제시하면서 매화를 찾는 운치 있는 품격을 갖
추고 있다. 백설과 구름은 화자가 찾는 매화와 대립적인 것들이다.
백설과 구름 때문에 매화가 더욱 가치 있지만 동시에 그 때문에 매화
를 찾기가 어려운 것이다. 매화가 갖고 있는 선비의 풍모를 고려하면
이 시의 화자가 추구하는 것은 매화와 같은 절개와 신선함, 눈 속에
그 빛을 잃지 않는 고결함 같은 것이 아닌가하는 추측을 하게 한다.
이 시조는 초장에서 현실상황을 제시하고, 중장에서 삶의 이상과 그
가치를 추구하려고 하나, 종장에서 삶의 고뇌와 방향상실에 빠져 있
다는 사실을 정형시로 구현해내고 있다.

이렇게 고려 말엽의 시조 작가들은 고려의 어지러운 현실을 개혁
하려는 데 관심을 가졌다는 공통점을 지니고 있으며 그중 일부의 사
대부는 실제로 조선을 건국하는 주역으로 역할을 하였다. 이러한 인
물들에 의하여 새로운 갈래의 시조가 나타났다는 것은 매우 의미가
깊다고 할 수 있다.[10) 이렇게 창작된 시조는 공식적인 내용을 글로

쓴 것이기보다는 개인의 감정이나 사상을 표현하는 예술의 갈래인 문학이었다. 이렇게 고려 시대부터 개인의 삶과 사상을 표현한 시조는 한글로 표현된 정형시로서 우리 민족의 서정장르를 이어오는 대표적인 서정시라고 할 수 있다.

다음의 시조를 통해서 위에서 논의한 서정시와 정형시로서 시조문학이 지닌 민족문화의 정체성을 한 번 더 살펴보기로 한다.

청산靑山은 엇데ᄒ야 만고萬古에 프르르며
유수流水는 엇데ᄒ야 주야晝夜애 긋디 아니ᄂ고
우리도 그치디마라 만고萬古 상청常靑호리라

이황 〈도산십이곡〉

이 시조는 청산, 유수 등의 비유를 통해 자연의 불변성을 강조하고 사람은 마땅히 이 자연을 본받아야 한다는 사대부가 지닌 성리학의 세계관을 표현하고 있다. 〈도산십이곡〉은 평시조로서 '3장 6구(4음보) 45자 내외'로 구성되어 있는 서정시이며 정형시이다. 고대가요, 향가, 고려가요 등이 서정시라는 양식은 시조와 함께 공유하고 있지만, 정형시라는 양식을 시조와 함께 완벽하게 공유한다고 보기는 어렵다. 그래서 시조문학은 한국의 민족문화로서 서정시이며 정형시라는 정체성을 획득한다고 할 수 있다.

다시 말하면 시조가 한국의 다른 시가 형태들과의 변별성을 지닌다는 것은 바로 서정시라는 문학의 형식을 바탕으로 하는 한국의 시

10) 조윤제, 『조선시가사강』, 을유문화사, 1948; 최동원, 『고시조연구』, 형설출판사, 1977.

가들 중에서도 유일한 정형시로서의 역할을 하고 있다는 것이다. 시
조는 고려시대부터 현재까지 700여년을 지속해온 한글로 표현된 정
형시로서의 정체성을 가지고 한국인의 사상과 감정을 담아내어 온 문
학의 장르이다. 이것이 민족문화로서의 시조가 가지는 주체성이고
정체성이라고 할 수 있다.

지금까지 민족문화의 정체성을 확립하기 위하여 많은 연구가들은
시조의 작가론, 작품론, 그리고 독자론 등을 다양한 방법으로 연구하
여 오고 있다고 할 수 있다. 한줄기 큰 시각에서 본다면 이들 연구는
한국인의 삶 속에서 자리 잡고 있는 시조가 지닌 한글로 된 정형시로
서의 특성과 그 정체성을 탐색하는 일이었다고 할 수 있다.

3. 국어교육으로서의 주체성

한 나라의 교육정책을 세우는 데에는 시대와 사회가 빚어내는 여
러 가지 정신과 철학의 힘이 어우러질 수밖에 없다. 이러한 철학의
힘과 정신이 그 나라의 교육정책으로 나타나고, 그렇게 나타난 교육
정책의 틀 안에서 국어교육의 정책이 터를 잡는다. 국어교육의 정책
은 또 나름대로 복잡한 여러 가지 교육과정과 그 절차를 거쳐, 교실이
라는 교육현장에서 교육활동으로 드러나게 마련이다. 이와 같은 교
육의 정책이 교실이라는 교육현장에서 실현되기까지의 그 과정을 알
기 쉽도록 나타내면 다음과 같다.

시대정신→ 정책→ 교육과정→ 교재(교과서) → 현장(교실) ←학생＋교사[11]

　교육에서 우리가 가장 중요하게 다루어야 할 것은 현장에서의 교육활동이며, 교육정책을 비롯한 여러 가지 단계들은 모두 현장교육을 뒷바라지하는 일이라 할 수 있다. 문학교육의 실제 현장은 어디인가? 최근에 국어교육에 대한 연구 인력의 확대로 문학교육에 대한 많은 연구 논문이 발표되고 있다.12) 그런데 국어교육이나 고전문학 교육의 정책수립에 도움을 줄 수 있는 이론을 제공하는 논문은 잘 보이지 않는 것 같다.

　이 논문에서는 시조가 지닌 전통을 현재 7차 교육과정에 나타난 국어교육의 중요한 목표인 자유로운 정신과 자유로운 언어사용의 기틀을 마련하는 도구의 영역만이 아니라, 한글로 된 우리민족의 정형시로 민족의 자주성과 고유한 미의식을 지닌 갈래로 앞으로도 우리 민족이 향유해야 할 역사적 지평이라는 것에 초점을 맞추어 시조교육의 주체성을 살펴보고자 한다.

　우리가 국어교육으로서의 시조교육의 문제를 이야기를 할 때 관심을 두고 보아야 할 것은 교과서에 실린 시조의 내용을 선정하고 가르치는 것이라 할 수 있다. 교과서에 실리는 시조를 선정하고 가르치는 내용은 초등학교나 중고등학교 그리고 대학교 등의 사정에 따라 달라야 한다.

---

11) 김수업, 「교육정책과 국문학교육」, 『국문학과 문화』, 월인, 2001.
12) 구인환 외, 『문학교육론』, 삼지원, 1988; 문학과문학교육연구소, 『문학교육의 탐구』, 국학자료원, 1996; 문학과문학교육연구소, 『문학교육의 인식과 실천』, 국학자료원, 2000; 한국문학교육학회, 『문학교육의 새로운 구도와 실천』, 태학사, 2000; 한국문학교육학회, 『문학교육의 민족성과 세계성』, 태학사, 2000; 김대행, 『국어교과학의 지평』, 서울대학교 출판부, 2000; 우한용, 『문학교육과 문화론』, 서울대학교 출판부, 2001; 염은열, 『고전문학과 표현교육론』, 역락, 2000; 권오경, 『고전시가작품교육론』, 월인, 1999; 한창훈, 『시가교육의 가치론』, 월인, 2001.

우리가 정책적으로 시조를 학생들에게 가르치도록 하였을 때, 시조는 한글로 표기된 '3장 6구(45자 내외)'의 정형시로서 우리 민족의 생활감정과 사상을 표현한 고유한 장르로 우리 민족이 계속해서 향유해 나가야 한다는데 그 주된 교육목표가 맞추어진다. 이것이 시조를 통해서 이루어지는 국어교육으로서의 역사적 지평이며 그 주체성이라 할 수 있다. 민족문화의 정체성을 지닌 시조가 교과서에 실려 있어야 국어교육으로서의 주체성을 지닌 시조교육이 바람직하게 이루어질 수 있다. 우리의 정부에서는 한국인의 시대정신과 그 미의식을 잘 담고 있는 시조를 교과서에 많이 실어 우리 민족이 계속해서 시조를 향유할 수 있도록 시조교육을 활성화시켜야 할 것이다.

시조교육의 정책은 시조라는 장르를 통하여 교육과정을 거쳐 교과서를 통해서 교실현장에서 실현된다. 교실현장에서 실현되는 현장교육은 다음의 3가지의 의미를 지닌다고 할 수 있다. 여기서는 시조의 현장교육에서 제기할 수 있는 3가지를 '시조를 왜 가르치는가?', '무엇을 가르치는가?', '어떻게 가르쳐야 하는가?'로 나누고 그 물음에 대답하는 방식13)으로 살펴보기로 한다.

'시조를 왜 가르치는가?'는 시조에 의한 교육으로 바람직한 사회가 나아가야 할 공통의 이념을 형성시키고 이를 통하여 한 개인의 건전한 가치관을 수립하는 것과 관련이 깊다. 전통적으로 시조가 교육과 관련이 깊었다는 것은 퇴계의 「도산십이곡발」에서도 볼 수 있다.

일찍이 이별의 노래를 모방하여 <도산육곡>을 지은 것이 둘이니, 그 하나는 지志를 말한 것이고, 다른 하나는 학學을 말한 것이다. 아이

---

13) 허왕욱, 「문학교육으로서의 시조교육」, 『시조학논총』 제17집, 2001.

들로 하여금 아침저녁으로 이를 연습하여 노래 부르게 하고는 책상에
기대어 들었다. 아이들로 하여금 노래와 춤을 추게 하니 더러움과 탐욕
을 씻고 느낌을 일으켜 마음을 서로 통하게 할 수 있을 것이다. 그러므
로 노래 부르는 사람이나 이를 듣는 사람이나 모두 도움이 된다.[14]

위의 글에서 퇴계는 시조로써 아이들을 가르치고자 하는 교육적
효과는 더러움과 탐욕을 씻고, 서로 느낌을 일으켜 마음을 서로 통할
수 있다는 것이다. 시조는 사람들의 마음속에 서로 유익함을 그 내용
으로 포함해야 하는데 그것은 자연에 대한 찬양만으로 이루어지는 것
은 아니라 할 수 있다. 시조는 사람들의 마음속에 들어있던 천박하고
더럽고 추하고 인색하고 탐욕스런 마음을 깨끗이 씻어내고, 정서적
으로 감정이나 느낌을 발동시켜 노래를 부르는 이나 듣는 이가 서로
의 마음을 조화롭게 하여 통하게 한다는 뜻이다.

이점을 어떻게 이해할 것인가? 여기서는 퇴계를 이어가는 유학자
인 율곡의 〈고산구곡가〉를 인용하여 자연과 인간의 조화를 교훈적으
로 표현하고 있는 시조를 살펴보기로 한다.

일곡一曲은 어드 미오 관암冠巖에 히 비쵠다
평무平蕪에 닉 거드니 원산遠山이 그림이로다
송간松間에 녹준綠樽을 노코 벗오는 양 보노라

자연과 도학의 합일을 노래하고 있는 〈고산구곡가〉는 자연의 이치

---

14) 이황李滉, 「도산십이곡발陶山十二曲跋」. "故嘗略倣李歌而作, 爲陶山六曲者二焉,
其一言志, 其二言學. 欲使兒輩朝夕習而歌之, 憑几而聽之, 亦令兒輩自歌而自舞蹈
之, 庶幾可以蕩滌鄙吝, 感發融通, 而歌者與聽者, 不能無交者益焉."

를 통해 삶의 지향점을 모색하려는 시조이다. 위의 시조는 일곡인 관
암을 중심으로 하는 자연의 경치를 동양화처럼 묘사하고 있다. '관암'
은 순수한 우리말로 '갓바위'가 아닐까? 갓바위에 해가 비치니 안개
가 걷힌다고 했으니 밤사이 내린 안개가 아침 햇볕에 사라지는 모양
을 말한 것이다. 아침에 먼 산을 바라보니 그림처럼 아름답다고 한다.
거기에 더해서 금상첨화로 벗이 갓바위로 온다. 맑은 날, 아름다운
경치, 술과 벗이 있는 경치는 자연과 인간의 조화로움이 부족함이 없
음을 보여주고 있다.

　이러한 조화로운 세계는 퇴계의 〈도산십이곡〉에도 나타나지만 이
작품에 와서는 차이를 보여준다. 즉 퇴계는 자연의 완벽함에 인간의
불완전함을 대조시켜, 자연의 모습을 인간이 닮아야 한다는 상상력
으로 두 세계의 조화를 추구했지만 현실적으로는 인간과 자연이 대립
하고 있는 모습을 표현하고 있다. 하지만 〈고산구곡가〉에서는 사람
과 자연이 완벽하게 조화를 이룬 경지를 제시하고 있어 정제미와 균
제미를 제공한다고 할 수 있다.15) 이러한 조선 전기의 시대정신은 조
선 후기로 오면서 사설시조를 통해서 자유분방함의 미학16)을 표출하
는 시대정신으로 변하고 있다.

　이와 같이 시조를 읽으면서 우리의 전통적인 사상과 그 미의식을
찾아보고 긍정적인 인식을 갖는 일, 나아가 민족의 문화를 계승하고
창조하고자 하는 주체성을 갖는 일 등은 시조교육에서 핵심적인 과제
라 할 수 있다.

　다음으로 '무엇을 가르치는가?'는 교과서에 실린 시조의 내용과 관

---

15) 최진원, 『한국고전시가의 형상성』, 성균관대학교 출판부, 1988.
16) 최준식, 『한국미, 그 자유분방함의 미학』, 효형출판, 2002.

련이 깊다. 중등학교에서의 시조교육은 시조시인을 양성하는 일이
아니라 학습자의 일상적인 언어사용 능력과 정서적 순화를 향상하는
일이라 할 수 있다. 하지만 학습의 현장에서는 시조교육의 중요한 방
법으로 시조를 통한 글쓰기가 진행되어야 한다. 즉 고시조를 현대어
로 고쳐서 표현하는 방법이 가장 기초적인 방법이고 확실한 방법이라
고 할 수 있다.

   ① 고즌 므스일로 퓌면서 쉬이디고
     풀은 어이ᄒ야 프르ᄂ 듯 누르ᄂ니
     아마도 변티 아닐슨 바회뿐인가 ᄒ노라

윤선도, <오우가>중에서

   ② 꽃은 무슨 일로 피면서 쉽게 지고
     풀은 어찌 하여 푸르러는 듯 누르나니
     아마도 변치 않을 건 바위뿐인가 하노라

현대어 번역의 예

  ②는 ①을 현대어로 번역한 시조이다. 고어古語에 관심을 가지면서
생소한 고어를 현대어로 표현하고, 언어 자체의 변화에도 관심을 기
울이면서 시조작품을 감상하며, 그 사상을 이해하는 일이 시조교육
에서의 가장 기본적인 과제라 할 수 있다. 옛날의 시조를 현대어로
번역한 내용을 학생들에게 가르치거나 현대어로 번역하도록 유도하
는 학습의 방법은 어려운 시조의 내용을 학습자에게 이해시키는 지름
길이 될 수 있다.
  그리고 고시조를 현대어로 고쳐 쓰기는 시조 학습자를 치밀하고

세밀한 글 읽기로 유도하는 기초가 된다. 고시조를 현대어로 고쳐 쓰는 학습은 시조에 대한 기초교육으로서 시조의 운율, 구성, 언어, 화자, 의미구조 등 시조를 존립하게 하는 시조의 속성을 이해시키는데 많은 도움을 줄 수 있다. 우리의 초등학교와 중등학교의 시조교육 현장에서는 이러한 점을 중심으로 해서 시조가 지닌 문화적 특성과 우리의 주체성을 강조하는 시조를 선택해서 학습의 현장에서 교육을 펼쳐야 할 것이다.

우리의 고시조를 영어나 외국어로 번역하여 학습자들에게 관심을 가지게 하는 것도 중요한 일이라 할 수 있다.

③ Why does the flower fall so soon and fast?
Why does the grass grow so quickly brown?
Perhaps what remains unchanged is only the rock.[17]

꽃은 무슨 일로 피면서 쉽게 지고
풀은 어찌 하여 푸르는 듯 누르나니
아마도 변치 않을 건 바위뿐인가 하노라

③은 위의 〈오우가〉를 영어로 번역한 영역시조이다. 이 영역시조인 〈오우가〉를 통해서 영어권 학습자들은 우리 민족의 특수한 문화인 시조를 이해할 것이다. 우리의 정형시인 시조를 영어나 외국어로 번역했을 때 번역된 시조가 외국인에게 정형시로 다가갈 것인가? 우리가 시조를 통해서 체험하는 정서나 감정이 외국인에게서 일어날 것

17) 김영락, 『영역시조-한시선』, 전망, 2001, p.63.

인가? 이러한 문제에 대하여 전적으로 긍정도 부정도 할 수는 없지만 아마도 우리가 경험한 정형시로서 우리 민족의 정서와 감정이 일어나지 않는 경우가 많을 것이다. 학습자들은 우리의 정형시인 시조가 영어나 외국어로 완벽하게 번역되지 않아 다른 문화와의 변별력을 부차적으로 학습할 것이다. 위의 번역된 영역시조를 통해서도 그 변별력은 영어로 번역된 시조는 3행으로 된 자유시이지 정형시라고 할 수 없다는 데서 쉽게 드러난다. 왜냐하면 영어로 번역된 시조는 영어가 모국어인 영국인이나 미국인에게 이러한 형식의 정형시가 없으며, 또 영국인이나 미국인이 읽었을 때 정형시가 아니고 자유시라고 하기 때문이다. 이러한 학습을 통해서 학습자들은 외국문화와 다른 우리 문화의 주체성을 좀 더 구체적으로 이해할 수 있을 것이다.

시조를 우리 문학사가 낳은 독특한 갈래라고 할 때 지금까지 연구한 시조의 내용을 모두 가르치는 대상이 될 수 있다. 학습자에게 시조의 실상을 이해시키기 위해서는 시조의 양식, 사상, 연행 등을 교육시키는 것이 필요하다. 이러한 방법은 무엇보다도 학습자 스스로 주체적인 사고와 활동이 이루어지도록 하는 도우미의 역할을 하는 것이다. 무엇보다도 학습자 스스로가 알고 있는 문학이론으로 시조작품을 꼼꼼하게 읽고 그 느낌과 정서를 자신의 문학적 소양으로 정리하는 것이 중요하다고 할 수 있다.

마지막으로 '어떻게 가르쳐야 하는가?'는 시조를 통한 교육으로 시조 자체의 미적인 표현이나 문학적 상상력, 또는 정신적 이념보다는 학습자의 수용능력과 표현능력을 신장시켜 일상생활에서 풍요로운 언어생활을 행할 수 있는 능력을 신장시키는 것에서 찾아야 할 것이다. 여기서 '어떻게 가르칠 수 있는가'와 관련된 학습자의 고쳐 쓰기 표현 능력을 살펴보는 시조와 그 패러디 시조를 살펴보기로 한다.

>이고 진 저 늙은 이 짐 풀어 나를 주오
>나는 젊었으니 돌이라 무거울까
>늙기도 설워라커든 짐을 조차 지실까
> <정철의 시조, 7차 교육과정 중학교 국어 2-1 수록>

>매고 든 저 어린이 가방 풀어 나를 주오
>나는 어른이니 책인들 무거우랴
>어려서 놀기도 바쁘거든 가방조차 매실까
> <학습자가 협동학습으로 고쳐 쓴 작품>

이 활동에서 학습자는 시조의 구성방식이나 표현법을 원용하여 자신의 일상적 체험 세계를 문학적으로 형상화하였다. 아래의 담론을 통해서 학습자는 시조에 관심을 유발하고 시조의 의미 구성방식에 대하여 이해하고 자신의 일상을 간략하게 시조로 표현하고 있다. 이러한 수업은 시조의 표현과 구성방식이 우리말의 특성을 얼마나 잘 살릴 수 있는 가를 학습자로 하여금 스스로 알 수 있게 하는 훌륭한 시조교육이라 할 수 있다.

시조의 현장교육은 한국인의 주체성을 담고 있는 시조를 학생들과 더불어 가르치고 익히면서 주체성 있는 내용을 교육시키고 그것을 실용적으로 표현할 수 있는 방법으로 교육이 이루어져야 한다. 시조문학이 그 질이나 양에서 우리 민족의 대표적인 문학임에 틀림이 없을 것이나 그 모두가 우리에게 유익하고 가치가 있는 것은 아니다. 옥석을 가리고 재정리하여 합리적으로 연구가 이루어질 때 시조의 참모습은 드러난다고 할 수 있다.[18] 교실 현장의 연구를 바탕으로 교과서에 실릴만한 작품을 선정하는 작업이 필요하다고 할 수 있다. 교실 현장의 연구를 바탕으로 교과서에 실릴 시조의 작품을 우리 민족의 주체성을 지니고 있는 작품으로 선정하여 학생들에게 가르치는 일이 중요하다고 할 수 있다.

그리고 국어교육의 현장에서는 시조를 가르치면서 예술 또는 국악교육으로서 시조라는 갈래의 정체성과 주체성에도 함께 관심을 기울이도록 지도하여야 한다.

4. 현대시로서의 독창성

21세기에 시조를 존립하게 하는 또 하나의 기반은 현대시조라 할 수 있다. 이 현대시조는 20세기 초에 이루어진 시조 형식의 실험[19]에서부터 오늘날에 이르기까지 지속되고 있다고 할 수 있다.

현대시조는 고시조의 고정된 형식의 틀에서 벗어나 현대인의 미적 감수성과 시대정신을 반영하기 위한 모색의 과정임은 말할 것도 없다. 그러나 지나치게 실험정신에 충실하여 시조의 정체성인 정형시의 요건을 파괴하여 버리면 자유시와의 변별력이 무너지게 되고, 역으로 고시조의 정체성으로 돌아가고자 하는 구심력의 작용이 지나치면, 고시조의 본질적 모습에 근접해야 한다는 구속성에서 벗어나기 어렵다. 이런 점에서 현대시조는 개성과 자유로움을 기본적인 시대

---

18) 김동준, 「시조문학교육의 문제점」, 『시조문학론』, 우성문화사, 1981.
19) 최남선, 「조선국민문학으로서의 시조」, 『조선문단』 5월호, 1926; 최남선, 『백팔번뇌』, 동광사, 1926.12.

정신으로 하는 현대인의 감수성을 충족해내는 창의성이 있는데 그 복잡한 상황을 간략하고 정제된 시조의 형식으로 극복하여 표현할 때 독창성과 그 가치를 지닐 수 있다.

현대시조의 본질은 그 명칭에서 짐작할 수 있듯이 현대시의 요건인 독창성과 시조로서의 요건인 정체성을 동시에 충족시켜야 하는데서 성립될 수 있다. 현대시조는 현대시로서의 독창성을 지니고 있어야 역사적 사명을 다하고 사라진 고시조와 변별되는 존재이유를 찾을 수 있으며, 또 현대시조로서의 정체성을 획득해야 현대 자유시와의 경쟁관계에 있는 현대시조, 정형시로서의 존재이유가 성립될 수 있다.

현대시조가 독창성을 무시하고 주체성만 추구하는 방향으로 나아간다면, 현대인의 미의식에 알맞은 공감대를 형성하기 어려워 시대착오적인 국수주의 혹은 환원주의로 인식되어 그 존립기반이 위태로워질 것이다. 또한 이와는 다르게 자유로운 형식으로 치우치면 정형시라는 정체성을 잃어버리고 지나치게 자유시 쪽으로 기울어져서 현대 자유시라는 비난을 면하기 어려울 것이다.

현대시조는 고시조의 정체성인 정형시의 전통을 살리면서 그 표현의 독창성과 창의성을 함께 개척해 나가야 할 것이다.

> 성불사成佛寺 깊은 밤에 그윽한 풍경소리
> 주승主僧은 잠이 들고 객客이 홀로 듣는구나
> 저 손아 마저 잠들어 혼자 울게 하여라
>
> <성불사의 밤> 첫 수

위의 시조는 노산 이은상(1903~1982)의 작품으로 가곡으로 창작되어서 많은 사랑을 받고 있는 작품이다. 이 현대시조는 오늘 날의 가곡

과 서로 어울려 현대음악으로 작곡이 되어 애창되었던 작품이라 할
수 있다. 노산 이은상의 시조로 이에 못지않게 애창곡이 된 작품으로
는 〈가고파〉, 〈봄처녀〉 등의 작품이 있다. 그의 시조에 대하여 나라
를 사랑하는 애국의 노래가 적고 낭독성과 음악성[20]이 앞섰다고 평
하기도 하지만 현대시조가 현대의 음악과 결합하여 애창곡이 된 것은
새로운 의미가 있다고 할 수 있다. 고시조의 표현형식인 음악과 문학
의 통합이라는 점을 빌어서 현대시조에 현대의 음악을 실어서 노래될
수 있도록 시조를 창작한 것은 현대시조의 새로운 전통을 만드는데
선구적인 역할을 했다고 할 수 있다.

　이와 같이 현대시조는 고시조가 갖지 못한 독창성을 갖기에 현대
에 시조가 존립해야 할 명백한 이유를 가지며, 현대 자유시가 갖지
못한 고시조의 정체성을 가지기에 자유시와 함께 현대시로서의 독창
성을 이어가게 되는 것이다.

　여기서는 고시조가 갖지 못한 현대시조의 특성을 현대의 자유시와
는 다른 사상과 정서 그리고 정형시라는 형식 등을 현대시조로서의
독창성이라 규정하고 21세기에도 현대시조가 존립할 수 있는 근거를
살펴보았다.

　현대시조가 독창성과 창의성을 가졌다 함은 고시조와 달리 열린
형식을 지녔다는 점을 들 수 있는데, 이 열린 형식이라는 것은 주로
시행의 배열에서 그 구분이 자유롭다는 사실에서 찾을 수 있다. 고시
조와 현대시조의 분기점은 바로 이 시행 배열이 자유로우냐 아니냐에
있는 것이라고 할 수 있다. 근대와 현대의 시대정신이 개성과 자유로
움의 추구에 있다면 고시조와 변별되는 현대시조의 독창성은 바로 시

---

20) 이태극, 『시조의 사적 연구』, 이우출판사, 1981.

행 배열의 개성과 자유로움의 획득에서 이루어질 수 있다.

고시조가 원전에는 띄어쓰기가 이루어지지 않은 채로 세로쓰기로 표기되어 있어 음보와 구의 구분을 어렵게 하는 이유는 당시의 문화현상으로 노랫말이 악곡에 실리기 때문이라 할 수 있다. 현대시조가 가지는 독창성은 현대시에서 표현할 수 있는 모든 이미지와 시대정신으로 대표되는 창의성을, 즉 '구별 배행21)이나 음보별 행갈이22) 혹은 글자별 행갈이' 등으로 변화시켜 시조라는 정형시의 형식에 담아 표현하는 것이라 할 수 있다. 현대시조가 지닌 시어의 개성적이고 자유로운 배분은 시조가 지닌 정형시로서의 정체성을 상실하지 않는 범위에서 이루어져야 한다.

다음의 시조는 현대시조로서 현대시의 독창성을 지니고 있으며 고시조의 정체성을 지니고 있는 작품이라 할 수 있다.

옛부터 바닷물에
별난 솜씨로 비쳤기에

은은한 솔밭에서
조상맛 화제거리

강릉땅
초당의 두부
제일강산 제맛일세

<김좌기, 초당두부>23)

---

21) 임종찬, 「시조표기 양상연구」, 『시조학논총』 제16집, 2000.
22) 김학성, 앞의 논문, 2001.
23) 한국시조학회, 『상아탑의 여운』, 백산출판사, 1996, p.27.

이 작품은 시조의 기본적 틀을 유지하여 전통적 미학을 살리면서도 행의 자유로운 변형을 통해 시각적인 창의성을 표현하여 현대인의 향수를 담아내고 있다고 할 수 있다. 그래서 이 작품은 현대시조로서 행의 자유로운 변형을 통하여 독창성을 획득하고, 시조의 정체성인 정형시의 형식인 '3장 6구(45자 내외)'을 그대로 살려 전통과 현대를 잘 조화시켜 안정감을 주고 있다. 이처럼 자유시가 아닌 현대시조라는 독창성으로 현실을 바라보고 세계를 파악하고자 할 때 현대시조는 그 장르의 존립기반이 마련된다고 할 수 있다.

시조시인들이 자유시와 현대시조를 혼동하지 않고 현대시조를 창작하는 것은 시조문학의 미래와 그 존립에 큰 영향을 미친다고 할 수 있다. 앞으로 현대 자유시와 변별성을 지니면서도 현대인의 정서와 감정을 표현하는 현대의 정형시로서 독창성을 지닌 현대시조가 많이 지어지기를 희망한다.

5. 시조문학의 미래

지금까지 본고에서는 시조문학의 대한 존립기반에 관한 시험적인 연구를 하면서 민족문화, 국어교육, 현대시로서의 가치를 규명하는 데 그 초점을 맞추었다고 할 수 있다. 이러한 연구는 기존의 연구가 정책적이고 실용적인 연구에는 관심을 소홀히 하고 각각 시조문학이 지닌 이론적인 특성을 파악하는 데에 치중하였다는 반성에서부터 그 출발점을 두고 있다. 이 논문에서 다룬 내용은 다음과 같은 점에서 시사점을 줄 수 있다.

첫째, 시조문학의 존립기반을 민족문화로서의 정체성, 국어교육으로서의 주체성, 현대시로서의 독창성 등으로 규명함으로써 시조문학의 존립기반을 정립하여 그 미래의 가치를 탐색해내는데 정책적인 주춧돌이 될 수는 근거를 제공하였다.

둘째, 기존의 연구가 시조의 존립기반을 무시하고 지나치게 민족문화로서의 시조, 국어교육으로서의 시조, 현대시조로서의 시조창작 등에 대하여 각각의 독자적인 특성을 밝혀내는 쪽으로 이루어진 것을 반성하면서, 21세기에는 시조문학을 보다 거시적인 방법에서 바라보고 그 실용성을 탐색할 수 있는 기반을 마련하는데 초점을 맞추었다.

셋째, 기존의 연구에서 미리 예상하지 못하고 거의 소홀히 하였던 '현대시로서의 시조', '국어교육으로서의 시조', '민족문화로서의 시조'의 상호관계 및 차별성을 각각 독창성, 정체성, 주체성 등의 용어를 사용하여 뚜렷하게 밝혀보려고 노력하였다. 21세기의 한국 시조문학은 국어교육으로서의 주체성도 지니고 있으며, 민족문화로서의 정체성도 지니고 있고, 현대시로서의 독창성을 함께 지니고 있어, 이 세 가지의 특성을 지닌 시조들이 함께 모여서 새로운 21세기 시조문학이 지닌 소통과 융합의 역사를 열어간다고 할 수 있다.

그러므로 이 연구는 21세기 시조문학의 미래에 관한 시각을 열어주고 그 존재기반을 좀 더 구체적으로 분석하여 시조에 관한 실용적 가치와 다양한 이해의 길을 온당하게 정립할 수 있는 토대를 마련하는데 그 목적이 있었음을 밝혀두고자 한다.

16세기 〈어부가〉와 〈오륜가〉의 표현의도와 수사학

1. 전원생활과 경세제민

16세기 양반사대부는 유학을 기본 이념으로 하여 과거에 급제하고 입신양명立身揚名하여 경세제민經世濟民하는 것을 이상으로 삼았다. 그러나 양반사대부가 벼슬자리에서 나아가 부패하고 험악한 정치현실을 만나면 스스로 고향으로 돌아와 산수자연에 묻혀 살면서 성리학적 세계관을 견지하면서 자연과 함께 전원생활을 하여야 했다.

시조는 이러한 양반사대부들의 도학사상과 풍류정신을 표현하기에 적합한 장르이다. 농암聾岩 이현보(1467~1555)의 〈어부가〉는 16세기 성리학의 정신과 유학자의 일상생활과 전원생활田園生活을 강호가도江湖歌道로 표현한 작품[1]이고, 신재愼齋 주세붕(1495~1554)의 〈오륜가〉는 16세기 유학자의 백성교화百姓敎化와 경세제민經世濟民의 의식을 유교철학으로 표현한 작품[2]이다. 이 시기 양반사대부들은 정치현

---

1) 조윤제, 『조선시가사강』, 박문출판사, 1937, pp.247~261.
2) 조윤제, 『조선시가사강』, 박문출판사, 1937, pp.261~267.

실에 입문하여 입신양명立身揚名하고 경세제민經世濟民함으로써 그 의
무를 다하려고 하였지만, 많은 정치인들이 현실정치에서 밀려나오면
산수자연에서 안빈낙도安貧樂道와 강호한정江湖閑情을 노래하면서 생
활하였다. 전원생활을 선택한 양반사대부들은 도의를 함양하고 심성
을 수양하는 공간으로 산수자연을 노래하거나, 산수자연을 여가생활
의 공간이나 전원생활의 한 공간으로 여겨서 시조를 창작했다.

16세기 〈오륜가〉과 〈어부가〉는 각각 당시 양반사대부들의 도학사
상과 풍류정신을 노래한 대표적인 시조문학이라 할 수 있다. 지금까
지 〈오륜가〉3)과 〈어부가〉4)의 연구5)는 작가론과 작품론에 많은 관
심을 보이고 있으나, 수사학으로 〈오륜가〉과 〈어부가〉를 함께 분석
하고 있는 논의는 거의 없다고 할 수 있다.

이 글에서는 16세기 주세붕의 〈오륜가〉와 이현보의 〈어부가〉에 나
타난 표현의도와 그 수사학적 세계관을 서로 비교하여 그 차이점을
살펴보고자 한다.

3) 조윤제, 『한국문학사』, 동국문화사, 1963; 김동준, 「이현보론」, 『고시조작가론』,
   1986, pp.9~31; 최진원, 『국문학과 자연』, 성균관대학교 출판부, 1977; 최동국,
   「조선조 산수시가의 이념과 미의식」, 성균관대학교 대학원 박사학위논문, 1992.
4) 조태흠, 「훈민시조 연구」, 부산대학교 대학원 박사학위논문, 1989; 우응순, 「주세
   붕의 백운동서원 창설과 국문시가에 대한 방향모색」, 『어문논집』 제35집, 1996,
   pp.193~212; 정재호, 「주세붕론」, 『속고시조작가론』, 백산출판사, 1990, pp.66~
   93.
5) 이동영, 『조선조 영남시가의 연구』, 부산대학교 출판부, 1998, pp.65~104; 이민
   홍, 『조선중기 시가의 이념과 미의식』, 성균관대학교 출판부, pp.127~165.

2. 제작동기와 표현의도

　시조는 정형시라 할 수 있다. 조선시대의 양반사대부가 정형시인 시조를 창작하려하면, 그 작가는 시조라는 장르를 선택하는 순간부터 시조의 3장 6구의 구조라든가 가창되어야 한다는 등의 고시조가 갖는 관습으로부터 자유로울 수 없게 된다. 신재의 〈오륜가〉와 농암의 〈어부가〉는 작가가 기존에 존재하고 있는 악장가사의 〈어부사〉나 〈오륜가〉 등의 작품을 계승하고 있다. 작가는 시가를 개혁하기 위해서 산수자연과 유교철학의 내용을 시조문학의 형식으로 개작하여 노래하고 있다. 문학적 장르는 관습의 산물인 것이고 시조와 같은 정형시의 경우에는 그 관습이 구체적으로 작용한다고 할 수 있다. 주세붕과 이현보는 〈오륜가〉와 〈어부가〉의 개작을 통해서 기존의 관습으로부터 자유로운 새로운 시조 작품을 만들고 싶어 했다.

　〈어부가〉와 〈오륜가〉의 제작 동기와 표현의도에 관한 기록은 문헌에 남아 있어 그 검토가 가능하다. 여기서는 이 기록들을 검토하여 두 작품을 창작하도록 영향을 끼친 요소가 무엇인지를 추적해서 그 표현의도를 살펴보고자 한다. 새로운 문학 작품이 기존의 작품이나 문학적 관습의 영향을 받았다고 해서 기존 작품의 세계관과 그 표현양상이 동일해질 수는 없다고 할 수 있다. 그 이유는 한 사람 한 사람의 작가가 모두 개별적인 존재이고 서로가 다른 의식과 표현의도를 드러내기 때문이라 할 수 있다. 다른 작가에 의해서 새롭게 개작되고 보급되는 작품은 개별적이고 개성적인 것이 되어 독창성을 지닌다고 할 수 있다. 이런 점에서 시간의 흐름에 따라 세상은 변하고, 문학도 새로운 작품으로 대체되고 새로운 세상이 열린다고 할 수 있다.

이 두 작품에 영향을 미친 악장가사의 〈오륜가〉나 〈어부가〉는 작품은 그 작품대로 독창성을 지니고 있으며, 새롭게 개작된 신재의 〈오륜가〉와 농암의 〈어부가〉도 그 독창성을 잘 드러내고 있어 조선시대 대표적인 문학작품으로 평가받고 있다.

먼저, 〈오륜가〉에 나타난 제작 동기와 표현의도를 살펴보기로 한다.

〈오륜가〉는 주세붕이 1549년 황해도 관찰사로 갔을 때 그 지방의 민속이 무무貿貿함을 보고 황해도 목민관으로서 백성의 교화를 위해서 지은 것이다.6) 당시에 황해도 풍속은 무예武藝를 숭상하고 학문의 가르침이 쇠절衰絶되어 학교가 퇴폐하였는데, 선생이 옛 풍습을 일신하였다. 후생들을 진기시키되 간절하게 가르치며 규칙을 엄하게 세우고 각 군에 유시諭示하기를 형벌을 덜고 세금을 적게 하며, 농사와 잠업蠶業에 힘쓰고 효도와 공경함을 철저히 가르치며, 여자는 음란치 못하게 하고 남자는 도적질 못하게 하며, 예의로써 아들을 가르치며 충忠·신信으로써 윗사람을 받들라고 하였다. 이에 〈오륜가〉를 지어 도내에 널리 펼쳤다.7)

이 다섯 가지로 그 길을 얻자면 아비는 자애롭고 자식은 효도하며, 형은 우애가 있고 동생은 공순하며, 남편과 아내는 분별이 있고, 늙은 이와 젊은이는 차례가 있으며, 화목하고 온화하면, 이른바 하늘과 땅 가운데의 따뜻한 기운이 상서로움에 이르는 근본이며 풍년이 들 징조

---

6) 주세붕周世鵬, 『무릉속집武陵續集』(권지일卷之一 오륜가五倫歌 주註), p.8, 按海西時, 見民俗之貿貿, 乃作此歌, 布施一路, 以明人之大倫者也.

7) 주세붕周世鵬, 『무릉속집武陵續集』(권지일卷之一 연보年譜 이십팔년二十八年), p.22. 時海俗尙武藝, 文教衰絶, 學校頹廢, 先生一新舊染, 振起後生諄諄施教, 嚴其準程, 牓諭列邑, 大要, 省刑罰, 薄稅斂, 務農桑, 申孝悌, 女不淫, 男不盜, 以禮義教子, 以忠信奉上, 又作五倫歌, 布施一路.

인 것이다. 사람은 모두 타고난 재주가 있으며 깨닫지 못하는 사람은
가려진 바가 있는 것이다. 구름이 걷히면 해가 밝게 빛나고, 가린 것을
걷으면 처음으로 되돌릴 수 있다. 울어대는 꾀꼬리도 언덕 모퉁이에 그
치는데, 사람으로서 그치는 바를 알지 못하는가. 진실로 이것은 태수가
알려서 지키고자 하는 것이고 스스로 지키지 못할까 두려워하는 까닭
이다. 만약 사람의 자식으로서 그 어버이를 봉양함에 공경하지 아니하
고, 아내로서 그 지아비를 섬기는데 공경하지 아니하고, 동생으로서 그
형을 따르는데 공경하지 아니하고, 나이가 어린 사람이 나이 많은 사람
을 대접하는데 공경하지 아니하고, 낮은 사람이 높은 사람의 말을 듣는
데 공경하지 아니하면, 태수가 마땅히 몸소 나서서 이끌어주고 끝까지
고치지 아니하면, 반드시 법으로 고통스럽게 묶을 따름이다. 서민들을
돈독하게 깨우치는데 참조하여 스스로 잘못을 고치는데 게으르지 말아
야 한다.[8]

위의 글을 통해서 주세붕이 〈오륜가〉를 지은 동기에는 1)1549년 황
해도 관찰사로서 백성교화의 필요성, 즉 백성들의 쉽게 바뀌는 풍속
을 교정하겠다는 점, 2)공동사회에 유교사회의 질서 확립을 위해 창
작한 훈민가라는 점, 3)유교적 이상사회의 실현을 위한 도구로서의
문학이라는 목적 등이 함께 어우러져 있음을 알 수 있다.

또한 주세붕은 1549년에 황해도 해주海州의 서쪽에 문헌공 최충崔

---

8) 주세붕周世鵬, 『무릉잡고武陵雜稿』(별집別集 권卷6, 고풍기부노돈유소민문고豊基
父老敦諭小民文), 『한국문집총간』제27집, pp.162~163. 斯五者, 得其道, 則父慈子
孝, 兄友弟恭, 夫婦別, 長幼序, 睦睦雍雍, 所謂天地中間和氣致祥之本, 而豊年之所
由兆也. 人皆有良知良能, 其不悟者, 有所蔽也. 雲捲則日昭昭矣, 蔽去而初可復也.
綿蠻黃鳥, 止于丘隅, 嗚呼, 可以人而不知所止乎. 此固太守之所告, 而亦所以自懼
也. 如有爲子而不敬養其親, 妻而不敬事其夫, 弟而不敬從其兄, 少而不敬禮其長, 賤
而不敬勝其貴者, 太守當躬親開導, 其終不改, 必如法痛繩乃已. 考翼其敦諭小民, 俾
各自新無怠.

沖의 서원9)을 세운다. 이런 점에서 〈오륜가〉는 주세붕이 정치현실에 나아가 입신양명과 경세제민의 의식을 표출한 시가이고 출처관出處觀 중에서 특히 처處보다는 출出에 관한 견해가 구체적으로 형상화된 작품이라 할 수 있다. 그래서 〈오륜가〉는 벼슬길에 나아간 양반사대부가 유교정치의 이상인 경세제민을 실천하고 백성을 교화하기 위해서 창작한 작품이고, 작가가 정치인인 관찰사의 입장에서 현실정치와 관련된 윤리와 도덕의 문제를 다루고 있는 작품이라 할 수 있다.

다음은 〈어부가〉에 나타난 제작 동기와 표현의도를 살펴보기로 한다.

어부가 두 편은 어떤 사람이 지었는지 알지 못한다. 내가 전원에 돌아와서 늙음으로부터 마음이 한가롭고 일이 없어서 옛날 사람들이 술 먹고 시 읊는 사이에 노래함직한 시문 약간수를 모아서 비복들에게 가르치고 열람을 시켜서 때때로 비복들이 부르게 하여 노래를 듣게 하여 세월을 보냈더니 아손兒孫들이 늦게 이 어부사를 얻어 가지고 나에게 보이거늘 내가 보니까 그 사어詞語가 한적하고 의미가 깊고 멀어서 그것을 음영함에 사람들로 하여금 공명에 벗어나 나부끼고 멀리 세속의 밖에 뜻이 있었다. 그래서 완상하고 기뻐하는 가사는 다 버리고 새롭게 뜻을 오로지 해서 손수 책을 만들어 화조월석에 술을 잡고 친구를 불러서 분천강汾川江 위에 작은 배를 띄우고 그 것을 읊게 하니 흥미가 더욱 참담게 쌓여서 권태로움을 잊었다.

다만 그 말이 맞지 않는 곳이 있고 중첩된 곳이 있으니, 이 가사는 그 전사傳寫할 때 잘못 썼을 것이다. 이 가사는 성현의 경전에 증거를 하는 글이 아니므로 감히 고치고 편찬해서 1편 12장에서 3장을 덜어 버리고 9장으로 하여 장가長歌로 읊고, 1편 10장은 줄여서 단가 5결闋을

---

9) 주세붕周世鵬, 『무릉속집武陵續集』(卷之一 年譜 二十八年), p.23. 立崔文憲公沖書院,于海州之西.

만들어 엽이창지葉而唱之로서 일부 신곡新曲을 만드니 줄이고 덧붙인
곳이 많다. 하지만 옛글의 본의에 맞도록 더하기도 하고 덜어내기도 하
여 그 이름을 〈농암야록〉이라 하였다. 감상하는 자는 참람하고 넘치는
모양으로 나를 허물하지 마라. 가정嘉靖 己酉(83세, 1549)여름 유월 유두
流頭 후 3일 설빈 옹 농암주인이 분강汾江 뱃전에서 쓰노라.10)

　위의 글에서 농암은 1)1549년 기존의 〈어부가〉를 늦게 아이와 손자
들이 가져왔는데 세속 밖의 뜻이 마음에 들어서 산수자연 속에서 전
원생활을 하면서 친구들과 함께 분천강에서 노래하였다는 점, 2)기존
의 〈어부사〉가 전사할 때 잘못 기록된 것이므로 성인의 경전처럼 고
증을 요하지 않으므로 장가長歌와 단가短歌인 신곡新曲으로 고쳐서 노
래하고자 하겠다는 점, 3)훗날 개작한 〈어부가〉를 감상하는 선비들
은 내용이 참람하고 넘친다는 의미로 나를 허물하지 말라고 하면서
〈어부가〉를 개작한 자신의 입장을 변호하며 옹호하고 있다. 이처럼
농암은 훗날 자신의 노래를 감상할 선비들에게 자신의 심정을 겸손하
게 드러냄과 동시에 작가가 수용자와 청자의 대상을 지정하여 이 노
래의 청자와 전승자를 예상하는 역할을 한다.

---

10) 이현보李賢輔, 『농암집聾巖集』(권삼卷三, 어부가구장漁父歌九章 어부단가오장漁父
　短歌五章 병서并書), 『한국문집총간』 제17권, p.417. 漁父歌兩篇不知爲何人所作, 余
　自退老田間心閒無事, 裒集古人觴詠間, 可歌詩文若干首, 敎閣婢僕, 時時聽而消遣,
　兒孫輩晩得此歌而來示, 余觀其詞語閒適, 意味深遠, 吟詠之餘, 使人有脫略功名, 飄
　飄遐擧塵外之. 得此之後, 盡葉其前所玩悅歌詞, 而專意于此, 手自膽冊, 花朝月夕,
　把酒呼朋, 使詠於汾江小艇之上, 興味尤眞, 疊疊忘倦, 第以語多不倫或重疊, 必其傳
　寫之訛, 此非聖賢經據之文, 妄加撰改, 一篇十二章去三爲九, 作長歌而詠焉. 一篇十
　章, 約作短歌五閔爲葉而唱之, 合成一部新曲, 非徒刪改, 添補處亦多, 然亦各因舊文
　本意增損之, 名曰聾巖野錄, 覽者幸勿以僭越咎我也. 時嘉靖己酉夏六月流頭後三日,
　雪鬢翁聾巖主人, 書于汾江漁艇之舫.

여기서 우리는 작가가 〈어부가〉를 개작하여 아이들이나 일반백성보다는 강호에서 생활하는 감상자들에게 좋은 평가를 받고자하는 작자의 표현의도를 읽을 수 있다. 이런 점에서 〈어부가〉는 은자隱者들을 위한 노래로 엄격했던 신분 질서와 함께 은자들의 삶을 표현한 시가이고, 일사逸士들이 고약한 정치현실을 피해서 산수자연에서 즐기는 강호한정江湖閑情의 생활을 노래한 작품이라 할 수 있다. 이런 점에서 작가는 만년에 고향으로 돌아와 강호에서 전원생활과 여가생활을 하면서 새롭게 우리말로 〈어부가〉를 개작하였다고 할 수 있다.

지금까지는 〈오륜가〉과 〈어부가〉에 나타난 표현의도와 제작 동기를 각 작품의 발문을 통해서 살펴보았다. 이를 간략하게 요약하여 제시하면 다음과 같다.

신재의 〈오륜가〉가 유교철학의 미학을 바탕으로 유학자의 경세제민經世濟民하는 현실참여에 필요한 내용을 담았다고 한다면, 농암의 〈어부가〉는 강호한정의 미학을 바탕으로 여가생활을 즐기는 양반사대부의 의식을 담은 것이라 할 수 있다. 이런 점에서 〈오륜가〉의 경세제민은 16세기 양반사대부의 정치생활에서 꼭 필요한 양반사대부의 가치관이라서 겸선兼善의 가치를 지향한다고 할 수 있으며, 〈어부가〉의 강호한정은 양반사대부의 전원생활이나 여가생활에서 찾을 수 있는 가치관이라 독선獨善이라 할 수 있다.

〈오륜가〉에 나타난 정치현실은 유학자에게 백성교화의 선善의 윤리와 미의식을 드러내는데 적합한 주제라 할 수 있고, 〈어부가〉에 나타난 산수자연은 미美의 자연으로 선비의 강호한정의 미의식을 드러내는데 적합한 주제라 할 수 있다.

3. 작품에 나타난 수사학

　16세기 시조문학은 크게 산수시조와 교훈시조로 나누어질 수 있다. 16세기 중반기의 산수시조와 교훈시조를 대표하는 작품은 농암의 〈어부가〉와 신재의 〈오륜가〉라 할 수 있다. 농암의 〈어부가〉를 포함한 산수시조는 양반사대부의 문학으로 그 정신세계와 전형성을 잘 드러내고 있어 많은 관심을 받아왔지만, 신재의 〈오륜가〉를 포함한 교훈시조는 내용과 형식이 도학적인 교훈에 치우쳐 있다는 지적11)과 함께 연구자들에 의해 주목을 받지 못했다. 이 글에서는 16세기 시조문학에 나타난 수사학의 연구를 통해서 교훈시조와 산수시조를 함께 논의하고 연구할 수 있는 기틀을 마련하고자 한다.

　문학작품의 표현상 특성이라고 한다면 다른 장르의 글보다 비유적 표현을 많이 쓰고 있다는 점이라 할 수 있다. 전통적인 의미에서 수사학은 웅변술이나 말하는 기술이라는 의미로 사용되었다. 아리스토텔레스의 『수사학』에서는 설득을 위한 도구를 찾는 능력이라고 수사학을 정의하고 있다. 그 이후 18세기까지의 수사학은 설득의 방법으로서 주어진 주제에 맞는 재료를 어디에서 가져와서 어떻게 조립하여 전달하는가 하는 문제에 관심의 초점이 맞추어져 있었다고 할 수 있다.

　최근의 수사학에서는 설득의 방법으로서 말하기 기술이라는 관점을 넘어 인간 경험의 가장 깊은 차원까지 관통하는 인식론적 관점에서 수사학을 다루고 있다. 수사학에 대한 이러한 이해의 본질을 보여주는 학자는 니체(1844~1900)라고 할 수 있다. 니체는 진리를 '한 무리의 은유, 환유, 의인화'12)라고 정의함으로써 인간이 사유하는 진리라

---

11) 조윤제, 『한국문학사』, 동국문화사, 1963, pp.130~141.

는 것 자체가 수사학적 비유의 덩어리일 뿐이다. 그리고 니체는 서구의 철학에서 오래도록 추구해오던 진리라는 개념 자체가 기원을 상실한 '낡은 동전'에 불과할 뿐이라고 주장한다. 이는 진리에 대해 말하는 담론이 진리 자체를 말하는 것이 아니라 진리에 대해 비유한 담론들을 모아놓은 것에 불과하다는 의미이다. 야콥슨(1896~1982)은 오늘날처럼 수사학을 은유와 환유의 두 가지로 환원시켜 설명하고 있다.13) 과거에 말하기 방법으로서의 수사학은 다양한 수사학적 방법들의 전시장을 방불하게 했다면, 현대의 수사학은 이러한 다양성을 줄여서 근원적인 수사학의 원인을 찾고자하는 환원의 방향을 택하고 있는 것이다.

문학작품의 구조에서 사용된 언어의 조직은 계열의 축을 따라 수직축으로 전환하기도 하고 통합의 축을 따라 확장하기도 한다. 은유는 언어의 조직이 계열체의 축을 따라 형성되는 유사성에 의해 이루어지는 수사학이라 할 수 있다. 이와는 다르게 환유는 언어의 조직이 통합체의 축을 따라 형성되는 것으로 인접성의 원리에 의해서 이루어지는 수사학이다.

은유는 계열축이나 수직축으로 이어지는 언어의 비유적 표현이다. 은유는 각각 서로 다를지라도 동일한 기능을 수행하거나 한 문장 안에서 같은 위치에 올라와 있는 일련의 단어들과 서로 연관관계가 맺어져 대체 및 계열체의 영역으로 의미축을 형성한다고 한다. 한편 환유는 통합축이나 수평축으로 이어지는 언어의 비유적 표현이다. 환유는 문장의 구조 안에서 단어들이 서로 의미를 확장하며 계기적인

---

12) 프리드리히 니체(이진우 역), 『비극적 사유의 탄생』, 문예출판사, 1997, p.200.
13) 로만 야콥슨(신문수 편역), 『문학 속의 언어학』, 문학과 지성사, 1989.

순서로 연관관계가 맺어져 치환 및 통합체의 영역으로 의미축을 형성한다고 한다. 은유의 수사학은 수직축을 통해 의미의 동일성을 추구하는 정적인 구조라 할 수 있고, 환유의 수사학은 수평축을 통해 의미를 확대시켜가는 동적인 구조라 할 수 있다.[14]

조선시대의 시조에는 은유의 수사학으로 언어를 전환해서 계열축이나 수직축을 바탕으로 양반사대부들의 정치현실과 백성교화를 노래한 작품도 있고, 또 환유의 수사학으로 언어를 확장하여 통합축이나 수평축으로 양반사대부들의 산수자연과 강호가도를 노래한 작품도 있다.

먼저, 은유의 미학을 수용하여 언어의 전환을 주된 표현수단으로 하면서 산수자연의 모습에 성리학의 성정미학을 표현한 〈오륜가〉에 나타난 은유의 수사학을 분석하고자 한다.

1) 〈오륜가〉와 은유의 수사학

은유는 동일성의 미학을 통해 주체와 대상 사이의 총체성을 지향하는 수사학일 뿐만 아니라, 기호의 본질 또는 기원을 인정하고 그것을 표현할 수 있다는 관점을 지닌 수사학이다. 여기서 은유라는 용어는 구조적인 측면에서 언어의 사용을 수직축이나 계열축으로 전환하는 것을 주된 표현수단으로 하는 비유로 한정하여 사용하고자 한다. 같은 계열의 값을 가진 낱말들을 결합하는 은유의 수사학은 수직축의 원리에 의해서 비롯된 비유라고 할 수 있다. 은유는 두 사실의 유사성

---

14) 류해춘, 「고려시대 정치민요의 기능과 그 미학」, 『어문학』 제65집, 1998, pp.145∼
    164; 류해춘, 「조선시대 정치민요의 유형과 그 미학」, 『어문학』 제71집, 2000,
    pp.205∼227.

과 상호 관련성을 근거로 1:1의 대등한 유추적 관계를 암시하고 있다. 은유의 스타일은 계열체적 순서를 의미하며 단어들의 종속적 관계에 따르며 선언적이다. 다시 말해서 은유의 의미는 앞으로 결정될 것이라기보다 수직적으로 이미 결정되어 있다고 할 수 있다.

신재의 〈오륜가〉는 화자가 백성교화와 경세제민을 추구하면서 백성들에게 오륜의 중요성을 반복적으로 강조하는 은유의 수사학을 주로 사용하고 있다.

> 사룸 사룸마다 이 물슴 드러스라
> 이물슴 아니면 사룸이오 사룸 아니니
> 이 말슴 잇디말오 비호고야 마로링이다
>
> 〈오륜가〉15)

이 작품은 신재의 〈오륜가〉 가운데 처음으로 등장하는 시조이다. 이 시조에서는 시적 화자이며 발화자인 작가가 청자인 사람에게 권유하고 명령하며 훈계하는 서술어를 사용하고 있다. 이 작품의 초장에서는 '이 물슴 드러스라' 라는 구절을 통해서 사람 사람마다 이 〈오륜가〉를 들으라는 비슷한 의미를 반복하고 있다. 중장에서도 이 〈오륜가〉의 말씀이 아니면 사람이지만 사람이 아니라고 하면서 대조적인 의미를 반복하여 은유적으로 〈오륜가〉의 의미를 강조하고 있으며, 종장에서도 〈오륜가〉의 의미를 잊지 말고 청자인 백성들이 꼭 배우라고 반복하여 강조하고 있다.

이 작품은 초장과 중장 그리고 종장에서 화자가 주장하는 오륜의

---

15) 주세붕周世鵬, 『무릉속집武陵續集』(권지일卷之一 오륜가五倫歌), p.8.

의미를 청자인 백성들에게 주입시키겠다고 반복하여 은유적으로 강조하고 있다. 이처럼 이 노래는 시적 화자인 작가가 백성들을 교화시켜야겠다는 간절한 소망을 버릴 수 없어 청유형 서술어의 반복과 문장의 반복 그리고 단어의 반복을 통한 은유적 수사학으로 〈오륜가〉의 중요성을 강조하고 있다. 초장에서부터 종장까지 사용된 서술어는 '드러스라', '비호고야' 등의 청유형의 서술어가 아니면, '~아니면', '~아니니', '~잇디말오', '~마로링이다' 등의 부정형 서술어를 반복하고 있다. 이러한 표현은 비슷한 서술어의 반복과 병렬을 통해서 시적 화자가 유교윤리를 강조하는 마음을 변하지 않고 지속하겠다는 의지를 보여주는 은유의 수사학이라 할 수 있다.

다음은 의미의 반복을 통해서 은유의 수사학을 보여주며, 부모의 은혜를 노래하는 작품을 살펴보기로 한다.

> 아바님 랄 나흐시고 어마님 랄 기르시니
> 부모父母옷 아니시면 내몸이 업실랏다
> 이 덕을 가프려흐니 하늘フ이 업스샷다
>
> 〈오륜가〉16)

〈오륜가〉 둘째 수에서는 초장과 중장의 의미가 부모님과 관련된 구절로 반복되는 행의 병렬parallelism이 사용되는 경우가 흔하다고 할 수 있다. 시조에 나타나는 이러한 병렬은 비형식적 언어인 구술문화의 대표적인 예17)가 된다고 할 수 있다. 이 작품은 초장과 중장에

---

16) 주세붕周世鵬, 『무릉속집武陵續集』(권지일卷之一 오륜가五倫歌), p.8.
17) 마이클 라이언(나병철, 이경훈 옮김), 『포스트모더니즘 이후의 정치와 문화』, 갈무리, 1996, p.197.

서 낳으시고 기르신 부모님 은혜의 귀중함을 반복하고 있으며, 종장
에서는 부모님의 은혜를 갚고자 하니 '하늘 같이 끝이 없다'는 구절로
표현함으로써 은혜의 끝없이 넓고 깊음을 강조하고 있다. 여기서는
유사성을 지닌 대상으로 끝없이 넓은 하늘을 부모님의 은혜로 빗대어
은유적으로 강조하고 있다.

　문자문화의 특성인 형식적인 언어에서는 표현을 정확하게 하기 위
해서 되도록 같은 단어를 반복해서 사용하지 않는다고 할 수 있다.
이러한 반복과 병렬의 표현은 의미적인 측면에서 은유의 수사학을 보
여주는 대표적인 경우라 할 수 있다. 민요와 같은 구술문화에서는 정
형성이 결여되어 있기에 병렬이 거의 유일한 작시법의 기능을 담당했
다고 할 수 있지만, 시조에서 행의 병렬을 보이는 이유는 가창되고
구전되는 시조문학의 특성을 반영하려는 작가의 의도가 내포[18])되어
있다고 할 수 있다.

　지금까지 신재의 〈오륜가〉에 나타난 은유의 수사학을 살펴보았다.
은유의 수사학은 계열체의 언어나 병렬의 문장들을 결합하여 크게 변
화하지 않는 동일성의 세계를 함축하는 언어의 전환적 기법을 내포하
고 있다. 은유의 수사학은 시조의 내용을 순차적으로 전개하면서 앞
의 내용을 전복하여 전개하기보다는 시조의 초장에서 제시한 명제를
그대로 이어간다고 하여도 과언이 아니라고 할 수 있다. 이러한 은유

---

18) 셋째 수에서는 '종'과 '상전'의 관계를 '벌과 개미'에 있어 여왕벌과 일벌·여왕개
　미와 일벌의 관계에 빗대어 군신君臣관계를 은유적으로 표현하여 강조하고 있다.
　넷째 수에서는 '지아비'를 '손'에 빗대어 은유적으로 표현함으로써 부부의 예를 나
　타내고 있으며, 다섯째 수에서는 형제간의 우애를 중시함을 강조하기 위해 형제간
　에 불화不和하는 자를 '개'나 '돼지'라 할 수 있다고 은유적으로 표현하고 있다. 마
　지막 여섯째 수에서는 '늙은이'를 '부모'에, '어른'을 '형'에 은유적으로 빗대어 장유
　유서의 의미를 효과적으로 나타내고 있다.

의 수사학은 〈오륜가〉에서 기호와 관념 사이를 모순이 없는 등가관
계로 연결시켜 백성교화百姓教化와 경세제민經世濟民의 미학을 획득하
고 있다.

2) 〈어부가〉와 환유의 수사학

환유는 통합체계의 언어구조와 대상의 개별적인 성격이 인접성의
원칙을 통해 부분과 전체에 대한 대상의 총체성을 표현하는 수사학일
뿐만 아니라, 단지 다른 기호들과의 인접성에 의해 기호의 의미를 부
여받을 수 있다. 여기서는 환유라는 용어를 문학작품에서 언어의 사
용을 통합축이나 수평축으로 확장하면서 연상하는 표현을 주된 수단
으로 이용하는 비유로 한정하여 사용하고자 한다.

환유의 수사학은 같은 층위에서 모종의 방식으로 채택된 낱말과
낱말을 결합시키는 수평축으로 언어의 사용을 확장시키는 비유라고
할 수 있다. 환유는 은유의 이상화하려는 경향과 궁극적으로 모순되
며 그것을 허물어뜨리는 물질성에 근거를 두고 있다. 환유의 의미는
이미 결정된 사실을 반복하기보다는 작품 속에서 그 뜻을 수평적으로
확장하여 간다는 것이다.[19]

농암의 〈어부가〉는 화자가 은거생활의 벗이 된 산수자연을 감상하
면서 자연의 모습을 사실적으로 묘사하고 있는 환유의 수사학을 주로
사용하고 있다.

---

19) 마이클 라이언(나병철, 이경훈 옮김), 『포스트모더니즘 이후의 정치와 문화』, 갈
무리, 1996, p.197.

이 듕에 시름업스니 어부漁父의 생애生涯이로다
일엽편주一葉片舟를 만경파萬頃波에 띄워두고
인세人世를 다 니젯거니 날가는 주를 알랴

<어부가>20)

〈어부가〉의 첫째 수인 이 노래는 초장에서 인간세상에서 시름이
없는 어부의 생애를 제시하고 있다. 중장에서 화자는 조그마한 배를
물위에 띄워 놓고 수없이 일어나는 파도를 체험해야하는 어부의 일상
생활을 묘사하고 있지만, 작은 배에 의지하여 수많은 풍랑을 헤쳐야
하는 어부의 일상생활을 통해 은자隱者의 삶을 표현하고 있다. 종장
에서 화자는 어부의 일상생활을 통해 인간세상을 잊고 살아가니, 세
월이 어떻게 흐르는지 모르겠다고 하며, 은자가 살아가는 선경仙境의
모습을 표현하고 있다.

이 작품에서 화자는 초장에서 어부의 생애를 동경하고 있으며, 중
장에서는 어부의 일상생활을 구체적으로 설명하고 있으며, 종장에서
화자는 어부의 생활이 신선의 세계가 되어 살아가는 모습을 표현하고
있다. 화자는 어부의 생애, 어부의 일상생활 그리고 어부의 신선생활
등으로 인접한 영역으로 어부생활과 은자의 생활을 확대하며 서술하
는 환유의 수사학을 보여주고 있다. 이러한 표현방법은 어부의 삶이
라는 이미지에 생활공간의 의미체를 수평축으로 확대하고 있는 것으
로 작품 속에서는 의미체의 결합이 자유연상에 가까워 환유의 수사학
이 지닌 본질적인 특성을 잘 드러내고 있다고 할 수 있다.

---

20) 이현보李賢輔, 『농암집聾巖集』(권삼卷三, 어부가구장漁父歌九章 어부단가오장漁父
　　短歌五章), 『한국문집총간』 제17권, p.416.

환유의 시각으로 사물을 살피게 되면 사람의 눈은 사물의 이면이나 정신을 보는 것이 아니라 사물들을 설명하거나 묘사하는 눈으로 바뀌게 된다.

> 구버는 천심녹수千尋綠水 도라보니 만첩청산萬疊靑山
> 십장홍진十丈紅塵이 언매나 ᄀ렛는고
> 강호江湖에 월백月白ᄒ거든 더욱 무심無心ᄒ애라
>
> 〈어부가〉21)

〈어부가〉의 둘째 수인 위의 작품에서 화자는 산수자연 속에서 인간의 홍진을 멀리하여 무심無心하고자 하는 마음을 노래하고 있다. 초장에서 화자는 산과 물을 노래하면서, 앞으로 구부러서 보면 천 길이나 되는 푸른 물이 넘실거리는 모습, 뒤돌아보니 첩첩이 싸인 청산의 모습을 시각적으로 표현하고 있다. 화자는 자연의 모습을 산과 물로 나누어 시각적으로 확대하여 자연의 모습을 서술하고 있으며, 단순히 평면적으로 물이나 산의 경치를 그리는 것이 아니라 시각적으로 산과 물의 모습을 나타내어 산수화의 입체적인 모습으로 산수자연을 표현하고 있다.

중장에서 화자는 속세에 사는 인간의 홍진을 가려주는 산과 물의 모습을 조용하게 표현하고 있다. 여기서 화자는 초장에서 '천심녹수', '만첩청산'이라고 표현한 시각적인 산수의 모습을 인간 세상에 존재하는 깊은 홍진을 막아주는 산수자연으로 확대하면서 그 의미를 인접

---

21) 이현보李賢輔, 『농암집聾巖集』(권삼卷三, 어부가구장漁父歌九章 어부단가오장漁父短歌五章), 『한국문집총간』 제17권, p.416.

성의 원리를 활용하여 변화시키고 있는 환유의 수사학을 사용하고 있
다. 종장에서 화자의 초점은 다시 강호와 자연으로 옮겨서 하늘에 떠
오르는 밝은 달과 달이 떠오르는 산수자연에서 종교적인 무심無心의
마음으로 자연의 경치에 그 의미를 확대하여 첨가하고 있다. 초장의
산수자연과 중장의 인세홍진의 이미지는 서로 상반된다고 할 수 있지
만, 종장에서 달이 떠오르는 강호자연의 모습을 통해서 인세홍진이
산수자연의 위세에 눌려 절대자의 무심無心처럼 변하게 된다.

　이처럼 자연에서 인간으로 인간에서 무심無心의 시각으로 관점이
이동하면서 화자의 시각이 깊어지고 확대되는 의미의 구조를 환유의
수사학이라고 할 수 있다. 이 작품에서 화자는 초장에서 산수자연을
표현하고, 중장에서 인간세상의 홍진의 깊이를 과장하여 표현하며,
종장에서 절대자의 무심無心을 표현하여 수평축으로 의미를 확대하여
종교적인 신앙을 연상하는 환유의 수사학을 보여주고 있다. 이처럼
화자는 이미지의 조화나 통일성보다는 이미지의 돌발성이나 일탈성
을 표면에 내세우는 환유의 시각을 견지하고 있다.

　지금까지 농암의 〈어부가〉에 나타난 환유의 수사학을 살펴보았다.
환유의 수사학은 경험적이고 특수한 것을 중요시여기고 같은 층위에
서 다양한 방법으로 관련되는 단어와 문장을 확장하여 통합적으로 그
의미를 확장하고 있다. 환유는 은유의 관념화하려는 성질과 궁극적
으로 다르며 그것을 허물어뜨리려는 의도성에서 출발한다고 할 수 있
다. 환유는 이상적이고 보편적이라기보다 경험적이고 특수한 것이라
할 수 있다. 은유가 보수적 표현이라면 환유는 진보적 표현이 되고,
은유가 전통지향적이고 정적이고 결정적이라면, 환유는 미래지향적
이고 동적이며 미결정적이라 할 수 있다. 이러한 환유의 수사학은 경

험적이고 특수한 체험의 내용을 〈어부가〉에 표현하여 강호한정江湖閑情과 안빈낙도安貧樂道이라는 독특한 미학을 획득하게 되었다고 할 수 있다.

4. 자연의 환유와 윤리의 은유

지금까지 신재 주세붕의 〈오륜가〉와 농암 이현보의 〈어부가〉에 나타난 표현양상과 그 수사학을 살펴보면서 논의한 것을 요약하며 결론으로 대신하고자 한다.

신재의 〈오륜가〉는 양반사대부가 정치현실에 나아가 입신양명立身揚名과 경세제민經世濟民의 의식을 표출한 시조이고, 농암의 〈어부가〉는 산수자연에 은거하여 생활하면서 강호한정江湖閑情과 안빈낙도安貧樂道를 표출하는 시조라는 것이다. 양반사대부들의 출처관出處觀 중에서 〈오륜가〉는 벼슬자리에 나가서 생활하는 출出과 관련된 처세에 대해서 노래하고 있다면, 〈어부가〉는 산수자연에 돌아와서 은둔을 하면서 처處에 관한 견해가 구체적으로 형상화된 작품이라 할 수 있다. 벼슬길에 나아가서 입신양명과 경세제민하는 양반사대부의 노래가 〈오륜가〉라면, 〈어부가〉는 귀거래하여 안빈낙도하며 산수자연에 묻혀 사는 양반사대부의 처지와 태도를 표현하고 있는 작품이라 할 수 있다.

주세붕(1495~1554)과 이현보(1467~1555)는 〈오륜가〉과 〈어부가〉를 통해서 기존에 불리어진 〈악장가사〉의 시가의 관습으로부터 자유로워지고 싶어 했다. 16세기에 창작된 신재의 〈오륜가〉가 유교철학의

인의예지신을 바탕으로 유학자의 백성교화의 의식을 표현하고자하는 의도를 담았다고 한다면, 16세기에 창작된 〈어부가〉에 나타난 표현 의도는 강호한정의 미학을 바탕으로 여가생활을 즐기는 양반사대부의 전원생활을 담은 것에서 기인한다고 할 수 있다. 따라서 〈오륜가〉에 나타난 양반사대부의 가치관은 백성교화와 16세기 양반사대부의 정치생활에서 꼭 필요한 경세제민의 겸선兼善이라 할 수 있는 반면, 〈어부가〉에 나타난 강호한정과 안빈낙도安貧樂道는 양반사대부의 여가생활에서 찾을 수 있는 독선獨善에 가까운 가치관이라 할 수 있다. 그래서 〈오륜가〉에 나타난 정치현실은 백성교화라는 유학자의 윤리와 선善의 미의식을 드러내는 데 적합한 표현이라야 하며, 〈어부가〉에 나타난 산수자연은 미美의 자연自然으로 귀거래한 양반사대부의 강호한정과 물외한적의 미의식을 드러내는데 적합하여 그 시적 효과를 더욱 높이고 있다.

신재의 〈오륜가〉에 나타난 은유의 수사학은 계열체의 언어나 병렬의 문장들을 결합하여 크게 변화하지 않는 동일성의 세계를 함축하는 언어의 전환적 기법을 내포하고 있다. 은유의 수사학은 시조의 내용을 순차적으로 전개하면서 앞의 내용을 확대하거나 전복하여 전개하기보다는 시조의 첫째 수에서 제시한 명제를 그대로 이어간다고 하여도 과언이 아니라고 할 수 있다. 그래서 〈오륜가〉에 나타난 은유의 수사학은 양반사대부가 현실정치라는 기호와 성리학이라는 관념 사이를 모순이 없는 등가관계로 연결시켜 입신양명立身揚名하려는 유학자의 백성교화百姓敎化와 경세제민經世濟民의 미학을 획득하였다고 할 수 있다.

한편 농암의 〈어부가〉에 나타난 환유의 수사학은 경험적이고 특수한 것을 중요시여기고, 같은 층위에서 다양한 방법으로 관련되는 단어와 문장을 확장하여 통합적으로 그 의미를 확장하고 있다. 〈어부가〉에 나타난 환유의 수사학은 양반사대부가 산수자연에서 경험한 특수한 체험의 내용을 표현하여 강호한정江湖閑情과 안빈낙도安貧樂道의 미학을 획득하였다고 할 수 있다. 또한 인과 관계에 의한 연상의 환유적인 전개에 은유적 사슬까지 장착함으로써 자연으로 돌아온 양반사대부가 미美적인 측면에서 자연을 바라보면서 강호한정과 안빈낙도의 미의식을 구체적이고 경험적으로 드러내어 독선獨善의 경향이 강하다고 할 수 있다. 은유의 수사학이 문맥 내에서 전통지향적이고 정적이고 결정적이라면, 환유의 수사학은 문맥 내에서 미래지향적이고 동적이며 미결정적이라 할 수 있다.

지금까지 이 글은 16세기 신재의 〈오륜가〉와 농암의 〈어부가〉에 나타난 표현의도와 그 수사학이 은유와 환유로 대체가 가능하다는 문제의식을 가지고 분석하였으므로 앞으로 체계적으로 검토하는 작업을 거쳐 지속적으로 보완하고자 한다.

〈도산십이곡〉과 〈어부사시사〉의 표현의도와 수사학

1. 산수자연과 풍류정신

조선시대의 사대부는 성리학을 기본 이념으로 하여 정치현실에 나아가 경세제민經世濟民하는 것을 이상으로 삼았다. 관료사회에서 어지러운 정치현실을 만나면, 사대부는 스스로 고향으로 돌아와 산수자연에 묻혀 살면서 성리학적 수양과 함께 다양한 세상사에 관심을 가지면서 살았다. 사대부가 현실정치에서 은퇴하여 산수자연으로 돌아와도 현실을 도피하면서 완전하게 도가적으로 은둔하는 경우는 드물었다고 할 수 있다.

시조는 사대부들의 경세제민과 풍류정신을 표현하기에 적합한 장르이다. 이황(1501~1570)의 〈도산십이곡〉[1]은 16세기 성리학의 정신과 유학자의 일상생활과 전원생활을 강호가도江湖歌道로 표현한 대표적인 작품이고[2], 윤선도(1587~1671)의 〈어부사시사〉[3]는 17세기의 유학

---

1) 이동환, 「퇴계문학 연구의 성과와 과제」, 『퇴계학과 한국문화』 제18집, 1990, pp.1~11.

자의 풍류정신과 전원생활 및 여가생활을 강호한정江湖閑情으로 표현
한 대표적인 작품이다.4) 이 시기 사대부들은 정치현실에 입문하면
입신양명立身揚名하고 경세제민함으로써 그 의무를 다하려고 하였지
만, 정치현실에서 밀려나오면 산수자연에서 안빈낙도安貧樂道와 강호
한정江湖閑情의 감흥을 추구하면서 생활하였다고 할 수 있다. 산수자
연으로 돌아온 사대부들은 도의를 함양하고 심성을 수양하는 공간으
로 산수자연을 표현하거나, 산수자연을 일상생활의 공간이나 여가생
활의 한 공간으로 여겼다.

주지하듯이 16세기 〈도산십이곡〉과 17세기 〈어부사시사〉는 조선
중기 사대부들의 성리학적 세계관과 강호가도의 풍류정신을 표출하
는 대표적인 작품이라 할 수 있다. 지금까지 〈도산십이곡〉과 〈어부사
시사〉의 연구는 작가론과 작품론에 많은 성과를 보이고 있으나, 수사
학으로 〈도산십이곡〉과 〈어부사시사〉를 분석5)하는 연구가 최근에
와서 시작되고 있으나 그 성과는 미미하다고 할 수 있다. 이 글은 조
선중기 이황의 〈도산십이곡〉과 윤선도의 〈어부사시사〉에 나타난 산
수자연의 표현양상과 그 수사학적 세계관을 서로 비교하여 그 차이점
을 살펴보고자 한다.

---

2) 조윤제, 『한국문학사』, 동국문화사, 1963, pp.130~141.
3) 조동일, 「고산연구의 회고와 전망」, 『고산연구』 제1집, 1987, pp.347~358.
4) 최진원, 『국문학과 자연』, 성균관대학교 출판부, 1977, pp.35~43; 김흥규, 「강호
자연과 정치현실」, 『세계의문학』 제19호, 1981, 민음사.
5) 신연우, 「도산십이곡의 은유」, 『시학과 언어학』 제15호, 2008, pp.75~106; 고정
희, 「알레고리시학으로 본 〈어부사시사〉」, 『고전문학연구』 제22집, 2002, pp.67~
92.

2. 창작동기와 표현의도

시조는 정형시라 할 수 있다. 조선시대의 작가가 정형시인 시조를 창작하려하면, 그 작가는 시조라는 장르를 선택하는 순간부터 시조의 3장 6구의 구조라든가 가창되어야 한다는 등의 고시조가 갖는 관습으로부터 자유로울 수 없었다. 〈도산십이곡〉과 〈어부사시사〉는 작가가 기존에 존재하고 있는 〈어부사〉나 〈육가〉 등의 시가를 개혁하기 위해서 산수자연을 시조로 읊어내고 있는 작품이다.

이황과 윤선도는 〈도산십이곡〉과 〈어부사시사〉의 개작을 통해서 기존의 관습으로부터 자유로운 새로운 문학작품을 창작하고자 했다. 〈어부사시사〉와 〈도산십이곡〉의 창작동기와 개작의도의 기록이 각각의 문집에 구체적으로 남아 있어 그 검토가 가능하다.

퇴계의 〈도산십이곡〉이나 고산의 〈어부사시사〉의 창작동기는 각 작품의 발문跋文에 잘 나타나 있다. 이 두 작품에 영향을 미친 〈어부사〉나 〈육가〉의 작품은 그 작품대로 독창성을 지니고 있으며, 〈도산십이곡〉과 〈어부사시사〉도 독창성을 잘 드러내고 있어 조선시대 대표적인 문학작품으로 평가받고 있다.

먼저, 〈도산십이곡〉에 나타난 창작동기와 표현의도를 살펴보기로 한다.

　〈도산십이곡〉은 도산노인이 지은 것이다. 노인은 무엇 때문에 이것을 지었는가? 우리 동방의 가곡은 대체로 음란한 소리가 많아 말할 만한 것이 못 된다. 한림별곡과 같은 것들은 문인의 입에서 나왔으나 긍호矜豪하고 방탕放蕩하며 게다가 거만하고 농지거리하는 내용이라 더욱 군자가 숭상할 바가 아니다. 다만 근세의 이별李鼈의 〈육가〉가 세

상에 널리 전하고 있는데. 오히려 그것이 이보다 좋다고 하나, 역시 애
석하게도 완세불공玩世不恭의 뜻이 담겨져 있고 온유돈후溫柔敦厚한 내
실이 적다. 노인은 원래 음악을 모르고 세속의 음악은 오히려 듣기 싫
어해서 한가하게 지내며 병을 요양하는 여가에 무릇 성정性情에 느끼
는 바가 있으면 늘 시로 나타내곤 하였다.

　그러나 오늘날의 시詩는 옛날의 시詩와 달라서 읊을 수는 있어도 노
래할 수는 없다. 만약 그것을 노래하고자 하면 반드시 이속俚俗의 말로
엮어야 한다. 대개 우리나라의 풍속에 부합하는 음악의 가락이 그렇지
않을 수 없기 때문이다. 그래서 일찍이 이별李鼈의 〈육가六歌〉를 약모
略倣하여 〈도산육곡陶山六曲〉을 둘 지었는데, 그 하나는 언지言志이고
또 하나는 언학言學이다. 아이들로 하여금 아침저녁으로 익히게 하여
노래 부르게 하고는 안석에 기대어 듣기도 하며, 또한 아이들로 하여금
스스로 노래하고 스스로 춤추게 한다면 비루하고 탐욕스런 마음을 씻
고 감발융통感發融通하게 할 수 있을 것이니, 노래하는 자와 듣는 자가
서로 유익함이 있을 것이다.6)

　위의 글에서 〈도산십이곡〉을 지은 동기는 1)국문시가가 지닌 가창
의 필요성, 즉 오늘날의 시도 옛날의 시와 같이 이속俚俗의 말로 엮어
야 노래를 할 수 있다고 한 점, 2) 긍호방탕矜豪放蕩하고 설만희압褻慢
戲狎한 〈한림별곡〉과 완세불공玩世不恭한 〈장육당육가〉가 유행하는

---

6)이황李滉, 「도산십이곡발陶山十二曲跋」, 『퇴계집退溪集』 권卷43. 右陶山十二曲者,
陶山老人之所作也. 老人之作此何爲也哉, 吾東方歌曲, 大抵多淫哇不足言, 如翰林
別曲之類, 出於文人之口, 而矜豪放蕩, 兼而褻慢戲狎, 尤非君子所宜尙. 惟近世李鼈
六歌者, 世所盛傳, 猶爲彼善於此, 亦惜乎, 其有玩世不恭之意, 而小溫柔敦厚之實
也. 老人素不解音律, 而猶知厭聞世俗之樂, 閒居養疾之餘, 凡有感於性情者, 每發於
詩. 然今之詩異於古之詩, 可詠而不可歌也, 如欲歌之必綴以俚俗之語, 蓋國俗音節
所不得不然也. 故嘗略倣李歌而作, 爲陶山六曲者二焉, 其一言志, 其二言學. 欲使兒
輩朝夕習而歌之, 憑几而聽之, 亦令兒輩自歌而自舞蹈之, 庶幾可以蕩滌鄙吝, 感發
融通 而歌者與聽者, 不能無交有益焉.

풍조를 개혁하기 위해 이황은 온유돈후溫柔敦厚한 〈도산십이곡〉을 창작한 점, 3) 온유돈후溫柔敦厚한 〈도산십이곡〉을 아침저녁으로 아이들에게 부르게 하여 감상하며 노래하는 자와 듣는 자에게 모두 유익하리라고 한 내용 등을 통해서 대중교화의 목적 등이 있음을 알 수 있다.

이런 측면에서 〈도산십이곡〉은 이황이 정치현실에 나아가 경세제민의 의식을 표출한 시가라기보다 출처관出處觀 중에서 특히 출出보다는 처處에 관한 내용으로 전원생활에 대한 견해가 구체적으로 형상화된 작품이라 할 수 있다. 벼슬길에 나아간 사대부보다는 안빈낙도安貧樂道하며 산수자연에 묻혀서 생활하는 유학자의 처지와 태도에서 시가개혁의 문제를 다루고 있는 작품이라 할 수 있다.

다음은 〈어부사시사〉에 나타난 창작동기와 표현의도를 살펴보기로 한다.

> 동방에 예로부터 어부사가 있었는데, 누가 지은 것인지는 모르나 고시를 모아서 곡을 붙인 것이다. 읊으면 강바람과 바다 그리고 비와 같은 시원함이 가슴에 가득 일어, 세상을 떠나 남과 상관하지 않고 자유롭게 살고자하는 뜻을 갖게 한다. 이러므로 농암선생은 이를 좋아하기를 게을리 하지 않았고, 퇴계선생께서도 크게 칭찬하였다. 그러나 음향이 상응하지 않고, 뜻이 잘 갖추어지지 않았다. 옛 시구를 모았기 때문에 뜻이 구면에 저촉되는 흠을 면하지 못했다. 내 그 뜻을 넓히고 우리말로써 어부사를 지었으니, 사계절에 각 한편으로 하고, 한편을 10장으로 하였다. 나는 강조腔調와 음율音律에 대해서는 진실로 거짓되게 논할 수 없다. 은자들의 삶에 대해서야 더욱 뭐라 말할 수 없다. 그러나 맑은 늪 넓은 호수에 조각배 띄워 갈 때 함께 노래하고 노 젓게 한다면 이

또한 유쾌한 일이다. 또 뒷날 창주의 일사들이 이 마음과 꼭 함께 하는 것을 바라지는 않지만, 널리 백세토록 서로 같이 느끼기는 할 것이다. 신묘년(1651) 가을 9월에 부용동의 낚시질하는 늙은이가 세연정에서 글을 적어 낙기란樂飢欄 주변周邊의 배위에서 아이들에게 보여주노라.7)

위의 글에서 〈어부사시사〉를 창작하게 된 동기는 1)기존의 〈어부사〉가 고시古詩에서 집구集句하여 음향이 상응하지 않고 뜻이 잘 갖추어지지 않은 점을 우리말로 고쳐서 노래하겠다는 점, 2)작가가 산수자연에서 전원생활과 여가생활을 하면서, 〈어부사〉의 뜻을 넓혀서 새로운 〈어부사〉를 지어 봄, 여름, 가을, 겨울 각각 10장으로 구성하여 부르고자 한 점, 3)훗날 창주滄洲에 지내는 은일隱逸한 선비들에게 감동을 주겠다는 의도 등이 함께 어울려 있다. 창주에 숨어서 지내는 선비들에게 자신의 심정을 표출하기 위해 노래한다는 것은 작가가 수용자와 청자의 대상을 한정하여 지정함과 동시에 이 노래의 청자와 전승자를 한정하는 역할을 한다.

여기서 우리는 작가가 〈어부사시사〉를 지어서 아이들이나 일반백성보다는 창주滄洲에서 한가롭게 지내는 일사逸士들에게 좋은 평가를 받고자하는 작가의 창작의도를 읽을 수 있다. 발문에서 작가가 〈어부사〉를 보고 거기에 '뜻을 덧붙이고 우리말을 써서衍其意 用俚語'표현했

7) 윤선도尹善道, 「어부사시사발문漁父四時詞跋文」, 『고산유고孤山遺稿』 권卷6 하下. 東方古有漁父詞, 未知何人所爲, 而集古詩而成腔者也. 諷詠則江風海雨生牙頰間, 令人飄飄, 然遺世獨立之意. 是以聾巖先生好之不倦, 退溪夫子賞無已, 然音響不相應 語意不甚備. 蓋拘於集古, 故不免有局促之欠也. 余衍其意, 用俚語作漁父詞, 四時各一篇, 篇十章. 余於腔調音律固不敢妄議, 余於滄洲吾道尤不敢窃附, 而澄澤廣湖 片舸容與之時, 使人竝喉而相棹則亦一快也. 且後之滄洲逸士, 未必不與此心期, 而 曠百世而相感也. 秋九月歲辛卯, 芙蓉洞釣叟書于洗然亭, 樂飢欄邊, 船上, 示兒曹.

다는 의미는 〈어부사시사〉가 〈어부사〉에 단지 생각을 덧붙인 정도가
아니라 완전히 환골탈태換骨奪胎하여 시상을 다듬은 새로운 작품이라
는 의미를 담고 있다.

이런 점에서 〈어부사시사〉는 〈어부사〉를 즐기는 은자隱者들을 위
한 노래로 엄격했던 신분 질서와 함께 창주일사滄洲逸士로 대표되는
은자들의 삶을 사계절에 맞추어 표현한 시가이고, 일사逸士들이 위험
한 현실정치를 피해서 산수자연에서 사계절을 즐기는 강호한정江湖閑
情의 생활을 노래하고 있다. 이런 의도를 지닌 윤선도는 만년에 보길
도로 돌아와 강호에서 전원생활과 여가생활을 하면서 새롭게 우리말
로 〈어부사시사〉를 개작하여 노래하며 즐겼다고 할 수 있다.

여기까지 〈도산십이곡〉과 〈어부사시사〉에 나타난 창작동기와
그 표현의도를 각 작품의 발문을 통해서 살펴보았다.

16세기에 창작된 〈도산십이곡〉은 온유돈후한 미학을 바탕으로 유
학자의 일상생활을 표현하고자하는 의도를 담았다고 한다면, 17세기
에 창작된 〈어부사시사〉는 강호한정의 미학을 바탕으로 여가생활을
즐기는 은둔자隱遁者의 의식을 담은 것이다. 〈도산십이곡〉의 작가는
아이들에게 이 노래를 부르게 하고 아침저녁으로 그 노래를 감상해서
가창자와 감상자 모두에게 유학의 온유돈후한 정신을 상기시켜 유익
할 것이라고 하고 있다. 〈어부사시사〉의 작가는 아이들에게 이 작품을
보여주지만 별다른 요구가 없고 다만 창주에서 노니는 일사들에게 산
수자연에서 생활하는 강호한정의 감흥을 알아줄 것을 내포하고 있다.

그리하여 〈도산십이곡〉의 온유돈후는 16세기 사대부의 일상생활
에서 꼭 필요한 사대부의 가치관이라서 겸선兼善의 가치를 지향한다
고 할 수 있으며, 〈어부사시사〉의 강호한정은 사대부들 중에서 은둔

자隱遁者의 전원생활에서 찾을 수 있는 가치관이라 독선獨善이라 할 수 있다.[8] 결국 〈도산십이곡〉에 나타난 산수자연은 선적 자연善的 自然으로 유학자의 온유돈후한 미의식을 드러내는데 적절한 표현이 되었고, 〈어부사시사〉에 나타난 산수자연은 미적 자연美的 自然으로 일사逸士의 강호한정의 미의식을 드러내는데 적절한 표현이 되었다.

3. 작품에 나타난 수사학

아리스토텔레스의 『수사학』에서는 설득을 위한 도구를 찾는 능력이라고 수사학을 정의하고 있다. 18세기까지의 수사학은 설득의 방법으로서 주어진 주제에 맞는 재료를 어디에서 가져와서 어떻게 조립하여 전달하는가 하는 문제에 관심의 초점을 맞추어져 있었다.

니체(1844~1900)는 수사학에 대한 이러한 이해의 본질을 보여주는 학자이다. 니체는 진리를 '한 무리의 은유, 환유, 의인화'[9]라고 정의함으로써 인간이 사유하는 진리라는 그 자체가 수사학적 비유의 덩어리일 뿐이라고 밝히고 있다. 이에 야콥슨(1896~1982)은 더욱 간소화시켜 수사학을 은유와 환유의 두 가지의 비유로 환원시켜 설명하고 있다.[10] 과거에 말하기 방법으로서의 수사학은 다양한 수사학적 방법들의 전시장을 방불하게 했다면, 현대의 수사학은 이러한 다양성을 줄여서 근원적인 수사학의 원인을 환원의 방향에서 찾아내고 있다.

---

8) 최진원, 『국문학과 자연』, 성균관대학교 출판부, 1977.
9) 프리드리히 니체(이진우 역), 『비극적 사유의 탄생』, 문예출판사, 1997, p.200.
10) 로만 야콥슨(신문수 편역), 『문학 속의 언어학』, 문학과 지성사, 1989.

이미 필자는 은유와 환유를 수사학을 활용하여 민요를 분석[11]하였고, 시조의 작품도 분석[12]하여 보았다. 여기서는 필자가 이미 논의한 이론과 논문을 참조하여 〈도산십이곡〉과 〈어부사시사〉에 나타난 은유와 환유의 수사학을 살펴보고자 한다.

조선시대의 산수시조에는 은유의 수사학으로 언어를 전환해서 계열축이나 수직축을 바탕으로 사대부들의 강호가도를 노래한 작품도 있고, 또 환유의 수사학으로 언어를 확장하여 통합축이나 수평축으로 사대부들의 강호가도를 노래한 작품도 있다.

먼저, 은유의 미학을 수용하여 언어의 전환을 주된 표현수단으로 하면서 산수자연의 모습에 성리학의 성정미학을 표현하는 〈도산십이곡〉에 나타난 은유의 수사학을 분석하고자 한다.

1) 〈도산십이곡〉과 은유의 수사학

은유라는 용어는 구조적인 측면에서 언어의 사용을 수직축이나 계열축으로 전환하는 것을 주된 표현수단으로 하는 비유를 의미한다. 은유의 수사학은 같은 계열의 값을 가진 낱말들을 결합하는 수직축의 원리에 의해서 비롯된 비유이다. 은유의 스타일은 계열체의 순서를 의미하며 단어들이 종속적 관계에 따르며 선언적이다. 그래서 은유의 의미는 앞으로 결정될 것이라기보다 이미 앞에서 수직적으로 이미

---

11) 류해춘, 「고려시대 정치민요의 기능과 그 미학」, 『어문학』 제65집, 1998, pp.145~164; 류해춘, 「조선시대 정치민요의 유형과 그 미학」, 『어문학』 제71집, 2000, pp.205~227.

12) 류해춘, 「16세기 〈어부가〉와 〈오륜가〉의 표현의도와 수사학」, 『시조학논총』 제34집, 2011, 이 글의 은유와 환유의 이론은 필자가 앞의 논문을 참조하여 다시 활용하였다.

결정되어 있다.[13]

〈도산십이곡〉은 화자가 산수자연과 조화로운 삶을 추구하는 모습과 함께 은유의 수사학을 주로 사용하고 있다.

　　이런들 엇다ᄒᆞ며 뎌런들 엇다ᄒᆞ료
　　초야草野 우생愚生이 이러타 엇다ᄒᆞ료
　　ᄒᆞᄆᆞᆯ며 천석고황泉石膏肓을 고텨 므슴ᄒᆞ료
　　　　　　　　　　　〈도산십이곡〉 전육곡前六曲 기일其一

이 작품은 〈도산십이곡〉의 첫째 시조이다. 이 시조에서는 시적 화자가 초야우생草野愚生의 어리석은 사람으로 비유되어 있다. 그리고 화자에게는 자연 속에서 살아가야만 하는 고칠 수 없는 병인 천석고황泉石膏肓이 자리를 잡았다고 한다. 이 작품의 초장에서는 '이런들 엇다ᄒᆞ며'와 '뎌런들 엇다ᄒᆞ료'라는 구절을 통해서 비슷한 의미를 반복하고 있으며, 중장에서도 첫구절인 초야우생의 의미를 빼고 나면, 다시 '이러타 엇다ᄒᆞ료'가 비슷한 의미로 반복적으로 나오고 있으며, 종장에서도 첫구절인 'ᄒᆞᄆᆞᆯ며 천석고황을'을 제외하고 나면, '고텨므슴ᄒᆞ료'라고 하여 초장과 중장에서 화자가 주장한 의지를 고치지 못하겠다는 의미를 반복하여 은유적으로 강조하고 있다.

이처럼 이 노래는 시적 화자인 초야우생이 자연을 사랑하는 천석고황의 병을 버릴 수 없는 간절한 소망을 서술어의 반복을 통한 은유적 수사학으로 강조하고 있다. 초장에서부터 종장까지 사용된 서술

---

13) 마이클 라이언(나병철, 이경훈 옮김), 『포스트모더니즘 이후의 정치와 문화』, 갈무리, 1996, p.197.

어는 '엇다ᄒ며', '~엇다ᄒ료', '~엇다ᄒ료', '~므슴ᄒ료' 등인데 이러
한 표현은 비슷한 서술어를 통해서 자연을 사랑하는 마음을 변하지
않겠다는 의지를 나타내는 은유의 수사학이라 할 수 있다.

다음은 구조적인 문장을 통해서 은유의 수사학을 보이는 작품을
살펴보기로 한다.

> 유란幽蘭이 재곡在谷하니 자연自然이 듣디 됴해
> 백운白雲이 재산在山하니 자연自然이 보디 됴해
> 이듕에 피일미인彼一美人를 더욱닛디 몯ᄒ애
> <도산십이곡> 전육곡前六曲 기사其四

이 작품의 화자는 초장에서 그윽한 난초가 골짜기에 존재해 있으
니, 자연히 듣기가 좋다고 표현하고 있으며, 중장에서 흰 구름이 산
에 존재해 있으니, 자연히 보기가 좋다고 표현하고 있다. 그리고 종
장에서 화자는 하늘과 땅 사이에 피일미인彼一美人을 더욱 잊지 못하
겠다고 한다. 초장의 의미구조와 중장의 의미구조는 하늘과 땅의 모
습을 묘사하고 있다는 점을 제외하고는 형태적으로나 의미적으로 서
로 비슷한 의미를 반복하고 있다. 그러므로 초장과 중장은 유란幽蘭
이 골짜기의 제자리에 있고, 백운白雲이 산속에 걸려서 제자리에 있는
모습을 반복적으로 묘사하면서 병렬하고 있다. '유란'은 골짜기에 그
윽이 숨겨져 있기에, '백운'은 산자락에 무심히 걸려있기에 자연의 일
부가 되었다. 유란과 백운은 화자자신이 자연과 합일하는 정신을 반
영하여 불변하고 아름다운 모습을 드러내고 있다. 이처럼 초장과 중
장의 수사법은 화자가 땅의 모습과 하늘의 모습이 듣기도 좋고 보기

도 좋다고 하는 의미를 병렬하고 반복하여 표현하고 있는 은유의 수
사학이라 할 수 있다.

　종장에서 화자는 인간의 세상에서 피일미인彼一美人을 자연의 유란
과 백운처럼 가치가 있는 천인합일天人合一적인 인물로 그려내고 있
다. 천인합일의 인물이란 성리학性理學의 연마를 통하여 천인합일의
이치를 깨달아서 자연스런 삶을 살아간 인물인 유학자를 의미한다.
여기서 미인美人을 임금이나 남편 그리고 연인 등으로 보는 견해가
있을 수 있다.[14] 하지만 시적 화자인 퇴계에 있어서는 유학자로서
성인에 가까운 사람으로 자신의 삶에 지표가 되었던 정자程子나 주자
朱子와 같은 송宋나라의 대표적인 성인이며 성리학자를 상징하고 비
유하는 것이라고 할 수 있다. 이처럼 이 시조는 초장, 중장, 종장에서
하늘과 땅 그리고 인간의 세계에서 일어난 일이 자연스럽게 합일을
추구하는 내용을 반복하는 은유의 수사학이라고 할 수 있다.

　다음은 통사구조의 반복을 통해서 은유의 수사학을 보여주는 다른
작품을 살펴보기로 한다.

　　　청산靑山는 엇데ᄒ야 만고萬古애 프르르며
　　　유수流水는 엇데ᄒ야 주야晝夜애 긋디아니는고
　　　우리도 그치디마라 만고상청萬古常靑 호리라
　　　　　　　　　　〈도산십이곡〉 후육곡後六曲 기오其五

　〈도산십이곡〉에서는 위의 시조처럼 초장과 중장의 통사구조가 그

---

14) 전재강, 「도산십이곡의 이기론적 근거와 내적 질서 연구」, 『어문학』 제70집, 한
　국어문학회, p.220.

대로 반복되는 행의 병렬parallelism이 구사되고 있는 경우가 흔하다
고 할 수 있다. 이처럼 시조에 나타나는 병렬은 비형식적인 언어인
구술문화의 대표적인 예15)가 된다.

문자문화는 표현을 정확하게 나타내기 위해서 되도록 같은 단어를
반복해서 사용하지 않는 특성을 지니고 있다. 병렬과 반복의 표현은
언어구조의 측면에서 은유의 수사학을 보여주는 구술문화의 대표적
인 경우이다. 민요와 같은 구술문화에서는 정형성이 결여되어 있기
에 병렬이 거의 유일한 작시법의 기능을 담당했다. 하지만 시조에서
행의 병렬이 많은 구조를 보이는 이유는 가창되고 연행되는 우리말의
특성을 반영하려는 작가의 의도가 내포되어 있기 때문이다.

이 작품의 화자는 초장에서 청산은 시간이 흘러도 푸르다는 불변
함을 표현하고 있으며, 중장에서는 시냇가에 흐르는 물이 밤낮으로
그치지 않고 흐르고 있다고 표현을 하여 두 행의 병렬을 이루어내고
있다. 그 내용은 만고에 푸르고 주야에 그치지 아니하는 청산과 유수
로 비유되는 자연의 불변함을 표출하며 동경하고 있다. 종장에서 화
자는 자연의 불변함을 이어받아 사람들도 변함없는 수양의 자세를 가
져야한다고 주장하고 있다. 종장에서 화자는 청자를 향하여 다정하
게 '우리도'라는 공동체의 명사를 사용하여 부드럽게 대화체로 권유
하면서 우리도 수행을 그치지 말고 자연처럼 항상 푸르게 존재하자며
불변성을 강조하고 있다.

이처럼 화자는 초장과 중장에서 구문과 행의 병렬이라는 은유의
수사학을 통해서 자연의 변함없음을 찬양하고 자연과 하나가 되는 변

---

15) 월터 J, 옹(이기우, 임명진 옮김), 『구술문화와 문자문화』, 1995.

함없는 수행의 태도를 강조하고 있다. 결국 이 시조는 초장과 중장에서 자연의 불변함을 노래하고 있으며, 종장에서까지도 인간이 자연처럼 자신의 수양을 위해서 끊임없이 노력해야 하는 불변함을 반복하고 강조하는 은유의 수사학을 보여주고 있다.

지금까지 〈도산십이곡〉에 나타난 은유의 수사학을 살펴보았다. 은유의 수사학은 시조의 내용을 순차적으로 전개하면서 앞의 내용을 전복하여 새로운 의미를 개척하여 진보적으로 전개하기보다는 시조의 초장에서 제시한 명제를 그대로 이어간다고 하여도 과언이 아니다. 이처럼 〈도산십이곡〉에 나타난 은유의 수사학은 기호와 관념 사이를 모순이 없는 등가관계로 연결시켜 온유돈후溫柔敦厚의 미학을 획득하고 있다.

2) 〈어부사시사〉와 환유의 수사학

환유라는 용어는 문학작품에서 언어의 사용을 통합축이나 수평축으로 확장하면서 연상하는 표현을 주된 수단으로 활용하는 비유이다. 그러므로 환유의 수사학은 같은 층위에서 모종의 방식으로 채택된 낱말과 낱말을 결합시키는 수평축으로 언어의 사용을 확장시키는 비유를 의미한다. 환유는 은유의 이상화하려는 경향과 궁극적으로 모순되며 그것을 허물어뜨리는 물질성에 근거를 두고 있다. 환유의 의미는 이미 결정된 사실을 반복하기보다는 작품 속에서 그 뜻을 수평적으로 의미를 확장하여 간다는 것을 의미한다.[16]

---

16) 마이클 라이언(나병철, 이경훈 옮김), 『포스트모더니즘 이후의 정치와 문화』, 갈무리, 1996, p.197.

〈어부사시사〉는 화자가 은거하는 생활의 벗이 된 산수자연을 표현하고 있다. 화자는 산수자연의 모습을 수평축으로 확장하여 사실적[17]으로 묘사하고 있어 환유의 수사학을 주된 수사법으로 사용하고 있다.

> 우는 거시 벅구기가 프른 거시 버들숩가
> 어촌漁村 두어집이 닛속의 나락들락
> 말가혼 기픈 소희 온갇 고기 뛰노ᄂ다
>
> <어부사시사> 춘사春詞4

위의 작품에서 화자는 봄철의 경치를 감상하면서 여유로운 삶을 노래하고 있다. 초장에서 화자는 뻐꾸기와 버들 숲을 노래하고 있다. 뻐꾸기의 소리는 청각적으로 잡은 봄의 흥취이며 푸르른 버들 숲은 시각적으로 잡은 봄의 경치라고 할 수 있다. 화자는 봄의 경치를 시각과 청각으로 확대하여, 단순히 평면적으로 봄의 감흥을 느끼는 것이 아니라 입체적으로 봄의 감흥과 흥취를 시청각의 효과로 표현하고 있다. 중장에서 화자는 어촌의 두세 집이 연기 속에 들락날락하는 모습을 정적으로 그려내고 있다. 여기서 화자의 초점은 초장의 버들 숲과 뻐꾸기에서 봄철의 다른 경치인 안개 속에 들락날락하는 어촌의 풍경화로 확대되어 가고 있는 환유의 수사학을 사용하고 있다. 종장에서 화자의 초점은 다시 물 맑은 깊은 소沼라는 강물로 옮겨져서, 석양의 맑은 강물위에 놀고 있는 고기의 모습을 설명하고 있다. 여기서 살펴보면 중장과 종장에 표현된 어촌의 연기와 온갖 물고기는 이미지가

---

17) 김신중, 『한국사시가의 연구』, 전남대학교 대학원 박사학위논문, 1992.

시공간을 초월하여 확대지향으로 연결하고 있어, 봄철의 정취를 설명하는 상황에서 서로 인접성의 의미로 연결되는 환유의 수사학이라고 할 수 있다.

수국水國에 ᄀᆞ을히 드니 고기마다 술져 읻다
만경萬頃 징파澄波의 슬ᄏᆞ지 용여容與ᄒᆞ쟈
인간人間을 도라보니 머도록 더옥 됴타

〈어부사시사〉 추사秋詞2

위의 작품에서 화자는 수국水國의 가을철을 동경하고 인간세계의 홍진紅塵을 벗어나려고 하는 의식을 표출하고 있다. 초장에서 화자는 어부처럼 바다에서 가을철의 살찐 고기에 초점을 맞추고 있다. 살찐 고기가 있으면 가을철에 배를 타고 낚시를 하거나 고기를 잡아야 하는 어부에 초점을 맞추는 것이 상식적이라 할 수 있다. 그러나 중장에서 화자는 계열체의 비유가 아닌 수평축이나 인접성의 비유를 통해 가을철 맑은 파도로 초점을 이동하고 있다. 초점을 이동한 화자는 바다의 파도와 즐기면서 바다에서 실컷 놀아보자고 한다. 여기서는 고기를 잡는 어부의 일은 사라져버리고, 가어옹假漁翁이 되어 바다에서 노는 모습을 보여주고 있다. 화자는 만경의 넓이뿐만 아니라, 떠나온 거리에서 펼쳐진 맑음의 물결이 싫어지도록 놀아보자고 한다. 화자는 종장에서 바다와 인간세상으로 의미를 확대하는 환유의 수사학을 사용하고 있다. '인간을 돌아보니 멀수록 더욱 좋다'라는 구절은 떠나온 인간세상을 뒤돌아보니 그 인간세상과는 거리를 둘수록 더욱 좋은 것이라는 의미이다.

표현기법을 살펴보면 초장의 살찐 물고기와 중장의 파도놀이 그리고 종장의 인간 세상에 대한 혐오는 이미지가 서로 상반된다고 할 수 있지만, 가을철의 정취를 다양하게 설명하는 상황에서 서로 인접성의 의미로 대체될 수 있는 환유의 기법이라 할 수 있다. 이 작품에서는 화자가 산수자연은 평화로운데 인간세상은 홍진이 일고 좋지 않다는 감추어진 생각을 수평축으로 확대하고 연상하여 환유의 수사학을 보여주고 있다.

환유의 관점으로 사물을 살피게 되면 인간의 눈은 사물의 이면이나 정신을 보는 것이 아니라 사물들을 설명하거나 묘사하는 눈으로 바뀌게 된다.

> 어와 져므러간다 안식宴息이 맏당토다
> ᄀᆞᄂᆞ눈 쁘린길 블근곳 훗더딘데 홍치며 걸어가서
> 설월雪月이 서봉西峰의 넘도록 송창松窓을 비겨잇쟈
> <어부사시사> 동사冬詞10

초장에서 화자는 지금까지의 <어부사시사>의 율격과 리듬을 깨뜨리는 '어와'라는 감탄사로 시작하여, 해와 날이 '저물어감'에 대한 미련을 나타내면서 안식의 필요성을 강조하고 있다. 중장에서 화자는 가는 눈이 온 길에 동백이 흩어진 길을 홍치며 걸어가고자 한다. 즉, 화자는 동백이 흩어진 길을 즐겁게 그리고 활기 넘치는 즐거움으로 산보하는 겨울철의 풍경으로 초점을 이동하고 있다. 종장에서 화자는 눈 속에 달이 서쪽으로 넘어 가는 모습을 소나무 창가에서 비켜 앉아서 감상하고자 한다. 화자는 종장에서 설월교광雪月交光의 선경仙

境을 감상하고자 하는 의도를 드러내고 있다.

이 작품에서 화자는 초장에서 안식의 필요성을 제기하고 있고, 중
장에서는 눈길을 산보하는 모습으로 그 초점을 이동하고 있으며, 종
장에서는 눈 위로 달빛이 밝게 비취는 설월교광의 경치를 감상하는
쪽으로 이미지를 인접한 영역으로 확대하는 환유의 수사학을 보여주
고 있다. 이러한 이미지는 겨울철이라는 이미지에 공간적으로 인접
해있는 의미체를 수평축으로 확대하고 있는 것이다. 이와 같이 의미
의 확대를 지향하는 이미지의 결합은 자유연상에 가까운 환유의 본질
적인 특징을 표현하는 것이라고 할 수 있다.

지금까지 〈어부사시사〉에 나타난 환유의 수사학을 살펴보았다. 환
유의 수사학은 경험적이고 특수한 체험의 내용을 〈어부사시사〉에 표
현하여 강호한정江湖閑情과 물외한적物外閑寂이라는 독특한 미학을 획
득하게 되었다고 할 수 있다.

4. 온유돈후의 자연과 물외한적의 자연

지금까지 〈도산십이곡〉과 〈어부사시사〉의 표현양상과 그 수사학
에서 논의한 것을 요약하여 결론으로 대신하고자 한다.

〈도산십이곡〉과 〈어부사시사〉는 사대부가 정치현실에 나아가 경
세제민의 의식을 표출한 시가라기보다는 산수자연에 은거하여 생활
하면서 안빈낙도安貧樂道를 표출하는 시조라는 것이다. 그래서 이들
시조는 사대부들의 출처관出處觀 중에서 출出보다는 처處에 관한 견해
가 구체적으로 형상화된 작품이라 할 수 있다. 벼슬길에 나아가 경세

제민하는 사대부보다는 귀거래하여 안빈낙도하며 산수자연에 묻혀 사는 은자의 처지와 태도를 표현하고 있는 작품이라 할 수 있다.

이황(1501~1570)과 윤선도(1587~1671)는 〈도산십이곡〉과 〈어부사시사〉를 통해서 기존에 지어진 시가의 관습으로부터 자유로워지고 싶어 했다. 16세기에 창작된 〈도산십이곡〉의 발跋에 나타난 표현 의도는 온유돈후한 미학을 바탕으로 유학자의 일상생활을 표현하고자하는 의도를 담았다고 한다면, 17세기에 창작된 〈어부사시사〉의 발跋에 나타난 표현 의도는 강호한정의 미학을 바탕으로 여가생활을 즐기는 일사逸士의 여가생활을 담은 것에서 기인한다고 할 수 있다. 그러므로 〈도산십이곡〉의 온유돈후는 16세기 사대부의 일상생활에서 꼭 필요한 사대부의 가치관이라 겸선兼善이라 할 수 있으며, 〈어부사시사〉의 강호한정과 물외한적物外閑寂은 사대부의 여가생활에서 찾을 수 있는 가치관이라 독선獨善에 가깝다고 할 수 있다. 그래서 〈도산십이곡〉에 나타난 산수자연은 선적 자연善的 自然으로 온유돈후한 유학자의 미의식을 드러내는데 적합한 표현이라 할 수 있고, 〈어부사시사〉에 나타난 산수자연은 미적 자연美的 自然으로 숨어사는 은자나 일사의 강호한정과 물외한적의 미의식을 드러내는데 적합한 표현이라 할 수 있다.

〈도산십이곡〉에 나타난 은유의 수사학은 산수자연이라는 기호와 성리학이라는 관념 사이를 모순이 없는 등가관계로 연결시켜 전원에서 일상생활을 하는 유학자의 온유돈후溫柔敦厚와 겸선兼善의 미학을 획득하였다고 할 수 있다.

〈어부사시사〉에 나타난 환유의 수사학은 경험적이고 특수한 것을 중요시여기고, 같은 층위에서 다양한 방법으로 관련되는 단어와 문장을 확장하여 통합적으로 그 의미를 확장하고 있다. 은유가 보수적 표현이라면 환유는 진보적 표현이 되고, 은유가 전통지향의 정적이고 결정적이라면, 환유는 미래지향의 동적이며 미결정적이라 할 수 있다. 〈어부사시사〉에 나타난 환유의 수사학은 은자隱者가 산수자연에서 경험한 특수한 체험의 내용을 〈어부사시사〉에 표현하여 강호한정江湖閑情과 물외한적物外閑寂 그리고 독선獨善의 미학을 획득하게 되었다고 할 수 있다.

이 글은 〈도산십이곡〉과 〈어부사시사〉에 나타난 수사학이 은유와 환유로 대체가 가능하다는 문제의식을 가지고 분석하였으므로 앞으로 세밀한 검토가 필요하고, 창작의도와 수사학의 세계관이 서로 밀접한 관련을 가지고 있을 것이라고 추단하여, 미의식과 수사학의 분석이 필자가 의도한대로의 결론을 도출한 것은 앞으로 체계적으로 검토하는 작업을 거치면서 보완하고자 한다.

시조와 가사의 갈래와 향유방식

1. 정형시와 서정장시

　조선시대의 가사와 시조는 장르상으로는 차이를 지니고 있으나 그 표현의 방법에서는 상당히 비슷한 양상을 보이고 있다. 시조와 가사는 우리의 선조들이 향유하였던 문학의 양식으로 조선시대를 대표하는 양식이다. 가사는 장시의 형태를 지니고 있으며, 시조는 짧은 정형시의 형태를 지니고 있다.[1] 조선 전기 사대부들은 사회의 혼란을 싫어하여 아예 출사出仕를 단념하거나 관직에서 물러나 자연과 함께 은둔隱遁하려는 사상을 갖게 되었으며 스스로 한가한 생활을 하면서 시조와 가사를 많이 지었다.

　한국의 문학사에서 조선 후기는 중세에서 근대로의 전환기에 해당하는 시기로 많은 문학의 갈래들이 서로 공유하고 소통하는 내용을 지니고 있다. 조선 후기에 유행했던 가곡, 시조, 가사, 민요, 판소리, 잡가, 무가 등의 갈래들은 주된 향유자의 교류와 소통으로 사회의 계

---

1) 류해춘, 『가사문학의 미학』, 보고사, 2009, p.280.

급이나 문화의 차이에도 불구하고 산문성과 오락성을 지향하는 유사한 표현을 많이 지니고 있다. 이러한 분위기에 따라 조선 후기에 오면 시조와 가사도 서로 소통하며 변화하는 양상을 적극적으로 수용하고 있다. 여기서는 시조와 가사에 나타난 향유방식의 소통과 변화를 정형성과 비정형성, 은유의 수사학과 환유의 수사학, 그리고 가창하는 문학과 음영하는 문학 등의 관련양상을 통해서 살펴보고자 한다.

지금까지 시조와 가사의 형식과 그 구조에 대한 개별 논문은 많았으나, 시조와 가사의 향유방식2)과 그 관련양상을 비교하는 작업3)은 거의 없었고 단편적으로 추측하여 진행하고 있다. 여기서는 기존의 논의를 참고하여 통섭하고 융합하는 방법으로 시조와 가사의 향유방식을 살펴보고자 한다. 이렇게 시조와 가사의 향유방식을 융합하고 통섭하여 비교하고 검토하는 작업은 조선시대 문학인 시조와 가사의 존재양상과 연행방식을 비교하며 그 질서를 새롭게 인식하는 좋은 방법이 될 수 있다. 또한 시조와 가사의 향유방식과 그 갈래의 질서를 점검하는 일은 형식주의와 구조주의의 표현형식에 대한 연구방향을 반성하면서 문화의 측면에서 시조와 가사의 향유방식과 그 특성을 파악하고 분석하는 작업이다.

이 글에서는 조선시대 사대부들에 의해서 창작된 가사와 시조의 향유방식과 그 질서를 서로 비교하여 고찰하는 작업을 통해서 이들

---

2) 이 글에서 「향유방식」이라는 용어는 조선시대 시조와 가사를 담당했던 계층이 연행했던 시가 문화의 음악성과 문학성을 함께 즐기는 소통과 융합의 개념으로 사용하고자 한다.

3) 신은경, 「사설시조와 가사의 서술방식 대비」, 『서강어문학』 제4집, 1984, pp.73~95; 조규익, 「시조·장시조·가사의 일원적 질서 모색」, 『한국학보』 제17집, 1991, pp.81~118; 윤성현, 「후기가사의 이행

장르간의 유사성과 이질성을 찾아 시조와 가사의 연구에 있어서 소통과 대화를 추구해 보고자 한다.

2. 시조의 정형성과 가사의 비정형성

1) 시조의 정형성과 그 변화

조선시대의 시조는 한국의 정형시 중에서 가장 주류가 되는 갈래이다. 한국의 정형시에는 시조時調와 한시漢詩 두 종류가 있다. 한시漢詩는 고대사회부터 중국과 일본 그리고 한국을 비롯한 동아시아 국가들이 모두 함께 향유한 정형시라서 한국인의 주체성을 드러내는 정형시라기보다는 동아시아의 정형시라고 할 수 있다. 일반적으로 한국과 동아시아의 정형시인 한시漢詩는 한자漢字를 바탕으로 하면서 행과 운율이 더 까다로운 형식이라 시조보다도 훨씬 더 엄정한 정형성을 요구한다.

우리문학에서 평시조는 3장 6구 12음보의 형식을 갖추고, 한 수의 노랫말은 45자 내외의 길이를 지닌 정형시를 의미한다. 조선 후기에는 사설시조가 시조의 변화를 수용하여 대체로 3장의 기준만을 채택하고 그 내용과 형식을 확대하여 표현하고 있다.

평시조는 조선시대 지배계층인 사대부에 의해 구현된 가장 정제된 시형이라서 일탈하려는 변형성은 단지 한 음보 내에서 일어나는 자수율의 변화에서 일어난다고 할 수 있다.

동창東窓이 불갓느냐 노고지리 우지진다
쇼 칠 아희는 지금至今 아니 니러느냐
지녀머 스래 긴 바츨 언제 갈려 ᄒᆞ느니4)

추강秋江에 밤이 드니 물결이 ᄎᆞ노ᄆᆡ라
낙시 드리치니 고기 아니 무노ᄆᆡ라
무심無心ᄒᆞᆫ 들빗만 싯고 뷘 비 저어 오노라5)

위의 두 작품은 평시조로서 널리 알려진 노래이다. 앞의 작품은 남구만(1629~1711)이 지은 것으로 전원생활의 풍류를 즐기면서 부지런히 농사를 지어야 한다는 권농가의 성격을 지니고 있다. 다음 작품은 월산대군(1454~1488)이 지은 것으로 인간세상에서 물욕에 벗어난 경지를 무심無心이라는 단어로 요약하여 한 폭의 동양화처럼 선명하게 표현하고 있다.

평시조는 초장, 중장, 종장으로 압축되는 3단계의 구조를 지니고 있다. 한국 문학의 갈래 중에서 가장 짧은 형식인 평시조는 대부분 3장 6구 12음보의 형식을 지니고, 한 수의 노랫말이 45자 내외의 길이를 갖추고 있어서 내용이나 형식이 비교적 정형화되어 있고 규격화되어 있다고 할 수 있다. 하지만 우리 선조들은 '가장 잘 다듬어진 정형시'인 평시조의 구조가 무미하고 건조하게 지속되며 반복되는 것을 거부하고 새로운 변화를 모색하고 있었다. 대부분의 평시조는 3장 6구 12음보의 형식으로 이루어져 있지만, 한 음보 내에서의 글자 수는 비교적 자유롭게 변하고 있다. 평시조에서 종장의 처음 구절을 3

4) 심재완, 『역대시조전서』, 세종문화사, 1972, 899번.

5) 심재완, 『역대시조전서』, 세종문화사, 1972, 2966번.

자와 5자로 정하는 규칙이 있으나, 평시조의 각 음보에서는 2자에서
7자까지 자유로우면서도 변화를 추구하는 미학을 지니고 있다. 이와
같은 특성은 정형시인 평시조에서도 자유로움과 변화를 추구하는 우
리 선인들의 정신이 스며들어 있는 증거라고 할 수 있다. 정형시인
평시조에서 이러한 변형이 나타난 것은 다른 나라의 정형시와 견주어
볼 때 이미 우리의 정형시인 평시조에는 자유로움을 내재하고 변화를
추구하고 있다고 하여도 과언이 아닐 것이다.

조선시대 유학의 관념적 질곡에서 구원받기를 갈망하던 당시의 선
각자들은 비교적 과학적이고 사실적이며 실리적인 학문에 매혹되어
시조의 변화를 적극적으로 추구하였다.6) 조선 후기에 사설시조는 일
부 비판적인 사대부 계층의 참여와 중인 가객들의 적극적인 참여로
새로운 갈래로 정착되었다.

> 뒥들에 연지臙脂라 분粉들 사오
> 져 장ᄉ야 네 연지臙脂 곱거든 사쟈 곱든 비록 안이되
> 불음면 네업든 교태嬌態 절로 나는 연지분臙脂粉이외
> 진실眞實로 글어ᄒ량이면 헌 속쩌슬 풀만졍 대엿말이나 사리라
>
> <846>7)

위의 작품은 화장품 장사와 소비자인 부인들이 서로 물건을 흥정
하는 상행위의 대화를 사실적으로 표현하고 있다. 이 작품은 소설이
나 산문에서 사용하는 대화체를 수용하여 시조가 지닌 3장의 문법을

---

6) 정병욱, 『한국고전시가론(증보)』, 신구문화사, 2000, pp.228~229.
7) 심재완, 『역대시조전서』, 세종문화사, 1972, 846번.

수용하고 있다. 사설시조의 큰 특징은 평시조보다 각 장에 표현한 서술의 내용이 길어졌다는 사실이다. 사설시조는 평시조의 기본자질인 형식의 정형성이라 할 수 있는 초장, 중장, 종장이 그 길이 면에서 길어지는 변화를 추구했다. 이리하여 사설시조의 담당층은 평시조의 3장 6구 12음보의 45자 내외의 평시조 형식을 변형시키기에 이르렀다. 3장은 외형상 그대로 두었으나 6구와 45자의 형식을 과감하게 파괴하여 장형의 사설시조를 개척하였다. 이 사설시조는 시조가 지니는 공식이라고 할 수 있는 초장, 중장, 종장의 정형성을 지속하면서 그 길이를 길게 변화시키고 있다.

결국 정형시인 시조문학의 변화는 평시조가 3장 6구 45자 내외라는 정형성을 비교적 잘 지키면서 각각의 음보 내에서 음수의 변화를 통해서 그 변화의 미학을 드러내고 있는데 비해, 사설시조는 각 장의 음보를 자유롭게 늘여서 시조가 지닌 3장의 정형성만을 간신히 유지하고 있다고 정리할 수 있다.

2) 가사의 비정형성과 지속발전

가사는 한국의 장시라고 할 수 있다. 가사는 3·4조나 4·4조의 율격을 바탕으로 1행 4음보를 기준으로 연속하는 장시[8]라고 할 수 있다. 가사는 주로 내용적으로 다양한 소재를 연결하여 이야기를 수용하면서 대상과 사물의 총체성을 읊어 내고 있다. 이러한 측면에서 가사는 조선시대의 장시로서 고전시가의 중요한 갈래라고 할 수 있다.

한국의 문학에서 서정시인 짧은 시가 '단순한 정서의 태도를 구현

---

8) 류해춘, 「시조와 가사의 향유방식과 그 관련양상」, 『시조학논총』 제44집, p.170.

한 시, 연속적인 기분이나 영감을 직접 표현한 시'임에 비해서, 장시
長詩는 '다수의 정서를 기교에 의하여 결합한 어떤 복잡한 관념의 이
야기를 포함한 일련의 긴 시'를 구분하기 위해서 사용하는 용어라고
할 수 있다.[9] 그래서 장시는 대상을 순간적으로 어느 일면을 노래하
는 것이 아니라 처음, 중간, 끝이라는 보다 완결된 형식으로 사물을
총체적으로 다루고자 하는 작가의 정신과 관련이 있는 양식이라 할
수 있다.

　여기서는 가사문학의 대표적인 작품인 〈관동별곡〉의 결말부분을
통해서 가사의 비정형성을 살펴보고자 한다.

　　　선산仙山 동힉東海예 갈길히 머도 멀샤
　　　송근松根을 볘여누어 풋줌을 얼픗드니
　　　숨에 흔사롬이 날ᄃ려 닐온 말이
　　　그듸를 내모ᄅ랴 상계上界예 진선眞仙이라
　　　인간人間의 내텨와셔 우리를 ᄯᆞ오ᄂ다
　　　져근 듯 가지마오 이술흔잔 먹어보오
　　　북두셩北斗星 기우려 창해滄海水 부어내여
　　　저먹고 날머겨ᄂᆞᆯ 서너잔 거후로니
　　　화풍和風이 습습習習ᄒ여 냥익兩腋을 추혀드니
　　　구만리九萬里 장공長空애 져기면 ᄂᆞᆯ리로다
　　　이술 가져다가 사히四海예 고로ᄂᆞ화
　　　억만億萬 창생蒼生을 다 취醉케 ᄆᆡᆼ근 후後에
　　　그제야 고텨맛나 ᄯᅩ 흔잔 ᄒᆞᄌᆞ고야
　　　말디쟈 학鶴을 ᄐᆞ고 구공九空의 올나가니

　9) 남송우, 「서사시·장시·서술시의 자리」, 『한국서술시의 시학』, 현대시학회 편,
　　태학사, 1998, pp.47~67 참조.

공듕空中 옥쇼玉簫 소릭 어제런가 그제런가
나도 줌을 씌여 바다홀 구버보니
기픠롤 모릭거니 ᄀ인들 엇디알니
명월明月이 쳔산만낙千山萬落의 아니 비쵠듸 업다

<관동별곡>10)

　위의 작품은 상계上界의 신선이 지상으로 하강한 모티브를 가사로 표현한 작품이다. 시조가 초장, 중장, 종장의 3장 형태의 정형성을 보여주고 있는 반면, 가사는 4음보 1행의 형태를 무제한으로 연속하는 서술방식을 취하면서 비정형성을 보여주고 있다.

　위의 가사는 1행 4음보를 기준으로 황정경黃庭經을 잘못 읽어서 인간세계로 낙향한 신선을 입몽入夢과 각몽覺夢의 모티프를 반영하여 문체의 반복을 통해 확장하면서 행을 무제한으로 연속하는 비정형성을 나타내고 있다. 이러한 가사의 비정형성은 이야기성의 묘사를 적극 수용하며 장시의 형식으로 나아가고 있다.

　기행가사인 〈관동별곡〉은 1580년에 정철(1536~1593)이 관동관찰사로 부임하여 관동팔경을 유람하고 그곳의 자연풍경의 아름다움과 절묘함을 노래한 기행가사이다. 위에 인용된 부분은 〈관동별곡〉의 마지막 부분으로 화자가 동해의 여행을 마친 후 신선이 되기 위해 꿈을 꾸는 꿈속에서 황정경 한자를 잘못 읽어서 인간세계로 귀양을 와 신선이 되어 북두칠성의 국자로 푸른 바닷물을 서로 주거니 받거니 하면서 신선이 되는 모습을 길게 서술하고 있다. 이처럼 〈관동별곡〉에서는 신선의 모습을 이야기처럼 묘사하고 그 내용을 자세하게 표현하

---

10) 정철, 『송강가사』(성주본, 1747).

여 그 행수가 길어져서 비정형의 서정장시가 되고 있다.

조선 후기 사설시조는 각 장의 음보가 평시조보다 길어지는 자유로움은 있으나 3장이라는 구조 속의 정형성을 보여주고 있는 반면에 가사는 1행이 4음보를 유지하여 행간의 정형성을 보여주고 있으나, 행이 무제한으로 길어지고 있어 비정형성의 표현이라고 할 수 있다. 그래서 사설시조가 3장의 형식에 구속된 정형성을 지닌 서정시라면, 가사는 반복적 표현과 의미를 확대하며 이야기를 담아서 노래하는 비정형성이 우세한 서정장시라고 할 수 있다.

특히 조선 후기의 가사인 〈용부가〉, 〈우부가〉, 〈노처녀가〉 등에서는 서민이나 평민이 주인공으로 등장하여 가사의 서사성과 오락성을 표현하여 그 내용면에서 변화를 내포하고 있으면서 그 길이가 200행 내외로 길어져서 비정형성을 통한 이야기를 지닌 장시로 발전하고 있다. 이러한 가사의 서사화는 현실주의의 발전으로 형성된 동시에 사실주의를 풍부하게 한 것이라고 할 수 있다.[11] 또 장편의 서사가사인 〈농가월령가〉, 〈연행가〉, 〈일동장유가〉 등은 경험하고 체험한 사실을 이야기로 표현한 장시로 주목을 받고 있다.[12]

따라서 서정장시인 가사문학은 짧은 시조문학에 비해 시간, 사건, 역사, 사회 등에 대한 작가의 주관과 가치관이 깊숙이 개입되어 이야기를 표현하는 장시의 양식이라 할 수 있다. 사대부들이 시조의 장르와 함께 가사문학을 향유하고 선택한 원인은 바로 작가의 가치관과 주관을 작품 속에 자세하게 이야기로 표현하고 싶은 욕망의 반영이라고 할 수 있다.

---

11) 임형택, 『이조시대서사시』, 창작과비평사, 1992, p.11.
12) 류해춘, 『장편서사가사의 연구』, 국학자료원, 1995.

지금까지 시조의 정형성과 가사의 비정형성에 대하여 살펴보았다. 조선시대에는 시조가 서정을 기조로 하여 정형시의 양식으로 창작되었다면, 가사는 이야기를 표현한 일련의 장시로서 자유시의 양식을 융합하고 계승하여 창작되었다. 하지만 이 두 갈래의 담당층이 비슷한 계층이어서 장시와 정형시로서 두 장르는 서로 소통하며 작가들의 현실인식을 표출하고 서로 교섭하는 유사성을 지니고 있다. 시조는 3장이라는 정형성을 표현한 반면에 가사는 4음보 연속체라는 운율의 조건 이외에 다른 특별한 형식의 제약이 없는 느슨한 조건을 지니고 있어, 비정형성이 시조보다는 상대적으로 월등한 장시이고 자유시라고 할 수 있다. 하지만 두 장르는 조선 후기에도 내용면에서 산문성과 오락성을 함께 표현하고 형식면에서는 4음보 1행의 반복이라는 동질성과 유사성을 함께 지니고 있다.

3. 시조의 은유성과 가사의 환유성

1) 시조의 은유성과 시절가조의 미학

조선시대를 대표하는 시조와 가사가 지닌 수사학의 특성을 크게 은유와 환유로 나눌 수 있다. 시조는 시절가조時節歌調라는 명칭으로도 불렀으며 가사는 시사평론時事評論이라는 명칭으로도 불려졌다. 시조와 가사는 운문의 양식으로 같은 시대에 지어진 소설의 문학이나 동시대에 지어진 다른 양식의 글보다 언어의 비유적 표현을 많이 사용하고 있는 특성을 지니고 있다.

전통적인 의미에서 수사학은 웅변술이나 말하는 기술이라는 의미로 사용되었다. 아리스토텔레스는 『수사학』에서 설득을 위한 도구를 찾는 능력을 수사학이라고 정의하고 있다. 니체(1844~1900)는 수사학의 변화에 대한 본질적인 이해를 보여주는 학자이다. 니체는 진리를 '한 무리의 은유, 환유, 의인화'라고 정의함으로써 인간이 사유하는 진리라는 것 자체가 수사학이 지닌 비유의 덩어리라고 정의한다. 그는 서구의 철학에서 오래도록 추구해오던 진리라는 개념자체가 기원을 상실한 '낡은 동전'에 불과할 뿐이라고 말한다. 수사학에 대한 이러한 논의는 진리에 대하여 말하는 담론의 자체가 진리를 말하는 것이 아니라 진리에 대해 비유한 담론들을 모아 놓은 것에 불과하다는 의미이다. 최근의 수사학에서는 설득의 방법으로서 말하기 기술이라는 관점을 넘어 인간 경험의 가장 깊은 차원까지 관통하는 인식론의 관점에서 수사학을 다루고 있다. 최근에는 야콥슨(1896~1982)이 오늘날의 수사학을 은유와 환유의 두 가지 비유로 간단하게 환원시켜 논의하고 있다.[13]

먼저, 시조에 나타난 수사학을 살펴보기로 한다. 시조는 산수자연의 모습을 주로 성리학의 성정미학으로 표현하여 언어만의 전환을 주된 수단으로 하는 은유의 수사학을 보여주고 있다.

> 청산靑山는 엇데ㅎ야 만고萬古애 프르르며
> 유수流水는 엇데ㅎ야 주야晝夜애 긋디아니는고
> 우리도 그치디마라 만고상청萬古常靑 호리라
>
> <도산십이곡>

---

13) 로만 야콥슨(신문수 편역), 『문학 속의 언어학』, 문학과지성사, 1989.

초장에서 이 시조의 작가는 청산은 시간이 흘러도 변함없이 푸르다는 불변함을 내세우고 있다. 중장에서 작가는 시냇가에 흐르는 물이 밤낮으로 그치지 않고 흐르고 있음을 표현하여 두 행의 병렬을 이루며 시냇물의 변함없음을 표현하고 있다. 초장과 중장에서 작가는 만고에 푸르고 주야에 그치지 아니하는 청산과 유수로 비유되는 자연의 불변함을 동경하며 자신의 이상세계로 삼고 있다.

종장에서 작가는 자연의 변하지 않음을 이어받아 심성을 수양하는 인간의 마음도 영원히 변함이 없는 정신세계를 지녀야 한다고 정언적으로 선언하고 있다. 종장에서 작가는 청자를 향하여 다정하게 '우리도'라는 공동체의 언어를 사용하여 항상 자연처럼 변하지 않고 푸르게 살아가자며 불변성을 더욱 강조하고 있다.

작자는 초장과 중장에서 행과 구문의 병렬이라는 은유의 수사학을 통해서 자연의 불변함을 노래하고 있으며, 종장에서까지도 인간이 자연처럼 자신의 수양을 위해서 끊임없이 노력해야 하는 명제를 노래하고 있다. 시조에 나타난 수사학은 가사에 비해서 반복하고 강조하는 은유의 수사학을 보여주고 있다고 할 수 있다.

이러한 표현은 반복되는 행의 병렬과 반복을 통해서 은유의 수사학을 보여주고 있는 것이다.[14] 시조의 작품에는 위의 시조처럼 초장과 중장의 통사구조가 그대로 반복되는 행의 병렬이 구사되는 경우가 흔하다고 할 수 있다. 이러한 시조의 표현은 주류담론이 아닌 대항담론인 구술문화의 특성을 드러내는 대표적인 형태라고 할 수 있다.[15]

---

14) 류해춘, 「〈도산십이곡〉과 〈어부사시사〉, 그 표현의도와 수사학」, 『고시가연구』 27집, 한국고시가문학회, 2011, p.221.

15) 월터 J. 옹(이기우, 임명진 옮김), 『구술문화와 문자문화』, 1995, pp.55~60.

 형식적인 언어로서의 문자문화는 정확하게 표현하기 위해서 되도록 같은 단어를 반복해서 사용하지 않는다. 구술문화는 병렬과 반복의 표현을 통해서 의미를 강조하며 단순한 문장구조의 형태와 활용의 측면에서 은유의 수사학을 많이 사용하고 있다. 민요와 같은 구술문화는 병렬과 반복을 위주로 하는 공식구가 존재해서 중요한 작시법과 수사학을 담당했다고 할 수 있다. 하지만 문자문화인 시조에서 행의 병렬과 문장구조의 반복이 나타나는 이유는 창작하는 한시漢詩에 대항하여 노래하는 문학이고 구전되는 우리 언어의 특성을 반영하려는 작가의 의도가 내포되어 있기 때문이라고 할 수 있다.

 여기서는 시조에 나타난 은유의 수사학을 살펴보았다. 은유의 수사학은 같은 계열체의 언어나 병렬의 문장들이 결합하여 크게 변화하지 않는 동일선의 세계를 지향하고 함축하는 언어의 전환기법을 내포하고 있다. 시조에 나타난 은유의 수사학은 시조의 초장의 내용을 순차적으로 이어받아 전개하면서 새로운 내용의 전개를 최대한 억제하여 초장에서 제시한 명제를 그대로 이어가는 유사성의 수사학이라 하여도 과언이 아니다.

 이러한 은유의 수사학은 시조에서 기호와 관념의 사이를 모순이 없는 등가관계로 연결시키며 시조가 함축하여 내포하고 있는 시절가조 時節歌調라는 명칭과도 연결된다. 이러한 시절가조時節歌調라는 명칭은 시절의 반복과 순환의 원리라는 철학을 수용한 강호가도 江湖歌道라는 은유의 시조미학을 획득하는데 손색이 없는 표현이라 할 수 있다.

2) 가사의 환유성과 시사평론의 미학

수사학에서 비유적 표현의 대표적인 형식으로 은유의 원리와 환유의 원리를 상정할 수 있다. 은유와 환유는 언어구조의 양극과 관련해서도 주목되는 수사학이며 보편과 개별에 관한 철학의 관심과 유사의 원리와 인접의 원리라는 언어작용과 상호관련이 있다. 문학작품의 구조에서 사용되는 언어의 조직은 수직의 축으로 전환하기도 하고 계열의 축으로 확장하기도 한다.

수직축으로 이어지는 언어의 비유적 표현인 은유는 각각이 서로 다를 지라도 동일한 기능을 수행하거나 한 문장 안에서 같은 위치에 올라와 있는 일련의 단어들과 서로 연관관계가 맺어져 대체되거나 계열체의 영역으로 의미의 축이 형성되는 작시원리가 작동하는 정적인 구조라고 할 수 있다.

다른 한편으로 수평축으로 이어지는 언어의 비유적 표현인 환유는 문장 안에서 단어들이 서로 의미를 확장하면서 기계적인 순서로 연관관계가 맺어져 인접한 영역이 서로 치환되거나 통합체의 영역으로 의미의 축을 확장하는 작시원리가 작동하는 동적인 구조라 할 수 있다.

여기서는 조선시대의 고전시가인 시조와 가사의 수사학을 살펴보고자 한다. 상대적으로 은유의 수사학을 바탕으로 언어를 전환해서 계열축이나 수직축을 바탕으로 사대부들의 정치현실과 산수자연을 서정적으로 노래한 시조의 작품도 있고, 상대적으로 환유의 수사학으로 언어를 확장하여 통합축이나 수평축으로 사대부들의 정치현실과 백성교화를 위해 교훈적으로 노래한 가사의 작품도 있다.

여기서는 조선시대의 시가문학에서 환유의 수사학으로 언어를 확장하여 통합축이나 수평축으로 사대부들의 정치현실과 산수자연, 그리고 기행유람 등을 노래하는 가사의 작품을 살펴보기로 한다. 유사성의 원칙인 은유에 비해 인접성의 원칙에 의해서 만나는 원리가 환유이다. 환유는 기표가 대상의 보편적 본질에 미처 닿기도 전에 인접한 사물로 연상이 옮겨간다는 특징이 있다. 가사문학의 작시원리를 환유라고 가정하고 그 향유방식과 표현의 특징을 살펴보고자 한다.

> 이 몸 삼기실제 님을조차 삼기시니
> 흔성 연분緣分이며 흐늘모를 일이런가
> 나흐나 겸어잇고 님흐나 날괴시니
> 이ᄆᆞ음 이ᄉᆞ랑 견졸ᄃᆡ 노여업다
> 평생平生애 원願하요ᄃᆡ 흔ᄃᆡ네쟈 흐얏더니
> 늙거야 므ᄉ일로 외오두고 그리ᄂᆞᆫ고
> 엊그제 님을뫼셔 광한젼廣寒殿에 올낫더니
> 그더시 엇디흐야 하계下界예 ᄂᆞ려오니
> 올저긔 비슨머리 헛틀언디 삼년일쇠
> 연지분臙脂粉 잇ᄂᆡ마ᄂᆞᆫ 눌위흐야 고이홀고
> ᄆᆞ음의 ᄆᆡ친실음 첩첩疊疊이 ᄡᅡ여이셔
> 짓ᄂᆞ니 한숨이오 디ᄂᆞ니 눈믈이라
> 인생人生은 유한有限흔ᄃᆡ 시름도 그지업다
> 무심無心흔 세월歲月은 믈흐ᄅᆞ듯 흐ᄂᆞᆫ고야
> 염량炎涼이 쌔ᄅᆞᆯ 아라 가ᄂᆞᆫ듯 고텨오니
> 듯거니 보거니 늣길일도 하도할샤
>
> <속미인곡>

〈사미인곡〉은 작가가 50세가 되던 1585년에 동인東人의 공격을 받아 벼슬을 그만두고 1589년까지 창평에 낙향하여 임금님을 사모하면서 지은 가사라고 한다. 임금님을 사모하는 간절한 연군의 정을 한 여인이 남편을 이별하고 연모하는 마음에 비겨서 노래하고 있다.

이 작품에 나타난 의미의 변화는 동사를 추적하여 환유의 법칙으로 설명할 수 있다. 작자는 태어나서 임을 사랑하고 헤어지고 그리워하는 모습을 동사의 어휘로 적절하게 설명하고 있다. 인접한 동사의 단어를 통합축이나 수평축으로 확장하여 의미를 확대하는 환유의 수사법을 사용하고 있다. 작가는 인접한 동사인 '삼기시니', '날괴시니', '그리는고' 등의 연결은 서로 사랑을 하고 헤어져서 서로 그리워한다는 의미로 나아가고 있다. 이러한 동사의 문체는 서술의 길이가 길어져도 괜찮은 가사의 장르에서 이야기를 담아내는데 적합한 방식이라 할 수 있다. 그러므로 〈속미인곡〉은 끊임없이 인접한 대상의 의미와 결합하여 서술의 길이를 더해 가는 환유의 수사학이라 할 수 있다.

이처럼 환유는 은유의 이상화하려는 경향과 궁극적으로 모순되며 그것을 허물어뜨리는 물질성에 근거를 두고 있다. 그래서 환유의 의미는 이미 결정된 사실을 반복하기보다는 작품 속에서 그 뜻을 인접성의 원리를 바탕으로 수평적으로 의미를 확장하며 표현하는 것이다.[16]

지금까지 가사에 나타난 환유의 수사학을 살펴보았다. 환유는 은유의 관념화하려는 성질과 궁극적으로 다르며 그것을 허물어뜨리려는 의도성에 출발한다. 환유는 이상성과 보편성을 지니고 유지하기보다는 체험성과 특수성을 지닌 것이다. 환유의 수사학은 경험적이고 특수한 것을 중요하게 여김으로서 같은 층위에서 다양한 방법으로 관련

---

16) 마이클 라이언(나병철, 이정훈 옮김), 『포스트모더니즘 이후의 정치와 문화』, 갈무리, 1996, p.197.

되는 단어와 문장을 확대하여 통합하며 그 의미를 확장하고 있다.

은유가 정적이며 전통을 지향하고 결정적인 의미라면, 환유는 동적이며 미래를 지향하고 미결정적인 의미이다. 은유가 보수의 표현이라면 환유는 진보의 표현이다. 그래서 가사문학에 나타난 환유의 수사학은 경험적이고 특수한 체험의 내용을 비판하며 표현하는 개화기가사에 나타난 시사평론時事評論이라는 담론의 미학을 일찍이 담보하고 있었다고 할 수 있다.

4. 시조의 가창성과 가사의 음영성

1) 시조의 가창성과 유행가로서의 의미

시조와 가사는 과거 우리나라 고유의 시문학이 지녔던 1행 4음보의 운율을 함께 공유하며 전통적인 양식을 계승하여 지속하고 있는 장르이다. 조선시대까지 정형성의 운율과 함께 계승되어 온 전통의 시가문학은 악장樂章과 시조時調가 우세하였다고 할 수 있다. 악장인 〈용비어천가〉는 피지관현彼之管絃하는 악장으로 처음부터 음악으로 노래할 것이라는 전제를 바탕으로 창작된 예술이었다.[17]

시조는 조선시대 국문시가의 중심을 이루며 작가층의 폭이 매우 넓고 작품의 내용도 다양하다는 특성을 지니고 있다. 1920년대를 기점으로 시조는 우리나라의 다른 전통문화와 마찬가지로 큰 변화를 보여주고 있다. 이 시기에는 서구문화의 유입과 발달한 인쇄술의 도입으로 새롭게 지어진 현대시조는 우리의 현대 문학과 마찬가지로 텍스

---

17) 장사훈, 『국악논고』, 서울대학교 출판부, 1993, p.121.

트로 읽혀지기 위한 작품으로 창작되었고 텍스트를 읽는 것이 작품의 감상의 시작이었다. 이 시기 이전의 고시조는 읽기 위해서 창작된 현대시조와는 달리 부르기 중심의 노래로서 향유되었다고 할 수 있다.

그래서 16세기 시조의 가창공간을 종합적으로 살펴볼 수 있는 〈도산십이곡〉은 귀중한 자료이다. 퇴계退溪 이황李滉은 한문문학으로 〈도산잡영陶山雜詠〉과 〈도산기陶山記〉를 짓고 새롭게 국문문학으로 〈도산십이곡〉을 엮었다. 당시의 사대부들은 일체의 글쓰기를 한문으로 하였으나 가창의 욕구를 만족시키기 위해서 국문으로 노랫말을 엮어야 했다. 당시에 국문문학인 시조는 가창의 형태로 지속되고 있었다. 퇴계는 당시의 한시漢詩는 고시古詩와 달라서 읊을 수는 있으나 노래로 부를 수 없다고 했다. 노래를 부르고자 한다면 반드시 우리말로 엮어야 해서 〈도산십이곡〉을 지었다고 한다.

이 도산십이곡은 도산의 늙은이가 지었다. 무엇 때문에 이 노래를 지었는가? 우리나라의 가곡이 대저 음왜淫哇함이 많아 족히 말할 것이 없다. 한림별곡翰林別曲같은 노래는 문인의 입에서 나왔지만 긍호방탕矜豪放蕩하고, 아울러 설만희압褻慢戱狎하여 더욱 군자君子가 좋아할 바가 아니다. 오히려 근세에 이별육가李鼈六歌라는 노래가 있어 세상에 성전盛傳하니 오히려 그것이 한림별곡보다는 좋아졌으나, 이 또한 아깝게도 완세불공玩世不恭의 뜻이 있고 온유돈후溫柔敦厚한 내용이 적다. 늙은이는 원래 음율音律은 모르나 그래도 세속의 음악을 만족하게 들을 줄은 안다. 한가히 지내며 병病을 다스리며 무릇 성정性情에 감발感發되는 것이 있으면 매양 이를 시詩로 읊었다. 그러나 지금의 시詩는 고시古詩와 달라서 읊을 수는 있으나 노래를 부를 수는 없다. 노래를 부르고자 하면 반드시 우리말로 엮어야 하는데, 그것은 우리의 음절音節이 그렇게 하지 않으면 아니 되기 때문이다.

　그래서 일찍이 이별육가李鼈六歌를 본받아 도산육곡陶山六曲 둘을 지었다. 그 하나는 언지言志요, 또 하나는 언학言學이다. 아이들로 하여금 조석朝夕으로 익혀 노래를 부르게 하고 책상에 기대어 듣고자 함이었다. 그랬더니 이제 아이들이 스스로 노래를 부르고 춤을 추니 비린鄙吝를 씻고 감발융통感發融通하여 노래를 부르는 자나 듣는 자 서로 유익有益함이 없을 수 없다. 돌아보건대 내 자취 매우 어긋나서 이 같은 한가한 일이 혹 말썽이나 일으키지 않을지 모르리로다. 또 이것이 강조腔調에 속해서 음절音節과 맞지 않을 지도 모른다. 그러나 아직은 이를 지어서 상자에 갈무리하고 때때로 꺼내어 보아 자성自省한다. 그리고 후일에 보는 자에게 취사取捨함을 기대한다.18)

　위의 예문에서 퇴계가 〈도산십이곡〉을 지은 이유를 설명하는 내용에서도 알 수 있듯이 이때의 시조는 가창의 형태로 노래하고 지속되었음을 알 수 있다. 시조는 노래로 불리면서 성장해왔기 때문에 시조를 얹어 부르던 곡조도 시조의 역사와 비견할 정도로 오랜 역사를 지니고 있다. 과거 문헌의 유실과 자료의 엉성함으로 시조가 지닌 악곡과 음악의 변천을 정확하게 추측하기는 불가능하다고 할 수 있다. 현재 국악에서는 시조의 음악을 가곡창과 시조창으로 나누고 있다.

　우리 고유의 문학을 대변하는 정형시인 시조時調 역시 시절가조時節歌調가 줄어서 된 것이라서 그 속성을 구분해서 말하면 문학으로 창작된 것이라기보다는 가창을 위한 음악성을 함께 지니고 있는 갈래라고 할 수 있다.

　사설시조에서도 독서활동으로 이루어지는 문학작품과는 달리 다

---

18) 이황, 「도산십이곡발」, 『퇴계집』 권43.

수의 인원이 열린 공간에서 연주를 통해서 연행되는 가창곡으로서의
맥락[19]을 찾을 수 있다.

> 노린궂치 조코 조흔 거슬 벗님너야 아돗던가
> 춘화류春花柳 하청풍夏淸風과 추명월秋明月 동설경冬雪景에
> 필운弼雲 소격昭格 탕춘대蕩春臺와 남북南北한강漢江절승처絶勝處에
> 주효난만酒肴爛漫 흔듸 조은 벗 가즌 혜적嵇笛 알아리쯘온 아모가이
> 제일명창第一名唱드리 추례로 벌어안즈 엇거리 불너 너니
> 중대엽中大葉 삭대엽數大葉은 요순우탕문무堯舜禹湯文武 又고
> 후정화後庭花 낙시조樂時調는 한당송漢唐宋이 되어 있고
> 소용騷聳이 편락編樂은 전국戰國이 되어이셔
> 도창검술刀槍劍術이 각자등양各自騰揚하야 관현성管絃聲에 어린엿다
> 공명功名과 부귀富貴도 너몰너라 남아男兒의 호기豪氣를
> 나는 됴흐노라[20]

위의 작품에 등장하는 인물들인 벗님, 아모가이, 명창, 남자 등은
같은 공간인 놀이판에서 다양한 음악을 함께 가창하며 즐기고 있다.
가객인 김수장(1674~1720)의 작품인 이 노래는 작품 내에서 당시의 노
래판과 놀이터의 모습을 표현하며, 시조가 가창하는 음악임을 보여
주는 증거로서 충분한 자료가 된다. 조선 후기 놀이판의 주최는 사대
부가 많았으나, 18세기 무렵부터는 부를 축적한 중인층과 여항인들
이 이러한 모임을 주도하여 가객들을 후원하기도 하였다.
  시조에서는 연행의 상황이나 창작 환경의 변화에 따라 진정성이

---

19) 김영운, 「현행 가곡의 사설시조 가창 양상」, 『시조학논총』 43집, 2015.
20) 심재완, 앞의 책, 1972, 629번.

있는 발화가 이루어질 경우도 있고, 멋과 흥을 내세우며 농담과 비슷한 우스운 소리인 허튼소리가 발화될 경우도 있다. 이 작품은 놀이판의 모습을 벗들에게 자랑하며 벗들이나 참여자에게 가창하는 놀이판에 참여하도록 유도하고 있다. 이처럼 사설시조의 노랫말은 가창공간의 분위기에 따라 바뀌는데 근엄한 소리를 노래하다가 우스운 소리인 허튼소리를 엇바꾸어 부르기도 한다.

'근엄한 노래'는 평시조에 가까운 진지한 발화라고 할 수 있으며, 멋과 흥을 강조하는 '허튼소리나 우스운 소리'는 사설시조에 가깝다고 할 수 있다. 술과 안주가 소비되고 있는 가창공간에서 노래하고 가창하는 순서는 평시조와 사설시조가 함께 어우러지며 뒤섞이는 분위기라 할 수 있다. 이러한 가창공간에서 주도적으로 참석한 사람들은 명창, 남자, 벗님네 등으로 서로 노래를 주고받으면서 가창분위기에 걸맞게 노래의 속도를 빨리하거나 노랫말을 진지한 상황에서 허튼소리나 우스운 소리 쪽으로 이동시키면서 놀이판의 분위기를 주도했다.

우리문학에서 시조라는 명칭은 '시절가조時節歌調' 즉 '당대의 유행가조流行歌調'라는 말이 줄어서 된 말이므로 엄밀하게 말해서 '시조'라는 장르는 음악성인 가창성을 전제로 한 음악 곡조의 명칭이라고 할 수 있다.21) 가곡창이 음악적으로 더 세련되고 전문적인 성악곡이라면, 시조창은 상대적으로 더 단순하고 대중적인 성악곡이라고 한다.22) 19세기말 개화기를 거치면서 20세기에 들어와서 과거에 없었던 개화기의 시가인 신체시, 창가唱歌, 자유시, 산문시 등의 새로운 문학갈래가 등장하자, 새로운 신문학과는 다르게 우리의 전통적인 옛날의

---

21) 정병욱, 『고전시가론』, 신구문화사, 1983, p.177.
22) 장사훈, 앞의 책, 1993, pp.297~384.

노래와 그 시형詩形인 3장 6구 45자 내외의 정형시定型詩를 시조時調라
고 부르게 되었다.[23] 이처럼 수 백 년 동안 많은 사람들에 의하여
창작되었고 노래로 가창되었던 이 시조는 문학의 갈래로는 우리나라
전통 정형시의 한 형태로 알려진 동시에, 음악상으로는 시조창이면서
유행가라는 두 가지의 개념이 함께 통섭되고 융합되어 있었다.

2) 가사의 음영성과 독서물로서의 장시화

조선 전기 가사는 가창과 음영이 함께 존재했다고 할 수 있다. 사
대부들의 모든 가사가 거문고를 반주하고 가창하면서 전승된 것이라
고 보기는 어렵다. 조선 전기 가사에서 음영吟詠이나 독서물讀書物로
서의 감흥을 일으키는 가사에는 〈선상탄〉, 〈고공가〉, 〈고공답주인
가〉, 〈누항사〉, 〈연행가〉 등의 작품이 있다.[24] 개인적인 독서활동
을 통해서 향유되는 가사는 개인이 혼자서 감상하는 문학작품으로 근
대의 문학과 그 감상하는 방식이 비슷하다고 할 수 있다. 이처럼 가사
는 시조와 함께 조선시대의 대표적인 시가장르의 하나로 가창, 음영,
독서 등 다양한 방식으로 향유되었다.

조선시대 가사문학의 향유방식에 대해서 국문학계에서는 대체로
숙종(1661~1720)대까지는 가창된 가사가 불리어졌으나 18세기 영·정
조 시대 이후부터는 음영이나 낭독의 방식으로 바뀌어 향유되었다고
한다.[25] 18세기 이후에는 가사의 향유방식에서도 가창의 방식은 점

---

23) 최남선, 「조선국민문학으로서의 시조」, 『조선문단』 16호, 1926, pp.3~4.

24) 이능우, 『가사문학론』, 일지사, 1977, pp.19~39.

25) 이혜순, 『가사·가사론』, 서울대학교 석사학위논문, 1966, p.20.

차 사라지고 음영이나 낭송의 방식으로 변하면서 가사의 형식도 서정의 장시로 변하여 이야기를 적극 수용하는 방향으로 나아갔다.[26] 이렇게 서정의 장시로 변한 가사는 음영과 낭독이 주가 되면서 가창보다는 읽고 창작하는 독서기능으로서의 향유방식으로 급격하게 변하게 되었다. 이처럼 후기가사의 향유방식은 그 가창과 음영이라는 두 가지의 형식과 함께 독서물이라는 측면이 강조되고 있어 그 향유방식이 다양해졌다고 할 수 있다.

가사라는 명칭은 원래 한자어漢字語로 '가사歌詞'와 '가사歌辭'라는 두 가지의 표기가 있다. 가사歌詞의 경우 음악이라는 장르와 관련이 있을 때 사용하자는 것이고, 가사歌辭의 경우는 음악의 경우와는 상관없이 음영이나 낭송을 할 수 있는 작품을 의미한다고 할 수 있다. 여기서는 가사歌詞를 가창을 위주로 하고 전제로 하는 노래의 말과 글을 의미하는 음악성이 짙은 의미로 해석하고, 가사歌辭라는 명칭은 가창과는 관계없이 읽고 보는 문장을 위주로 창작하여 독자들이 읽고 감상하는 작품[27]의 이름이라 할 수 있다.

가사의 갈래는 시조와 같은 정형시定型詩가 아니라 장시長詩라는데 그 의의가 있다. 가사의 서술단위는 행行이 기준이 될 수 있다. 가사는 한 행이 4음보 기준으로 3~4행이 하나의 의미단위를 이루지만, 시조처럼 3행의 정형시 구성이 아니라 비정형성을 지닌 장시라고 할 수 있다. 조선시대에 창작된 가사의 작품이 워낙 많은데다 오랜 시간 동안 존재하면서 다양한 모습으로 변모하였기 때문에 그 형식을 간단하게 설명하기는 어렵다. 조선 전기 사대부의 작가가 중심이 된 가사

---

26) 이능우, 『가사문학론』, 일지사, 1977.
27) 서원섭, 『가사문학연구』, 형설출판사, 1979, p.49.

작품을 보면 음수율에는 3·4·3·4조가 중심을 이루고, 후기의 가사 작품들을 살펴보면 음수율에서 상당수가 4·4·4·4조를 중심으로 하고 있다.

행은 가사를 필사하는 작업에서 줄이라는 의미로의 해석이 가능하다. 한국의 문학에서 행은 음보의 기준으로 보아 4음보를 위주로 하여 2음보에서 6음보 까지를 상정할 수 있다.[28] 여기서 설정하고 논의하는 행의 단위는 가사가 낭독되거나 가창될 때에 필요한 휴지의 단위를 의미한다고 할 수 있다. 조선 전기의 사대부가사는 3·4 또는 4·4조의 음수율을 가진 2음보의 구절이 짝인 대구對句가 되어 1행을 이루고 100행 내외로 작품이 구성되어 있다. 조선 후기 서사가사나 규방가사는 독서물이나 낭독과 음영을 함께 하는 장시로 변하여 200 행 이상으로 행수가 훨씬 많아지는 경향을 띠게 되어 보고 읽는 문학으로서의 향유방식이 첨가된다.[29]

먼저, 낭송이나 음영의 자료인 〈서호사〉라는 가사를 노래하는 가창의 악곡으로 작곡하여 가창을 하도록 하는 〈서호별곡〉을 살펴보기로 한다.

> 성대聖代에 일민逸民이 되어 호해湖海에 누어 이셔 전강前腔
> 시서時序를 니젓쌋다 삼월三月이 져므도다 중강中腔
> 각건角巾 춘복春服으로 세네번 드리고 후강後腔
> 회집송주檜輯松舟로 창오탄蒼梧灘을 건너
> 연사한정軟沙閑汀의 안즈며 닐며 오며 가며 흐여 이셔 대엽大葉

28) 조동일, 『서사민요연구』, 계명대학교 출판부, 1970, p.99.
29) 류해춘, 『장편서사가사의 연구』, 국학자료원, 1995, p.30.

　　일점봉도一點蓬島는 눌 위ᄒ여 떠오뇨　부엽附葉
　　춘일春日이 재양載陽ᄒ야 유명창경有鳴倉庚이어든
　　여집의광女執懿筐ᄒ야 원구유상爰求柔桑이로다　대엽大葉
　　첨피강한瞻彼江漢ᄒ야 성화을聖化乙 알리로다　이엽二葉
　　한지광의韓之廣矣여 불가영사不可泳思며
　　강지영의江之永矣여 불가방사不可方思로다　삼엽三葉
　　묻노라 동적洞赤이 단사천곡을丹砂千斛乙 뉘라셔 머믈우랴　부엽附葉
　　　　　　　　　　　　　　　　　　　　　　　　〈서호별곡〉30)

　　이처럼 〈서호별곡〉에서는 〈서호사〉에 노래하는 곡조를 부가하고 첨가하여 음악의 곡조인 전강前腔, 대엽大葉 등의 순차적인 악조를 첨가하여 전문가인 가객들이 가창할 수 있는 음악으로 편곡하는 변화를 꾀하고 있다. 〈서호별곡〉은 '삼강팔엽三腔八葉'이라는 악조의 편차에 의거했다 했으니 진작眞勺의 형식과 관련이 있는 것으로 파악이 된다. 진작眞勺의 형식은 고려시대 때부터 궁중의 음악으로 사용하였던 격조가 있는 음악이다. 진작의 형식은 궁중을 넘어서 사대부들에게 활발하게 수용되었으며 여러 가지의 악조를 조합하여 장형의 시가인 가사의 연행31)에 적절하게 활용하였을 것이다. 이처럼 16세기 〈서호사〉는 음영이나 낭송의 유형에서 가창의 방식을 적극 활용하여 변하는 특이한 모습을 보여주고 있다. 그래서 16세기 가사의 향유방식은 가창과 음영의 방식이 공존하는 향유방식을 지니고 있었다고 할 수 있다. 하지만 17세기의 가사에 오면 낭송이나 음영이 가사문학의 주

---

30) 임기중, 『한국가사문학주해연구』 10, 아세아문화사, 2005, p.237.
31) 성기옥, 「악학궤범과 성종 대 속악 논의의 행방」, 『시가사와 예술사의 관련양상』, 보고사, 2000, pp.235~266.

된 향유방식으로 자리를 잡게 된다는 사실을 짐작할 수 있다.

17세기 이전에 지어진 가사의 연행에 관련된 기록은 많지 않아 가사의 향유방식에 관련된 기록을 확인하기가 쉽지는 않다. 하지만 심수경 (1516~1599)이 지은 『유한잡록』[32]에는 16세기에 〈면앙정가(1533)〉, 〈남정가(1555)〉, 〈관동별곡(1579)〉, 〈서호별곡(1570)〉 등이 지어졌다고 하였고, 1614년에 편찬한 이수광의 『지봉유설』[33]에는 당대의 가사에 관한 언급으로 〈퇴계가〉, 〈남명가〉를 예로 들고 있어 많은 가사들이 창작되고 향유되었음을 알 수 있다. 홍만종(1643~1725)의 『순오지』[34]에서는 당시 〈역대가〉, 〈관동별곡〉, 〈사미인곡〉 등의 가사에 대하여 비평을 하고 있어, 가사문학이 가창하는 문학에서 읽거나 보는 문학으로 변하여 독서의 기능을 하는 문학으로 변하고 있음을 알려주고 있다.

이때부터 독서를 하는 사대부와 문인 비평가는 가사의 작품을 감상하고 비평하는 대상으로 생각했고, 가사를 노래로 부르고 듣는 문학에서 읽고 보는 문학으로서 그 기능이 변화를 인지하고 있었음을 의미한다고 할 수 있다.

　　인간을 써나 와도 내몸이 겨를 업다
　　니것도 보려 ᄒ고 져것도 드려려코
　　ᄇ람도 혀려 ᄒ고 들도 마즈려코
　　봄으란 언제 줍고 고기란 언제 낙고

---

32) 심수경沈守慶, 「유한잡록遺閑雜錄」, 『국역대동야승』 3, 민족문화추진회, 1984, p.133.
33) 이종은·정민, 『한국역대시화류편』, 아세문화사, 1988, p.388; 이수광李睟光, 「가사조歌詞條」, 『지봉유설芝峯類說』 권14.
34) 홍만종洪萬宗, 「순오지旬五志」, 『홍만종전집』 상, 태학사, 1980, p.93.

시비柴扉란 뉘 다드며 딘 곳츠란 뉘 쓸려료
아츰이 낫브거니 나조히라 슬흘소냐
오늘리 부족不足거니 내일來日리라 유여有餘ᄒ라
이뫼히 안ᄌ보고 져뫼히 거러보니
번로煩勞ᄒ 무음의 ᄇ릴일리 아조업다
쉴 스이 업거든 길히나 젼ᄒ리야
다만 흔 청려장靑藜杖이 다 뫼되여 가노믜라

〈면앙정가〉[35]

〈면앙정가〉는 송순宋純(1493~1582)이 관직에서 물러나와 면앙정에서 한가하게 지내면서 전원생활을 사계절의 경관과 함께 노래한 것이다. 위의 인용된 부분은 결말부분으로 은거지에 면앙정을 짓고 산수의 아름다움을 노래하고 그곳에 몰입하여 즐거움을 읊고 있는 부분이다. 이 가사는 자연가사의 계보系譜를 따지는데 중요한 자료인 작품이다. 자연을 예찬하는 내용으로 이루어진 이 노래는 〈상춘곡〉의 내용을 이어받아 자연을 완상하며 즐기는 모습을 수필처럼 장시인 가사로 표현하고 있다. 작가는 인간을 떠나와도 내 몸이 한가함이 없다고 강조한다. 이것도 보려하고 저것도 들으려고 바람도 쏘이고 달도 맞이하려고 하니 몸이 바쁠 수밖에 없다. 작가는 밤도 줍고 고기도 낚으며 사립문을 닫으며 떨어진 꽃을 쓸면서 세상살이를 즐기고 있다. 이러한 장시의 표현은 낭독이나 음영에 더욱 적합한 양식이 되었음을 보여주는 예라고 할 수 있다.

가사에 관련된 문헌을 살펴보았을 때 16세기 이전에는 노래를 부르는 가창이나 음영의 연행방식이 주된 향유방식이라 할 수 있고, 17

---

35) 임기중, 『한국가사문학주해연구』 7, 아세아문화사, 2005, pp.101~103.

세기 이후의 가사는 음영과 낭송을 통한 독서물의 자료로서 보는 문학으로 비평가의 비평의 대상이 되었다고 할 수 있다. 그래서 17세기의 가사는 이전의 가사보다 다양한 향유방식을 지니게 되었다. 전국적으로 확대된 사대부의 작가들은 가창으로서의 향유방식보다는 음영이나 낭송으로서의 향유방식을 자주 선택하여 이 시기의 가사를 전승하고 계승하였다.

이러한 향유방식의 변화는 여성과 서민, 그리고 중인의 가객들이 가사를 적극 수용하여 규방가사와 서민가사 그리고 장편의 서사가사를 창작하여 가사문학의 변화를 적극적으로 주도하였다. 그래서 18세기 이후의 현실의 비판의식을 주로 하는 현실비판가사와 이야기를 지닌 장편의 서사가사 그리고 규방가사에 이르러서는 가사의 가창성과는 별개로 음영과 낭송의 방식이 주된 연행방식으로 자리를 잡았다고 할 수 있다. 가창이 시와 음악의 일치를 모색하는 향유방식이라면 음영과 낭송은 가사라는 감상하고 보는 시의 의미를 보완하는데 치중하는 방식이라 할 수 있다. 조선 후기 시가문학인 규방가사와 서사가사는 임병양란을 거치면서 가사문학에서 가창보다는 읽고 음영하는 당시 예술의 변화를 수용하여 가사와 시조의 연행방식을 16세기 이전의 가창하는 방식에서 음영과 낭송을 중심으로 한 예술로 읽고 보는 문학으로 변모하게 하는 한 증거라고 할 수 있다.

조선 전기 시조와 가사는 항상 가창인 음악과 함께 있었고, 그러므로 그 이름의 명칭도 한자어를 순수한 우리의 말로 번역하면 '때의 곡조'라는 시조時調, '노래의 말'이라는 가사歌辭라는 음악의 명칭과 관련된 용어를 사용하고 있는 것이다. 조선 전기에는 시조와 가사는 계층과 지역을 넘어서 우리의 시가문학을 대표하는 장르로 자리를 잡앉고, 시조와 가사는 음악과 공존하면서 1행 4음보의 율격을 기저로 한국 정형시와 서정장시의 대표적인 갈래로 자리를 잡았다. 한편 조선 후기에 이르면 시조는 지속적으로 가창으로 향유되는 문학의 양식으로 존재했고, 가사는 조선 전기에는 가창하는 방식이 주된 향유방식이었다가 조선 후기에 와서는 점차로 음영이나 독서하는 기능이 강화되어 그 향유방식에서 큰 변화가 일어났다고 할 수 있다.

5. 시조와 가사의 융합과 소통

지금까지 시조와 가사의 갈래와 향유방식 그리고 작시원리에 대해서 고찰하면서 시험적으로 논의한 것을 다시 가다듬으며 그 내용을 요약하여 결론으로 대신하고자 한다.

먼저, 시조와 가사에 나타난 정형성과 비정형성을 살펴보았다. 시조는 3장의 짧은 구조 속에서 서정시이며 정형시인, 반면에 가사는 1행이 4음보를 바탕으로 행간에는 정형성을 보여주고 있으나, 행이 무제한으로 이어지고 있어서 비정형성의 표현을 더 강조하고 있어 자유로운 형식의 자유시로서 장시의 한 갈래라 할 수 있다. 그래서 시조가 3장의 형식을 지닌 정형시라면, 가사는 반복적 표현과 의미를 확대하면서 이야기를 담아서 노래하는 비정형성이 우세한 서정장시라고 할 수 있다. 평시조는 3장 6구 12음보, 글자 수로는 45자 내외라는 정형성을 비교적 잘 지키고 있지만, 각 작품마다 음보 내의 음수의 변화를 통해서 그 변화의 미학을 드러내고 있으며, 사설시조는 각 장의 음보를 자유롭게 늘여서 시조가 지닌 3장의 정형성을 간신히 유지하고 있다.

한국문학에서 장시란 서정시인 짧은 단시가 '단순한 정서의 태도를 구현한 시, 연속적인 기분이나 영감을 직접 표현한 시'임에 비해서, 장시는 '다수의 정서를 기교에 의하여 결합한 어떤 복잡한 관념의 이야기를 포함한 일련의 긴 시'를 구분하기 위해서 사용하는 용어이다. 그러므로 장시는 대상을 순간적으로 어느 일면을 노래하는 것이 아니라 처음, 중간, 끝이라는 보다 완결된 형식으로 총체적으로 사물을 다루고자 하는 작가의 정신과 관련되는 양식이라 할 수 있다. 따라서 장시로서 자유시의 한 갈래인 가사는 정형성의 시조에 비해 시간, 사건, 역사, 사회 등에 대한 작가의 주관과 가치관이 깊숙이 개입되어 이야기를 표현하는 서정장시의 양식이라 할 수 있다. 사대부들이 시조의 장르를 두고 가사문학을 향유하고 선택한 원인은 바로 작가의 가치관과 주관을 작품 속에 자세하게 이야기로 표현하고 싶은 욕망의 표출이고 반영이라고 할 수 있다.

다음으로 시조의 은유성과 가사의 환유성을 수사학의 이론으로 살펴보았다. 시조에 나타난 은유의 수사학은 유사성의 언어나 병렬의 문장들을 결합하여 크게 변화하지 않는 동일선상을 표현하는 계열체의 세계를 함축하는 언어의 전환기법을 내포하고 있다. 그래서 시조에 나타난 은유의 수사학은 시조가 지닌 초장의 내용을 순차적으로 이어받아 전개하면서 새로운 내용의 전개를 최대한 억제하여 초장에서 제시한 명제를 그대로 이어가는 유사성의 수사학이라 하여도 과언이 아니라 할 수 있다. 이러한 은유의 수사학은 시조에서 기호와 관념의 사이를 모순이 없는 등가관계로 연결시키며 시조가 내포하고 있는 명칭인 시절가조時節歌調라는 음악과 문학이 융합되어 있는 미학의 명칭을 획득하는데 손색이 없는 표현이라 할 수 있다.

　가사에 나타난 환유의 수사학은 경험적이고 특수한 것을 중요하게 여기고 같은 층위에서 다양한 방법으로 인접한 단어와 문장으로 확장하여 통합적으로 그 의미를 확장하고 있다. 환유는 은유의 관념화하려는 성질과 궁극적으로 다르며 그것을 허물어뜨리려는 의도성에 출발한다. 그래서 환유는 이상성과 보편성을 지니기보다는 체험성과 특수성을 지닌 것이라 할 수 있다. 은유가 보수의 표현이라면 환유는 진보의 표현이 되고, 은유가 정적이며 전통을 지향하고 결정적이라면, 환유는 동적이며 미래를 지향하고 미결정적으로 나아가고 있다. 그래서 가사문학에 나타난 환유의 수사학은 경험적이고 특수한 체험의 내용을 표현하는 시사평론時事評論이라는 수필의 산문성과 장시의 이야기를 융합하는 미학을 담보하고 있었다고 할 수 있다.

　마지막으로 시조와 가사의 향유방식에 나타난 가창성과 음영성을 살펴보았다. 시조와 가사는 원래 음악과 공존했던 것이다. 일정한 리듬을 지닌 시조와 가사는 과거 우리나라 고유의 시가문학이 음악과 공유했던 전통적인 양식을 계승하고 보존하고 있는 장르라고 할 수 있다. 조선시대까지 율격을 지닌 시문학의 전통은 한시漢詩와 가요歌謠가 우세하였다고 할 수 있다. 〈용비어천가〉도 피지관현被之管絃하는 악장으로 처음부터 음악으로 노래할 곡조를 중심으로 창작한 예술이었다. 시조와 가사도 언어의 율격성과 함께 존재하였고, 그래서 이름의 명칭도 '때의 곡조'라는 시조時調와 '노래의 말'이라는 가사歌辭를 사용하고 있는 것이다. 조선시대의 시조와 가사는 계급과 지역을 넘어서 각각 수천 편이 넘는 작품이 창작되어 1행 4음보의 율격을 기저로 조선시대의 정형시와 서정장시라는 갈래로 자리를 잡았다. 정형

시와 서정장시의 형식을 대표하는 시조와 가사는 조선시대 국문시가
의 중심을 이루며 작가들의 폭이 매우 넓고 작품도 다양하다는 특성
을 지니고 있다.

  조선 후기인 17세기에 와서 가사는 가창보다는 음영이나 독서의 향
유방식을 추가하게 되었다. 이 시기 전국적으로 확대된 가사의 작가
들은 가창으로서의 향유방식에 추가하여 음영이나 독서로서의 향유
방식을 자주 선택하게 되었다. 이 시기에는 여성들과 서민들이 가사
를 적극 창작하고 수용하여 가사가 지니고 있는 가창의 향유방식을
낭독이나 음영으로 변화하는데 적극 기여하였다. 그래서 18세기 이
후의 현실의 비판의식을 주로 하는 서민가사와 서사가사 그리고 규방
가사에 와서는 가창과는 별개로 음영과 독서의 방식이 주된 향유방식
으로 자리를 잡았다고 할 수 있다. 가창이 시와 음악의 일치를 모색하
는 향유방식이라면 음영과 독서는 시조와 가사의 감상과 의미를 보완
하는데 치중하는 방식이라 할 수 있다. 우리의 예술인 시조와 가사는
임병양란을 거치면서 문학과 예술을 즐기는 시각의 변화를 수용하여
가사와 시조의 연행방식을 가창에서 음영과 독서를 중심으로 한 읽고
보는 예술의 문학으로 변모하게 하였다고 할 수 있다.

  본고에서는 시조와 가사의 갈래와 향유방식, 그리고 관련양상에
대해서 사실적으로 비교하는 작업을 수행하였지만 앞으로 많은 자료
를 점검하고 추가하여 시조와 가사를 명쾌하게 설명할 수 있는 논리
를 발견하는 일이 남아 있다고 할 수 있다. 이러한 논리는 시조와 가
사에 나타난 정형시와 장시의 갈래와 향유방식에 대한 복잡한 과제를
종합적이고 통합적으로 해명하려는 시도로 이루어지고 있어서 많은
문제점을 보완해야 할 것이다. 하지만 가사와 시조가 지닌 문학의 특

성을 비교하며 그 동질성과 이질성의 질서의 원리를 모색하는 작업에서 얻은 결론은 지금까지 역사적이며 관습적으로 분리하면서 이해해 왔던 이 두 갈래를 좀 더 구체적으로 융합하며 소통할 수 있다는 가능성을 찾았다는데 큰 의미를 둘 수 있다.

2장.
시조문학과 여가문화

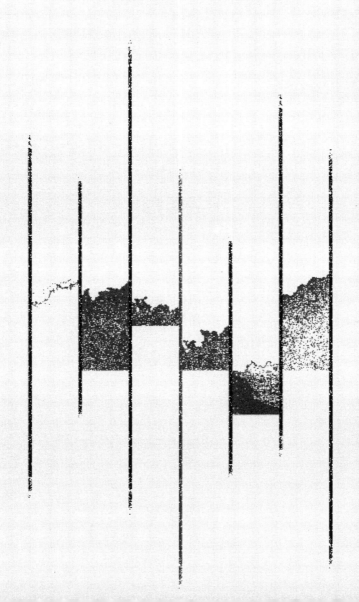

산수시조와 여가활동의 양상

1. 산수자연과 여가활동

시조는 산수자연과 밀접한 관계를 지니고 있다. 조선시대 불안정한 정치현실에서 벗어난 선비들은 고향으로 돌아와 정신적 안정을 되찾고 산수자연에서 생활하면서 시조를 매개로 하여 산수와 상대적인 관계를 맺었던 것이다. 시조에 나타난 산수자연은 인간세상이 지니고 있는 삶의 다양한 양상을 표현하고 있다.

사람이 사는 곳은 반드시 인간세상이다. 사람이 경쟁이 치열한 인간세상에서 패배를 하면 스스로 각축의 현장에서 떠나게 된다. 그들은 인간세상의 홍진紅塵을 떠나 산수로 찾아든다. 좋게 말하여 은거隱居한다고 한다. 승자에게는 산수자연이 피안의 낙원일 수 있으나, 패자에게는 유형流刑의 땅이거나 숨어사는 곳이다. 그래서 산수는 욕심이 개입되지 않은 무심無心의 처소處所가 되는 것이다.[1] 이처럼 시조에서 자연은 세상사의 지배원리이기도 하고, 미美적 존재이기도 하

---

1) 윤영옥, 「자연산수와 인세홍진」, 『시조학논총』 29집, 2008, pp.7~19.

며, 현실정치의 반대편에 위치해 있는 별유천지別有天地이기도 하였
다. 출처出處 의식이 투철했던 조선의 선비들이었으나, 정치현실인
인간세상의 홍진을 벗어나기 위해서는 산수자연으로 돌아와 전원생
활을 하면서 여가활동을 즐기기도 하였다.

산수시조는 산수자연을 제재로 하여 조선시대 선비들의 삶과 철
학을 표현하고 있는 시조를 부르는 명칭이라 할 수 있다. 산수시조
가 포함될 수 있는 강호가도江湖歌道2)의 형성의 원인으로 선학들은
당쟁하黨爭下의 명철보신明哲保身과 치사객致仕客의 한적閑適을 내세우
고 있다.

여가餘暇의 정의는 여가의 시간, 활동, 상태 그리고 제도의 요소가
적절히 배합된 복합적 성격을 갖는다고 할 수 있다. 이에 따라 현대사
회에 있어서 점차 복잡성을 띠고 있는 여가를 제대로 파악하기 위해
서는 여가의 다면성을 포괄할 수 있는 개념이 필요하다. 여기서는 여
가활동을 '개인이 가정, 노동 및 기타 사회의 의무로부터 자유로운 상
태 하에서 기분전환, 건강회복, 인성계발 등을 위해서 시간을 투자하
는 사회활동'으로 정의하고자 한다.3)

우리 사대부들의 일상생활은 노동과 여가로 나누어질 수 있는데,
조선시대에 여가를 마음껏 누릴 수 있는 공간은 누정樓亭과 별서別墅
그리고 원림園林 등의 산수 공간이라고 할 수 있다. 이러한 공간을 노
래하고 있는 시조에는 조선시대 우리 사대부들이 일상생활에서 체험
한 여가활동의 다양한 양상을 표출하고 있다.

---

2) 조윤제, 『한국문학사』, 동국문화사, 1963, pp.130~141; 최진원, 『국문학과 자연』,
　성균관대학교 출판부, 1977, p.10.
3) 김광득, 『여가와 현대사회』, 백산출판사, 1997, p.94.

이들이 즐긴 여가활동을 오늘날 현대사회의 특수성인 빠름과 속도의 미학에 기반을 하고 있는 풍요로운 사회의 휴가라는 개념4)으로 분석하는 일은 쉽지 않다고 할 수 있다. 그러나 조선시대 시조문학에 나타난 여가활동의 의미를 발견해내고 이를 음미해보는 일은 매우 소중한 경험이라 할 수 있다. 오늘날 여가활동을 위해서 자연과 산수로 떠나는 많은 사람들의 모습에서 산수자연을 배경으로 하고 있는 옛시조에 나타난 여가활동의 양상을 분석하는 일은 오늘을 살아가는 우리 현대인들의 여가활동에도 많은 영향을 줄 수 있다. 우리들은 우리 선조들이 남겨놓은 문화유산에서 올바른 여가생활의 정신을 찾아내어 바람직한 여가활동을 정착시키도록 노력해야 하겠다.

우리나라에는 상고시대부터 농경문화를 바탕으로 한 여가활동이 이미 뿌리내려져 있었다. 대표적인 여가활동으로 꼽을 수 있는 제천의식은 영고, 동맹, 무천 등의 농경의례5)를 통해서 나타나고 있다. 이때에는 온 마을 사람들이 한데 모여서 며칠 밤낮을 노래와 춤으로 즐겼다고 한다. 이런 여가활동은 삼국시대와 고려시대를 거쳐 조선시대에도 이어져 왔다. 조선시대에는 사대부들이 자연을 대상으로 하여 여행, 사색과 명상, 시와 노래 등을 즐겼고, 서민들은 자신들이 경험한 사실을 탈춤이나 판소리 등의 예술로 승화시켜 즐겼다. 특히 조선 후기 두레공동체는 마을과 마을끼리 집단놀이나 대동놀이를 통해서 피지배계층의 여가활동을 잘 보여주고 있는 증거라고 할 수 있다.6) 이처럼 우리 민족은 시조가 유행했던 조선시대에도 놀이, 여행,

---

4) 존갤브레이스(노택선 역), 『풍요한 사회』, 한국경제신문, 2006, pp.298~301 참조.
5) 『삼국지三國志 위지魏志(동이전東夷傳)』 참조.
6) 임재해, 『한국민속과 오늘의 문화』, 지식산업사, 1994, pp.208~210.

민속, 노래, 음주, 가무, 취미, 음식 등을 통해서 여가활동을 하면서 생활하였다.

여기에서는 산수시조에 나타난 사대부들의 여가활동을 배경으로 하고 있는 작품에서 찾아서 그 양상을 분석하여 보기로 한다. 사대부들의 여가활동과 관련지어 논의하고자 하는 시조는, 고려 말에서부터 21세기인 현재에 이르기까지 700여 년에 걸쳐 창작되고 있는 한국의 대표적인 정형시로, 우리 문화에서 중요한 위치를 차지하고 있다. 시조에 나타난 여가활동에 대한 연구는 사설시조[7]와 사대부시조[8]로 나누어 살펴본 필자의 논문들이 있다.

이 글에서는 산수시조에 나타난 여가활동이 일상생활에 끼친 영향과 그 기능을 검토하고자 한다. 산수시조에 나타난 여가활동의 양상은 1)기분전환과 삶의 재충전, 2)건강회복과 안전한 먹을거리, 3)자기계발과 공동체의 삶 등으로 나누어질 수 있다.[9]

이러한 분류는 우리 민족의 정체성을 잘 드러내고 있는 산수시조를 통해서 지금 세상에 화두가 되고 있는 참살이의 정신을 우리의 전통문화와 연결시키려는 노력의 하나라고 할 수 있다.

---

7) 류해춘, 「사설시조에 나타난 여가활동의 양상」, 『시조학논총』 21집, 한국시조학회, pp.23~46.

8) 류해춘, 「시조에 나타난 가을철 사대부의 여가활동」, 『시조학논총』 23집, 2004, pp.49~69; 류해춘, 「시조문학에 나타난 여름철 사대부의 여가활동」, 『우리문학연구』 20호, 2006, pp.61~80; 류해춘, 「시조문학에 나타난 봄철의 여가활동에 대한 시고」, 『어문논집』 34집, 2006, pp.153~172; 류해춘, 「사대부시조에 나타난 겨울철 여가활동의 양상」, 『시조학논총』 29집, 2008, pp.21~40.

9) J. Dumazedier, 『Toward a Society of Leisure』, The Free Press, New York, 1967, pp.14~17.

2. 기분전환과 삶의 재충전

'무위자연無爲自然'이라는 말이 있다. 사람과 자연은 서로 조화롭게 살아가야 하며, 사람과 자연이 하나라는 뜻의 가장 동양적인 표현이기도 하다. 서양에서도 루소(1712~1778)는 "자연으로 돌아가라"고 했다. 이처럼 동서양을 막론하고 근본정신이 자연으로 합일되고 있다는 점은 그만큼 자연이 소중하다는 것을 뜻한다. 우리 생활 주변에 흔하게 널려있는 흙과 자연, 하찮아 보이지만 그 속에 엄청난 생명의 신비가 숨어 있다. 사대부들은 깊은 산속에 은거하면서 자신의 건강과 인생살이의 여유로움을 즐겼다. 따라서 여가활동은 정신을 순화시키고 피로한 육체를 풀어줌과 동시에 과로한 심신을 회복시켜서 신체의 균형을 유지하는 데 기여한다고 할 수 있다.

휴식은 마음에 여유를 주고, 내일을 위해서 재충전을 할 수 있는 중요한 시간이다. 삶의 질을 중시하고 개성적인 삶의 태도를 존중하는 21세기 지식 정보화 사회에서는 쉰다는 것은 중요한 요소이다. 오늘날에는 많은 사람들에게 자유를 주고 생활에 활력을 주는 여가활동이 새로운 문화로 자리 잡아 가고 있다. 요즈음 우리는 너무 바쁘게 살아가고 있다. 바쁜 현대인들은 산수자연을 완상하면서 한가롭게 살아가는 우리 선인들의 삶의 지혜를 배우는 것이 필요하다고 할 수 있다.

> 우는 것이 **뻐꾸기냐** 푸른 것이 버들 숲가
> 어촌 두어 집이 냇 속에 들락날락
> 말가한 깊은 소에 온갖 고기 뛰노나다
>
> <윤선도(1587~1671)>

위의 시조는 화자가 봄의 정취를 감상하기 위해 배를 타고 나가서 기분전환을 하면서 삶을 재충전하고 있는 작품이다. 삶의 재충전은 개인의 삶을 여유롭게 하고 인성을 계발하여 우리 사회를 건강하게 한다. 각 개인이 삶의 재충전을 위해서 건전하고 창조적인 활동을 한다면, 우리 사회는 만족과 기쁨이 가득하고 즐거운 사회가 될 것이다. 농업을 바탕으로 하는 봉건 사회에서 봄철은 새로운 자연을 벗하며 편안하게 쉴 수 있는 시간이 상대적으로 많은 계절이라고 할 수 있다.

봄철을 맞이하여 진달래가 피고, 뻐꾸기가 우는 때에 아름다운 자연과 산들을 거닐며 마을의 경치를 감상하며 즐겁게 거니노라면 몸의 활력이 충만해질 것이다. 세속의 우리 인간이 시조의 화자처럼 도심의 찌든 공기에서 벗어나 가끔씩 자연의 신선한 공기를 맡을 수 있는 봄의 향기가 나는 길을 걸어 본다면 깨끗하고 청정한 지역에서 뿜어 나오는 공기는 몸 안의 혈액에 신선한 산소를 공급하고 음이온을 채워줄 것이다. 그리고 저녁에는 훈훈한 바람을 맞으면서 봄의 향기를 느낀다면 인간의 스트레스는 한꺼번에 날아가 버릴 것이다.

하루 종일 방안에 있기보다는 봄철을 맞이하여 밖으로 나가 자연과 함께 하면서 봄철의 아름다운 경치를 감상하는 일은 봄철에 우울해지거나 무기력해지는 이른바 계절성 우울증을 치료해주는 훌륭한 방법이 될 것이다.

> 활 지어 송지松枝의 걸고 전箭통 비고 누어 쓰니
> 송풍松風은 거문고요 두견성 노래로다
> 아마도 산중山中 신선神仙은 나 쑌인가
>
> <작가미상>

이 시조는 여름철에 하늘과 땅 사이에 부는 소나무 바람을 맞으며 산림욕을 즐기고 있는 내용이다. 초장에서 화자는 활을 벗어서 소나무 가지에 걸어두고 화살 통을 베고 누었다고 하니, 산에서 사냥을 하는 전문적인 사냥꾼이 아니고, 시간을 보내기 위해서 사냥을 하는 것이라 할 수 있다. 중장에서는 소나무의 바람이 거문고의 소리처럼 불어오고, 멀리서는 두견새가 이에 화답하며 울어대는 여름철 산속의 풍경을 그려내고 있다. 그래서 종장에서 화자는 자신의 모습이 더 이상 부러울 것이 없어서 자신이 바로 신선이 아니냐고 하면서 만족감을 나타내고 있다. 즉, 소나무 바람 속에서 자연과 더불어 살아가는 삶의 신비로움을 표출하고 있다고 할 수 있다.

소나무가 우거진 숲에 가서 코로 깊숙이 들여 마시는 공기의 맛은 정말 진품이다. 매연과 공해로 가득한 도심 한복판에 살고 있는 사람이라면 그 맛이 어떤 맛인지 충분히 알 것이다. 그 청량감 있는 숲 속에서 하루만 아니, 단 몇 시간만이라도 지내보면 정신이 개운해지고, 숨통이 확 트이는 신비한 기분을 느끼게 될 것이다.

이 시조의 바람처럼 소나무 숲에서 불어오는 공기는 음이온이 가득한 바람이다. 음이온이 가득한 공기가 건강에 유익하다고 한다. 햇빛에 노출되는 신선한 공기는 그 일부가 이온화되는데, 이때 산소 분자는 음극이 되고 이산화탄소 분자는 양극이 된다. 밀폐된 공간에서나 환기가 잘되지 않는 중앙집중식 통풍시설물 내에서는 양이온이 증가하게 되며, 이에 따라 두통, 현기증 또는 피로감을 쉽게 느끼게 된다. 반면에 음이온이 많은 공기는 나무가 많은 숲이나 바닷가 등 자연에서 찾을 수 있는데, 소나무나 전나무 등의 향기는 생명에 활력을 주는 요소가 많다. 현대인들은 이 시조의 화자처럼 가능한 한 야외나 산속으로 가서 깨끗하고 신선한 공기를 마음껏 마시면서 건강을 유지하는 것이 생활 속의 여가활동이라고 할 수 있다.

여가활동은 개인의 기분을 전환시켜 삶을 풍요롭게 하고 우리 사회를 건강하게 할 수 있다. 각 개인들이 여가생활을 건전하고 창조적으로 잘 활용한다면, 우리의 사회는 만족과 기쁨이 가득하고 즐거운 곳이 될 것이다. 여가를 잘 활용하는 사회는 모든 사람들이 휴식을 하면서 기분전환을 하여 행복한 삶을 위한 재충전의 기회를 가지는 행복한 사회라고 할 수 있다.

> 추강秋江에 밤이 드니 물결이 츠노미라
> 낚시 드리치니 고기 아니 무노미라
> 무심無心흔 둘빗만 싯고 빈빈 저어 오노라
>
> <월산대군>

심신을 수양하며 욕심을 부리지 않는 여가활동이 중요하다. 우리 선조들은 자연과 벗하는 가을철 전원생활에서 욕심을 버리는 여가활동으로 낚시를 자주 선택하였다. 진짜 어부가 되는 것이 아니라 어부로 가장하여 세상을 관조하며 낚시로 여가활동을 즐겼다. 조선시대 사대부들은 여가활동을 잘 보내기 위해서 가짜로 어부가 되어 고기를 낚는 것이 목적이 아니라, 한가롭게 자연을 즐기며 세월과 시간을 보내면서 진리를 깨치기 위해 낚시를 하기도 했다.

위의 시조를 보면 초장에서 화자는 늦가을이 되어 물결이 차갑다는 자연의 진리와 함께 세상인심의 사나움을 표출하고 있으며, 중장에서 화자는 낚시를 던지지마는 고기를 잡는 것이 아니라 시간을 보

내면서 인생의 진리와 인간세상을 탐구하는 시간을 가지는 것이라 할
수 있다. 종장에서 화자는 세상에 대한 진리를 깨쳐서 욕심을 버리고
고기 대신에 달빛을 싣고 돌아오지만 원망이나 슬픔이나 고통이 전혀
없다. 화자는 그냥 '무심無心'이라는 한 단어에 모든 의미를 실어 표현
하고 욕심 없이 살아가겠다는 화자의 의도를 나타내고 있다. 이처럼
우리의 사대부들은 강가의 낚시를 통해서 위험한 여가를 피하고 심신
의 안정을 취하는 여가생활을 하고 있다. 낚시라는 여가활동을 통해
서 부귀나 명예를 이루어야 한다는 인간의 욕심을 피하고 심신을 단
련하는 '무심無心'의 아름다운 여가를 즐기고 있다고 할 수 있다.

심신의 안정을 추구하며 위험한 여가를 피하는 방법으로 이 시조
는 여가활동인 낚시를 통해서 얻어지는 인생의 진리인 '무심無心'의
위력을 강조하여 보여주고 있다. 여가활동을 최대한으로 활용하려면
노동을 할 때보다도 더 많은 창조력을 발휘해야 하고 정력을 발휘해
야 한다. 사람의 생활에서 삶의 질을 한 단계 성숙시키는 능동적인
여가활동은 저절로 생기지 않는다. 여가활동은 단순히 쉼을 즐기거
나 축 늘어져서 수동적으로 시간을 때우는 데서 멈추어져 있는 것이
아니라 각자가 자신의 삶을 한 단계 끌어올려 삶의 지혜를 키워나갈
때 이루어지는 것이다.

> 산촌山村에 눈이 오니 돌길이 뭇쳐셰라
> 시비柴扉를 열지마라 날 츠즈리 뉘 이스리
> 밤듕만 일편명월一片明月이 긔 벗인가 흐노라
>
> <신흠(1566~1628)>

　화자는 겨울철에 눈이 오자 사람과의 관계를 끊고 휴식을 취하면서, 인생을 회고하며 삶을 재충전하는 모습을 보여주고 있다. 이러한 휴식은 몸과 마음에 여유를 주어 삶을 풍요롭게 한다. 하루가 다르게 변하는 21세기 정보화 사회를 살아가는 현대인들에게 필요한 것은 위의 시조처럼 눈이 오는 겨울철에 여가활동을 하며 편안하게 휴식을 취할 수 있는 여유로운 마음을 가지는 것이라 할 수 있다. 눈이 산하를 덮으니 천지는 적막해진다. 이 때 사람들은 삶의 질을 향상시키는 휴식을 취할 수 있는 시간을 가질 수 있다.

　초장에서 화자는 산촌에 눈이 오니 돌길이 눈 속에 묻혀 있다고 한다. 여기서는 겨울철에 눈이 와서 산촌의 오솔길인 돌길마저도 눈에 묻혀 있는 서경을 표현하고 있다. 고요함과 적막함을 연상하는 구절이라 할 수 있다. 중장에서 화자는 시비柴扉인 사립문을 열지 말라고 하면서 자신을 찾을 사람이 없다고 한다. 눈이 오니 사람이 끊어지는 자연의 이치에 순응하면서 자연과 함께하는 인간의 정서를 표현하고 있다. 종장에서 화자는 밤이 되어 한 조각의 밝은 달을 벗으로 생각하면서 삶의 재충전을 위한 휴식을 취하고 있다. 낮에는 아무도 찾아오지 않지만, 밤이 되니 달이 자신과 벗하러 찾아오고 있다. 화자의 마음과 상통하는 한 조각의 달은 눈, 밤, 돌길, 사립문 등의 장애를 극복하고도 찾아올 수 있는 존재이다.

　여기에서 화자는 겨울의 눈이 온 경치에 도취되어 자연을 감상하면서 달과 함께 삶의 재충전을 위한 여가활동으로 명상을 하고 있는 것이다. 요즈음 건강하고 아름다운 몸과 마음을 가꾸기 위해서 젊은 이들은 요가를 비롯한 단전호흡, 명상, 참선 등을 하고 있다. 조용히 눈을 감고 세상을 품에 안고서 오직 떠오르는 한조각의 달을 바라보며 인생을 반성하고 정리한다면, 현대인들도 이 시조의 화자처럼 속세의 티끌과 먼지를 빨리 씻고서 삶의 재충전을 이룰 수 있을 것이다.

아름다운 자연환경은 매연과 공해로 가득한 현대의 도회지 문명과 함께 살아가는 사람이라면 그 맛이 어떤 것인지 충분히 알 수 있다. 이러한 청량감 있는 숲 속에서 하루만, 아니 단 몇 시간만이라도 지내보면, 정신이 개운해지고 숨통이 확 트이는 신비한 기분을 느끼게 될 것이다.

인간사회는 원래 놀이를 일처럼 여겼고, 일을 놀이처럼 만들어 가며 오늘에 이르렀다. 하지만 논다는 것, 여가생활을 보람차게 즐긴다는 것은 아무나 할 수 있는 일이 아니다. 제대로 된 여가생활을 즐기지 못하면 위험한 여가를 즐길 수밖에 없다. 최근 우리 사회에서 자연스럽게 번져가는 휴식문화인 여가생활은 단순히 놀고 마시는 소모적인 삶의 형태는 아니라고 할 수 있다. 건전한 휴식문화가 여가활동의 한 부분으로 자리를 잡아 가고 있으며, 가족과 함께 여유를 즐기는 바람직한 놀이문화로 발전해 가고 있다. 물질적인 풍요가 세상의 모든 것을 가져다준다는 물질만능주의에 대한 믿음은 심신을 피폐하게 만들고 자꾸만 무엇인가에 쫓기며 살고 있다는 느낌을 준다. 심신의 수련은 결국 행복해지기를 원하는 현대인들의 본능적인 다가섬이며 참된 나를 찾기 위한 노력이라고 할 수 있다.

3. 건강회복과 안전한 먹을거리

옛날부터 인간은 일을 끝내고 나면, 놀이나 여가활동을 통해서 건강을 관리해왔다. 학자들은 인간을 '놀이하는 사람'으로 규정하기도 하였으며, 인간의 문화는 놀이에서 시작하고 놀이로서 끝나는 것으로 평생 놀이를 통하여 인간의 문화가 형성된다고도 하였다.[10]

신토불이身土不二라는 말이 있다. 몸과 땅은 분리될 수 없다는 뜻으로, 우리 땅에서 나는 음식을 먹으라는 말이다. 현대인들의 대표적인 질병인 비만, 고혈압, 당뇨 등은 잘못된 식생활과 운동부족에서 비롯된다고 한다. 깨끗한 음식을 먹으면 몸이 깨끗해지고, 기름기가 많은 음식을 먹으면 몸이 살찌기 마련이다. 건강한 삶을 추구하는 사람들은 자연식으로 식사를 하려고 하며, 국내에서 생산된 먹을거리를 찾아 먹으려고 한다.

여기서는 우리 선조들이 즐거운 생활을 하면서 즐겨 먹었던 건강식을 노래하는 봄철의 시조에 나타난 여가활동을 살펴보기로 한다.

> 집 뒤에 고사리 뜯고 문 앞에 맑은 샘 길어
> 기장 밥 익게 짓고 산채갱山菜羹 푹 삶아
> 조석朝夕에 풍미風味이 족함도 내분인가 하노라
>
> <김득연(1555~1637)>

위의 시조는 사대부들과 우리 조상들의 먹을거리 문화를 통해서 보여주는 삶의 지혜가 담긴 작품이라 할 수 있다. 건강하게 살기 위해서는 제철에 나는 음식재료를 이용한 식생활과 더불어 좋은 물을 마시는 일 그리고 잡곡밥을 먹는 것이 중요하다고 할 수 있다.

초장에서 화자는 집 뒤에 있는 산에 올라가 고사리를 뜯고, 문 앞

---

10) J. 호이징하(김윤수 역), 『호모 루덴스』, 까치, 1993.

에 있는 맑은 샘물을 길어서 음식 할 준비를 하고 있다. 사람들은 봄철 음식의 진미를 보여주는 어린 고사리 순을 나물로 무쳐서 먹기도 하고 고사리를 꺾어 말려서 저장하여 일 년 내내 중요한 나물로 쓰기도 한다. 약을 만들 수 있는 집에서는 고사리 순을 알맞게 말려서 약재로 만드는데 소화제나 이뇨제로 쓰는 경우도 있다고 한다. 그래서 봄철이 되면 서로 고사리를 캐려고 산으로 올랐다고 한다. 고사리와 맑은 샘의 물을 길어 만드는 음식은 우리의 전형적인 자연식의 유형이라고 할 수 있다. 화자는 문 앞에 있는 깨끗하고 차가운 샘물을 길러서 맛있는 음식을 준비하고자 한다. 건강전문가에 의하면 사람에 따라 다르지만 성인은 하루에 2리터 정도의 물을 마셔야 건강함을 유지할 수 있다고 한다. 좋은 물은 우리 몸에 쌓인 노폐물을 씻어내 주고, 신선한 영양분을 공급해주는 기본 영양분의 역할을 하며, 깨끗한 피를 생성해주는 작용을 한다.

중장에서 화자는 기장밥인 잡곡밥을 먹고 산나물로 된 국을 마시는 모습을 묘사하고 있다. 건강하기 위해서는 잡곡밥과 산나물을 많이 먹어야 한다. 산나물은 봄철 깊은 산중에서 캐는 것이 가장 부드럽고 특유의 향을 잘 지니고 있어 맛이 좋을 뿐만 아니라 영양가도 높다. 또한 산나물은 섬유질을 많이 포함하고 있어 우리 몸에 필요한 기초영양소를 골고루 포함한 잡곡밥과 함께 먹으면 이보다 더 좋은 봄철의 먹을거리는 없을 것이다. 잡곡밥과 산나물국은 단백질, 섬유질, 각종 탄수화물 등의 영양분이 풍부해서 우리들의 식사에서는 빠질 수 없는 봄철에 먹는 전통음식의 보고라고 할 수 있다. 산나물국은 소화를 도와주는 기능을 함으로써 기장밥이나 잡곡밥에 아주 궁합이 잘 맞는 음식이라고 한다. 여기서 우리는 선조들이 지닌 음식생활의 지혜를 엿볼 수 있다.

종장에서 화자는 아침저녁으로 자연에서 생산된 음식을 음미하여 심신의 건강한 삶을 살아가고 있다. 봄철에 아침저녁으로 기장밥을 먹고 산나물로 국을 끓여서 먹는 일은 현대인들에게도 다이어트 식품으로 으뜸이 될 수 있을 것이다.

이처럼 조선시대 선비들은 봄철의 산나물과 맑은 물, 그리고 잡곡밥을 통해서 봄철에 부족하기 쉬운 영양을 보충하고 있는데, 이는 옛날에도 우리 조상들이 제철에 나는 음식재료를 잘 이용함으로써 올바른 먹을거리 문화를 형성하고 있었음을 보여주고 있는 예가 된다. 이처럼 우리 조상들은 봄이 되면 파릇파릇 돋아나는 봄나물과 산나물을 먹으면서 제철에 필요한 영양분을 섭취하고 있음을 알 수 있다. 우리 몸은 제철에 나는 식품을 먹어야 건강하다고 한다. 위 시조의 화자는 봄철에 먹을 수 있는 별미인 산나물 죽과 고사리, 그리고 기장밥을 먹으면서 제철에 필요로 하는 영양분을 공급받는 건강한 생활을 하고 있다.

> 보리밥 픗ᄂ믈을 알마초 머근 후後에
> 바회 긋 믈 ᄀᆞ의 슬ᄏᆞ지 노니노라
> 그나믄 녀나믄 일이야 부룰줄이 이시랴
>
> <윤선도(1587~1671)>

위의 시조는 어지러운 세속을 벗어나 여름철에 단순 소박한 음식을 먹으면서, 현실과 일정한 거리를 유지하고 자기만의 생활공간을 노래하며 즐기고 있다. 초장에서 화자는 소박한 음식인 '보리밥'과

'풋나물'을 먹고 즐기면서 건강식을 하고 있다. 중장에서는 사람들이 많이 붐비는 장소와 담배연기가 자욱한 곳을 피하여 자연스럽고 친환경적인 바위 가의 물가에서 여유를 즐기고 있다. 마지막으로 종장에서는 물가에서 노는 것과 소박한 음식을 먹는 것을 제외하고는 다른 일에 대해서는 관심을 가지지 않는다.

이처럼 작가는 소박한 음식을 먹고, 바위가 있는 물가에서 여유를 즐기고 자연과 함께 지내고 다른 일에 관심을 보이질 않으며 마음을 차분하게 가라앉힌다. 즉, 부귀와 영화를 헌 신짝처럼 버리고 자연을 마음껏 완상하며 자연의 넓은 품에 안겨 포근하고 간결한 생활을 하겠다는 작가의 본심을 드러내고 있다고 할 수 있다. 잘 먹고 잘 노는 일이 중요하다. 심신을 회복시켜 육체적 균형을 이루는 여가활동에는 놀이 못지않게 먹는 것에도 관심을 기울여야 한다.

> 뒤 뜰이 벼 다 익고 압뇌에 고기 찻뇌
> 백주白酒 황계黃鷄로 닉노리 가자시라
> 술 취醉코 전원田園에 누어시니 절節가눈 줄 몰뇌라
> <작가미상>

건강한 먹을거리는 전 세계의 어머니들이 오래 전부터 해주던 전통적인 음식이라 할 수 있다. 한국의 경우, 시냇가에서 닭을 푹 고아서 백숙白熟을 해 먹는 것과 손수 물고기를 잡아서 안주를 만들어 먹는 것도 건강하고 안전한 먹을거리라 할 수 있다. 가을철 강에서 잡아 올린 물고기나 토종닭의 백숙에는 저칼로리로 섬유질이 많다는 것은 설명할 필요가 없다.

이 시조의 초장에서는 들에서 벼가 익고, 앞 내에 고기가 가득한 가을의 정경을 노래하고 있다. 중장에서 화자는 백주와 황계를 가지고 시냇가에 가서 물고기 잡이를 하려고 한다. 황계는 집에서 기르는 토종닭인데 백숙을 해서 먹으면 담백하고 그 맛이 일품이라고 할 수 있다. 거기에 더하여 방금 잡은 물고기를 가지고 매운탕을 곁들이니 건강식의 향유라고 할 수 있다. 백주는 막걸리를 말하는 것으로 우리 민족이 가장 즐겨 마시던 술이라 할 수 있다. 종장에서 화자는 술에 취하여 전원에 누웠으니 시절가는 줄을 모르겠다고 하면서 즐거운 시간을 보내고 있다. 이처럼 화자는 전통적인 제철의 음식을 먹고, 자연에 동화되어 전원에 누워서 자연과 일치가 되는 즐거운 여가생활을 하고 있다.

위의 시조처럼 건강식을 먹으면서 행복한 마음을 유지한다면 현대인들은 정신적인 피로에서 회복하여 건강한 육체를 지니게 될 것이다. 건강을 회복하기 위한 음식을 먹고 즐거운 생각을 가지고 긍정적으로 사고하는 것은 매우 중요하다. 더욱이 개인 스스로가 건강식을 먹으면서 긍정적이고 즐거운 사고를 한다면, 인생에서 건강이 저절로 찾아온다고 할 수 있다. "나는 즐겁고 건강한 사람이야!"라고 자기 스스로에게 다짐하는 말 한마디는 사람들의 건강을 유지하는데 큰 도움을 줄 것이다. 현대인들은 육체와 정신의 건강을 지키기 위해 자연식으로 된 음식을 먹거나 자기방식으로 생활하여 스트레스를 받지 않으려고 한다.

　　질가마 조히 씻고 바희아릭 싀 물 기러
　　풋쥭 둘게 쑤고 져리 짐칙 쯰어내니

세상世上에 이 두 마시야 눔이 알가 ᄒ노라

<김광욱(1580~1656)>

양력으로 12월 21일쯤인 동지冬至가 되면 겨울철 중에서 가장 밤이 긴 날이 된다. 이 동짓날은 음기陰氣가 가장 왕성한 때이면서, 비로소 양기陽氣가 처음 돋아나는 시기가 된다. 옛날 풍속에는 이때를 진정한 의미의 새해로 여겨, 팥죽을 먹고 나면 나이를 한 살 더 먹는다고도 했다. 건강하게 살기위해서는 깨끗한 식생활과 좋은 물을 마시는 일 그리고 잡곡밥을 먹는 것이 중요하다고 할 수 있다.

초장에서 화자는 가마솥을 깨끗하게 씻고 바위 아래에 있는 샘물을 길어서 음식 할 준비를 하고 있다. 깨끗하고 청결한 생활과 가마솥의 음식은 우리의 전통적인 음식의 유형이라고 할 수 있다. 전기밥솥에서 하는 음식보다는 가마솥에 음식을 하는 것이 우리의 몸에 이롭고 맛있다고 한다. 그리고 바위 아래에 찬물을 길러서 맛있는 음식을 준비하고자 한다.

중장에서 화자는 팥죽을 쑤고 김장김치를 꺼내어 먹는 모습을 묘사하고 있다. 건강하기 위해서는 야채를 많이 먹어야 한다. 섬유질이 많이 든 김장김치는 겨울철 영양의 보고라고 할 수 있다. 팥죽은 팥고 물과 찹쌀, 그리고 맵쌀 등이 함께 들어가는 영양식이라 할 수 있다. 잡곡은 몸에 좋으며 우리 몸에 필요한 기초 식품군이다. 잡곡은 단백질, 섬유질, 각종 탄수화물 등의 영양분이 풍부해서 영양이 부족하기 쉬운 겨울철 식사에서는 빠질 수 없는 식품이라 할 수 있다. 팥죽에 곁들여 먹는 김치는 소화를 도와주는 기능을 함으로써 팥죽과 아주 궁합이 잘 맞는 음식이라 할 수 있다. 여기서 우리는 선조들의 음식생활에 스며든 지혜를 엿볼 수 있다.

　종장에서 화자는 세상에서 김치의 맛과 팥죽의 맛이 최고라고 하고 있다. 겨울철 오후에 소화가 잘되는 팥죽을 쑤어 살얼음이 살짝 뜬 시원한 동치미를 곁들여 식사를 하면 그 맛이 아주 좋다.

　이처럼 화자는 저장식품을 통해서 겨울철에 부족하기 쉬운 영양을 보충하고 있는데, 이는 옛날에도 우리 조상들이 올바른 먹을거리 문화를 형성하고 있었음을 보여주고 있는 예가 된다. 봄이 되면 파릇파릇 돋아나는 봄나물을 먹고, 겨울철에는 김장김치와 팥죽을 쑤어먹으면서 제철에 필요한 영양분을 섭취하고 있음을 알 수 있다. 우리 몸은 제철에 나는 식품을 건강하게 잘 섭취한다고 한다. 이처럼 화자는 겨울철에 먹을 수 있는 별미 음식인 팥죽과 김장김치를 먹으면서 제철에 필요로 하는 영양분을 공급받는 건강한 식생활을 하고 있다.

　건강한 삶을 추구하는 현대인들은 자연식으로 식사를 하고, 자기 방식으로 생활하여 스트레스를 받지 않으려고 한다. 식사를 할 때는 야채를 좋아하여 양푼에 채소를 가득 담고 고추장 없이 비빔밥을 만들어 먹거나, 유기농법으로 재배된 쌀, 채소, 육류 등으로 식사를 한다. 업무에 둘러싸여 눈코 뜰 새 없이 바쁘게 살아가는 현대인들은 자기만의 생활방식을 고수함으로써 스트레스를 많이 받지 않으려고 노력하고 있다.

　전문가들은 간식이나 별미로 햄버거, 피자, 치킨 등과 같이 기름에 튀긴 식품을 먹지 않는 것이 건강한 생활을 위해서 중요하다고 한다. 이런 식품들은 불특정 다수의 소비자를 위해 대량으로 생산되는 식품이기 때문에 개인의 영양이나 건강에 대해서는 소홀하게 취급될 수밖에 없다. 이런 식품보다는 순수한 자연산인 우리나라에서 생산되는 콩이나 쌀로 만든 잡곡밥이나 밀로 만든 국수 등을 집에서 만들어 먹는 것이 좋다고 할 수 있다.

4. 인성계발과 공동체의 삶

  현대인들은 눈코 뜰 새 없이 바쁜 세상사에 쫓겨 자신도 모르게 경쟁과 속도의 노예가 되어 살아가고 있다. 항상 바쁜 일에 쫓기다 보면 몸과 마음이 황폐해지기 마련이다. 이런 황폐화된 삶으로부터 벗어나기 위해 현대인들은 남을 의식하는 외면적인 삶보다는 자신이 스스로 행복해지는 삶을 추구하고 있다. 현대인들은 불필요한 만남이나 시간을 과감하게 줄이고 자신만의 시간을 가지려고 노력하고 있다. 현재 서울 근교나 시골에서 가족들과 함께 전원생활을 하는 사람들이 늘어나고 있다. 그들은 하나같이 복잡한 도시 생활과 오염된 공기에서 벗어나고 싶어서 자연과 함께 취미생활을 한다고 한다. 자연과 함께 그리고 가족과 함께 취미생활로 음악 감상, 미술관이나 전람회 관람, 분재나 난 키우기 등을 하면서 생활하는 것은 참다운 여가활동이라 할 수 있다.

  현대인들은 취미생활을 하고자 해도 어디서 어떻게 시작해야 할지 막연하다고 한다. 또한 무엇인가를 배운다든가 취미생활을 한다는 것에 돈이 들어가는 점도 문제가 된다. 이럴 때는 취미생활을 하고 싶어도 부담스러울 수밖에 없다. 돈을 별로 들이지 않고는 취미생활을 할 수 있는 것으로는 꽃 기르기, 등산하기 등이 있을 것이다. 생활이 어렵고 힘들다는 태도를 버리고 취미생활을 하면서 인생을 즐기는

것도 중요하다. 봄철의 취미생활을 통해서 자기계발을 노래하고 있
는 아래의 시조는 국화꽃의 감상을 통해서 선비의 정신과 지조를 가
다듬고 있다.

> 한식寒食 비갠 後에 국화菊花 움이 반가왜라
> 꽃도 보려니와 일일신日日新 더 좋왜라
> 풍상風霜이 섞어칠 제 군자절君子節을 피운다
>
> <김수장(1690~?)>

취미생활로 꽃을 키우는 일은 마음에 안정과 여유를 주는 것이다.
인생에서 즐거운 생활을 하는 일이 특별히 따로 있는 것은 아니다.
꽃을 기르며 마음의 평안과 자신만의 여유로움을 실천하는 것은 즐거
운 생활을 위한 기초라고 할 수 있다. 우리 선조들은 꽃을 키우는 취
미생활을 통해서 일상의 단조로움을 깨고 새로운 생활에 활력을 불어
넣으며 더불어 사는 삶을 실천하기도 했다.

초장에서 화자는 한식寒食이 되어 비가 개고 국화가 싹을 틔우니
반갑다고 한다. 한식은 동지冬至로부터 105일째 되는 날로 4월 5~6일
쯤 된다. 이날 나라에서는 종묘宗廟와 능원陵苑에 제사를 지내고, 민간
에서는 성묘省墓를 하는 풍습이 있다. 중장에서 화자는 앞으로 꽃도
보게 될 것에 대한 기대감도 가져보고, 잎이 돋고, 꽃이 피고 하는
등의 나날이 새로워지는 그 생명의 발전을 통해서 마음의 기쁨을 노
래하고 있다. 꽃을 기르게 되면 하루하루 잎이 나고 그 자라는 모습을
보면서 우리는 생명의 신비를 느끼며 자신의 삶에 활력소를 얻게 된
다. 종장에서 화자는 국화가 잘 자라서 매서운 바람이 불고 서리가

칠 때에 제 홀로 피어서 군자의 절개를 보여 준다고 한다. 국화는 매화, 난초, 대나무와 더불어 4군자의 하나이다. 국화의 성장을 통해서 이 시조는 점층적으로 인생의 서사시를 쓰고 있다. 처음에는 새싹을 발견한 경이의 기쁨, 다음에는 하루하루 달라지며 그칠 줄 모르는 국화잎의 무성함, 마지막으로는 오상고절(傲霜孤節)을 자랑하는 군자의 절개에 비유하여 국화를 노래하고 있다. 국화를 기르는 취미생활에는 봄철부터 늦은 가을까지 선비정신과 오상고절이라는 철학이 은유적으로 표현되어 있어 우리들에게 인생의 참된 의미를 깨우치게 한다.

> 도롱이예 홈의 걸고 쇼곱은 검은쇼 몰고
> 고동플 뜻머기며 깃믈곳 ㄴ려갈제
> 어듸셔 픔진 볏님 흠쯰 가쟈 ㅎ는고
>
> <위백규(1727~1798)>

위백규(1727~1798)의 작품인 이 시조는 화자가 여름철 비가 오는데 소를 몰고 집으로 돌아오는 중에 냇가를 내려가면서 친구를 사귀는 모습을 표현하고 있다.

삶의 질을 한 단계 성숙시키는 능동적인 여가는 저절로 생기지 않는다. 이런 여가는 단순히 쉼을 즐기거나 축 늘어져서 수동적으로 시간을 보내는 데서 이루어지는 것이 아니라, 각자가 적극적인 자세로 자신의 삶을 한 단계 끌어올려 삶의 지혜를 키워나갈 수 있을 때 이루어지는 것이다. 현대인들도 이 시조의 화자처럼 여름철을 맞이하여 녹음이 우거지고, 시원한 시냇물이 흘러내리는 산과 들을 소와 함께 거니노라면 몸의 활력이 충만해질 것이다.

깨끗하고 청정한 지역에서 뿜어 나오는 공기는 우리 몸 안의 혈액에 신선한 산소를 공급하고 음이온을 채워줄 것이다. 그리고 저녁에는 시원한 바람을 맞으면서 모깃불의 향기를 느낀다면 우리의 스트레스는 한꺼번에 날아가 버릴 것이다. 하루 종일 방안에 있기보다는 여름철을 맞이하여 밖으로 나가 논밭에서 땀을 흘리면서 여름철을 보내는 일은 여름철에 우울해지거나 무기력해지는 이른바 계절성 우울증을 치료해주는 훌륭한 방법이 될 것이다.

이 시조의 초장에서 화자는 비가 오는데 도롱이를 입고 호미를 가지고 검은 소를 몰고 집으로 돌아오고 있다. 그리고 중장에서 화자는 검은 소가 배불리 풀을 먹지 않았는지 고들빼기라는 풀을 먹으며, 비가 내려서 물이 붇고 있는 시냇가를 내려가고 있다. 마지막으로 종장에서 화자는 물이 불은 시냇가에서 등짐을 진 벗님이 함께 건너자고 하는 소리를 경청하고 있다. 물이 불은 시냇가를 건널 때에는 서로 협동해서 건너야 한다. 아마도 화자는 물이 붇고 있는 시냇가에서 등짐을 진 벗을 도와서 함께 물을 건널 것이다.

이처럼 화자는 소박한 도롱이를 입고, 해야 할 들일을 비 때문에 일찍 마치고, 귀가하면서 친구의 어려움을 보살피면서 담담하게 동양화 한 폭을 그려내면서 물을 건너고 있다. 위의 시조는 생활의 현장인 자연에서 속도감을 내는 바쁜 생활보다는 여유롭고 차분한 삶을 노래하고 있으며, 자연의 이치를 터득하면서 친구와 함께 세상을 살아가겠다는 진솔한 교제와 마음의 여유로움을 표현하고 있다.

위의 시조에 나타난 선인들의 여가활동처럼 우리도 걷기, 고기잡이, 산나물 채취 등의 방법을 배워서 여름철을 활기차게 보내도록 하여야겠다. 최근에 우리의 전통문화에 대한 관심이 부쩍 늘어나고 있다. 현재 우리 사회에서는 '양'보다는 '질'로써 승부를 거는 시대, 이른바 참다운 여가문화가 새로운 화두로 등장하고 있다. 현대인들은 물질적 가치나 명예를 얻기 위해 달려가는 삶보다는 마음의 여유를 지니고 정신이 건강한 친구와 함께 삶을 즐기는 것을 행복의 척도로 삼는다.

조상 대대로 살아왔고, 현재 자신들이 사는 땅에 곡식의 씨앗을 심고 길러서 가을철이 되면 가을걷이를 하게 된다. 이때 사람들은 가을걷이를 하면서 즐거운 마음으로 1년 농사의 고마움을 표시하게 되는데, 이런 긍정적인 사고가 인생을 행복하게 할 것이다.

행복은 지극히 주관적이어서 계량화할 수 없는 것이지만, 사람들은 스스로 열심히 노력해서 의식주를 해결함으로써 개인의 행복을 누린다고 할 수 있다. 우리 사대부들은 고시조를 통해서 우리 현대인들에게 귀감이 되는 잘 벌고 잘 쓰는 법 그리고 긍정적 사고를 통해 행복을 추구하는 모습을 보여주고 있다.

> ᄀ을히 곡셕 보니 됴흠도 됴흘셰고
> 내 힘의 닐운 거시 머거도 마시로다
> 이밧긔 천사만종千駟萬鍾을 부러 무슴 ᄒ리오
>
> <이휘일(1619~1672)>

개인의 의식주가 어느 정도 해결되고 나면, 각 개인은 신체, 인성, 지성 등의 조화를 통해서 행복을 추구하고자 한다. 이 작품의 화자는 가을걷이를 풍족하게 한 후 자신의 행복한 마음을 실어 펴고 있다. 가을에 곡식을 수확하는 시기는 절기로 추분秋分에서 상강霜降까지

한 달 사이이다. 이 시기를 놓치면 일 년 농사는 흉년이 들게 된다. 우리의 옛날 농촌에서는 가을걷이를 할 때 가장 중요한 것은 비가 오지 않아야 한다는 사실이다. 일 년 동안 강수량의 조절이 잘 되어 풍년이 들었으니, 그 만족함으로 다른 것은 부러워할 것이 없다고 한다.

　이 작품의 화자는 여름철에는 비가 적절하게 오고, 가을철에는 비가 오지 않는 좋은 기후를 보여, 올해에는 농사가 풍년이 들어 풍성한 수확을 거두어들였다고 한다. 이처럼 화자는 자기가 열심히 노력한 땅에서 생산된 곡식을 곳간에 가득히 쌓아두고 그 수확의 기쁨에 흥겨워하고 있다. 초장에서 화자는 일 년 동안 고생하여 거둔 곡식이 많아서 풍년이 들어 기쁜 마음을 노래하고 있다. 중장에서는 자신의 힘으로 노력하여 농사를 지어 얻은 곡식이니 먹어도 정말 제 맛이 난다고 한다. 아마도 화자는 자신이 농부가 되어 열심히 노력하여 가을걷이를 한 것이니 행복감이 더욱 클 것이다. 이처럼 자신의 노동으로 직접 생산한 가을 농작물을 보면 자신감이 생기고 건강한 육체와 건전한 정신을 가지게 될 것이다. 종장에서 화자는 이밖에 천사만종, 즉 말 네 마리가 끄는 수레가 천 개나 되고 쌀 십만 석에 해당하는 부귀함도 부러워하지 않는다고 말하고 있다.

　풍년이 드는 것은 사람의 힘으로만 되는 일이 아니고 하늘의 도움이 있었기에 가능하다고 할 수 있다. 이 시조에서는 하늘이 돕고 농부들이 열심히 노력하여 풍년이 들어 만족하고 행복해하는 삶을 노래하고 있다. 화자는 열심히 농사를 지어 육체적으로 건강을 지키고 가을걷이를 끝낸 후에 자신이 수확한 농작물에 대하여 자부심을 가지며 더 이상의 물질적 풍요에는 욕심을 내지 않는 소박한 행복을 추구하는 모습을 보여주고 있다.

다음으로는 겨울철 세시풍속인 정월대보름을 노래하고 있는 시조를 통해서 세시풍속을 중요하게 생각하는 우리 선조의 즐거운 생활을 살펴보기로 한다.

> 망월望月이 밝엇스니 스름마다 답교踏橋로다
> 답교踏橋도 ᄒ련이와 달 보아서 풍흉豊凶 알쇼
> 아마도 농ᄌ農者는 텬ᄒ지딘본天下之大本인가
>
> <이세보(1832~1895)>

우리 조상들의 여가활동은 민족의 전통놀이인 세시풍속에서 쉽게 찾을 수 있다. 인생에서 이웃과 더불어 사는 삶이 특별히 따로 있는 것은 아니라고 할 수 있다. 우리 선조들은 세시풍속을 통해서 남녀노소와 사대부와 서민들이 함께 어울려 일상의 단조로움을 깨고 생활에 활력을 불어 넣으며 더불어 사는 모습을 구현하며 실천하기도 했다. 세시풍속에서도 원칙이 흔들리는 전통은 뿌리를 내리지 못한다. 이러한 원칙이 몇 대에 걸쳐서 전승되면 하나의 세시풍속이 되는 것이라고 한다.

초장에서 화자는 보름달의 밝은 상황과 달구경을 하면서 다리를 밟는 민속놀이인 답교놀이를 설명하고 있다. 정월 대보름에 행하는 달맞이 행사와 다리밟기 행사는 지방마다 다양하게 전해오고 있다. 먼저 높은 산이나 들에 올라가 보름달을 보고 그 해 소원을 비는 행사를 한다. 그 다음에는 보름달 밑에서 자기 지역의 다리橋를 자기의 연령만큼 오가면 자신의 다리脚가 튼튼해진다고 다리를 건너 다녔다. 중장에서 화자는 답교놀이를 하다가 달을 쳐다보고 그 해의 풍년과 흉년을 점친다. 이를 시골에서는 '좀생이보기'라고 했다. 정월 보름달을 보고 달빛과 그 주위의 형세를 보아서 그 해 농사의 풍년과 흉년을 점치는 일이 있다. 겨울 하늘에 맑은 빛깔로 온 사방을 환하게 달빛이 비취면 그 해는 풍년이 든다고 하였고, 반대로 달무리가 지면 흉년이 든다고 생각했다. 정월 대보름은 일 년의 농사를 준비하는 시작의 단계이다. 이때에 농사의 풍년과 흉년을 짐작하는 일은 매우 중요하다고 할 수 있다. 그래서 화자는 종장에서 농사짓는 일이 천하의 큰 근본이라고 하며 농업을 강조하고 있다. 이처럼 화자는 민속을 통하여 우리의 전통을 고수하면서 참다운 여가활동을 누리려는 정신을 표현하고 있다.

최근에 우리의 전통놀이에 대한 관심이 부쩍 늘고 있다. 간단하고 손쉬운 도구로 좁은 공간에서도 마음대로 놀 수 있는 윷놀이, 제기차기 등의 놀이가 유행하고 있다. 위의 시조는 보름달을 구경하면서 자신의 희망을 비는 정신적인 만족, 답교놀이를 하면서 자신의 건강을 비는 육체적인 만족, 농사의 풍년을 기약하는 물질적인 만족 등을 함께 나타내고 있다. 바쁜 현대인들도 마음의 안정과 여유를 주는 정월 대보름 날에 행해지는 민속놀이와 세시풍속에 참가하여 새로운 삶의 가치와 여가생활을 확인하는 자리가 되었으면 한다.

현대사회에서는 생존을 위해 고군분투하던 시대가 지나갔다고 할 수 있다. 21세기에는 새롭게 즐기는 여가문화가 화두로 등장하여 성행하고 있다.

5. 속도의 문화와 느림의 문화

우리가 살아가는 21세기 사회에서는 느리게 살아가는 여가생활이 필요하다고 한다. 과거에는 노동을 위한 여가였다면 지금은 여가를 위한 노동을 중요하게 생각하고 있다. 그런데 "누구에게나 자유 시간은 주어지나, 아무나 여가餘暇 활동을 할 수는 없다."[11]라는 말이 있다. 이는 그만큼 사람들이 여가활동을 제대로 활용하기가 어렵다는 의미일 것이다. 이러한 현실에 직면한 시점에서 산수시조에 나타나 우리의 옛 선조들의 여가활동의 양상을 살펴보는 일은 여가문화의 정체성과 그 역사성을 살펴본다는 측면에서 의미가 있다고 할 수 있다.

지금까지 우리는 산수시조를 통해서 우리 선조들이 자연의 생명력을 중시하고 건강한 삶을 살아가기 위해 노력하는 모습을 살펴보았다. 조선시대 선비들은 어지러운 세상을 만나면 산림이나 고향으로 돌아와 산수자연과 함께 하면서 시조나 가사를 지으면서 틈틈이 여가활동을 즐겼다. 산수시조는 어느 계절에 창작되느냐에 따라 그 소재와 주제가 달라진다. 여기서는 산수시조를 통해서 지금 우리 사회에 화두가 되고 있는 참살이well-being와 비슷한 모습으로 건강한 정신과 육체를 소유하며 살아간 사대부들이 지녔던 여가활동의 양상을 분석하였다. 조선시대 여유와 느림의 미학에 바탕을 둔 산수시조에 나타난 선비들의 여가활동은 오늘날의 현대인들에게 건강한 여가활동을 즐기는 데 많은 도움을 줄 수 있을 것이다.

인간은 자연으로 돌아갈 때 가장 편안해진다고 한다. '실천하지 않

---

11) S. de Grazia, 『Of time, Work, and Leisure』, Doubleday & Company Inc., New York, 1964, p.5.

으면 아무 것도 이루어지는 것이 없다.'라는 말이 있다. 지금 바로 우리 모두는 마음의 여유를 가지고 우리의 옛시조나 전통문화 속에 담겨있는 참된 여가활동을 찾아내어 느리고 여유롭게 살아가는 지혜를 계승하도록 하자. 여가활동이란 신체적 건강과 정신적인 안정을 목적으로 하는 것이다. 우리가 살아가는 현대사회에서는 느리게 살아가는 여가문화가 필요하다. 모든 것이 속도의 경쟁과 '바쁘다 바빠'로 일관하던 한국 사회에도 최근에는 농촌체험과 어촌체험 그리고 사찰체험 등의 전원생활을 바탕으로 한 느림의 여가문화가 나타나고 있다. 우리 사회에서 일어나는 느림의 문화는 속도의 문화에 대한 반작용으로 일어나는 것이고, 우리 사회가 인간이 감당할 수 있는 속도의 문화를 초월했기에 나타나는 것이다.

21세기 초에는 고속철도의 등장으로 우리 사회는 속도에 대한 경쟁이 더욱 가속화되고 있다. 시속 300km의 속도로 달리는 고속철로 인해 서울에서 부산까지를 한두 시간 남짓에 달릴 수 있게 되어 한나절이면 왕래가 가능해졌다. 이처럼 '지상의 비행기'라는 고속철로 인해 우리는 더욱 속도를 즐기게 되었다.

속도를 강조하면 강조할수록 저항이 더욱 강해지는 것은 물리학의 법칙이라 할 수 있다. 속도의 여가활동을 무기로 하면 반드시 저항이 생기기 마련이다. 2004년부터 주 5일제 근무가 시행되는 우리 사회에서는 속도 위주의 경쟁이 너무 치열하여 이제 느림의 문화가 논의되고 있다. 그 이유의 하나는 빠르게 경쟁하다 보니 그 반작용으로 나타나는 것이 느림의 문화라고 할 수 있으며, 다른 하나는 인간이 자연스럽게 본질적으로 가지고 있는 속도를 이미 초월했기에 이제는 자연의 본질로 돌아가자는 것이다.[12]

성장과 속도를 강요하는 과학의 시대에 우리의 문화는 느림을 강조하며 여유를 가질 필요가 있다. 눈이 핑 돌 정도로 앞을 향해 질주해 나가는 현대의 과학문명 앞에서 우리는 지나쳐 버리지 말아야 할 인간의 소중함을 깨달아야 한다. 빠르게 가속화된 삶이 좋고 편리할지는 모르지만, 이로 인해 과도한 스트레스를 받게 된다면 인간은 오히려 진정한 의미에서 인간답게 그리고 생명을 소중하게 여기면서 살아가는 여유를 가지는 삶을 더욱 중요하게 여길 수 있다. 노년생활은 생활 그 자체가 여가생활이라고 할 수 있으며 느림의 문화를 실천할 수 있는 기회라 할 수 있다. 사람은 노년생활을 어떻게 하느냐에 따라서 그 사람 자신의 건강은 물론 삶의 완성도도 달라진다고 할 수 있다.

21세기 우리사회는 노동중심의 사회에서 여가중심의 사회로 이동하고 있다. 여가시간이 많아지고 여가활동이 다양해짐에 따라 현대인들은 계절별로 더욱 합당한 여가문화를 찾을 것이다. 이러한 시기에 여가활동을 즐기는 사람들은 우리의 옛시조나 전통문화 속에 담겨 있는 여가문화에 관심을 기울여서 전통의 재창조를 통한 진정한 여가생활을 하였으면 한다.

---

12) 윤은기, 「웰빙시대의 時테크」, 『웰빙과 여가문화』, 여가문화학회, 2004.6.10.

사설시조에 나타난 여가활동의 양상

1. 노동과 여가

인간은 노동勞動과 여가餘暇라고 하는 굴레를 반복하며 살아가고 있다. 다만 노동에 의미를 더 두는 사람이 있는가 하면, 그보다 여가에 의미를 더 두는 사람도 있다. 우리들은 여가와 노동 중에서 어느 것에 더 의미를 두고 살아가고 있을까? 21세기인 오늘날에는 노동의 만족보다도 여가의 만족을 우선시하는 경향으로 바뀌어가고 있다고 한다.

여기서는 여가를 "개인이 가정, 노동 및 기타 사회의 의무로부터 자유로운 상태 하에서 휴식, 기분전환, 자기계발 등의 사회참여를 위해서 활동하게 되는 시간"[1]으로 정의하고자 한다.

사설시조에는 우리 선조들이 경험한 여가활동의 양상을 다른 장르보다도 다양하게 담고 있다. 사설시조에 나타난 여가활동에는 개인의 신체회복을 위한 휴식과 관련된 내용의 작품도 있으며, 개인의 일상적인 권태를 풀기 위해 기분전환을 내용으로 하는 작품이 있고, 개인

---

1) 김광득, 『여가와 현대사회』, 백산출판사, 1997, p.94.

이 자유롭게 자기를 초월하여 창조력을 키우고 발휘할 수 있는 인성
계발의 작품도 있다.[2]

이 글에서는 사설시조에 나타난 선인들이 수행한 여가활동의 양상
을 분석하여 선인들의 여가활동이 일상생활에 끼친 영향과 그 기능을
검토하고자 한다. 이러한 분석은 바쁘게 살아가는 현대인들에게 느리
고 여유롭게 살아가는 선인들의 지혜를 간접적으로 배우도록 할 것이
며, 사설시조에 나타난 우리 선조들의 여가활동으로 인해 현대인들의
삶을 더욱 윤택하게 할 것이다.

2. 기분전환과 유흥지향

여가활동은 그 본질이 삶의 즐거움과 일로부터의 해방감을 통해
인간에게 자기만족을 준다고 한다. 건전한 여가활동은 한 개인의 부
정적이고 왜곡된 편견과 태도를 적극적이고 능동적인 태도로 변화시
킬 수 있다.

사설시조가 유행했던 조선 후기에는 정치적인 불안정, 신분제의
동요 그리고 농경사회의 변화 등으로 우리 선조들을 소외감, 왜소함,
복잡함 등의 억압 속에서 살아가도록 강요했다. 이러한 시기에 우리
선조들은 여가활동인 놀이나 풍류 그리고 여행 등을 통해서 정서를
되찾고 마음을 안정시켰다. 조선 후기에는 누정, 별서, 풍류방 등의
공간을 통해서 여가활동을 비교적 활발하게 하였다. 여가활동의 중

---

2) J. Dumazedier, 『Toward a Society of Leisure』, The Free Press, New York,
   1967, pp.14~17.

요한 요소는 기분전환을 통하여 현실 또는 상상의 세계를 열어 주어 사람들에게 기쁨을 주는 일이라 할 수 있다. 이러한 기분전환은 일에 억눌린 개인의 감정과 압박을 해소해주어서 정신의 쾌적함을 유지하게 한다.

사설시조에는 우리 선조들의 여가활동을 형상화하면서 기분전환과 유흥을 통한 심리의 조정을 내용으로 하고 있는 작품이 있다.

> 세상사世上事 부운浮雲이라 강호江湖의 어부漁夫 될지어다
> 소정小艇의 그물 실코 순류順流로 내려가니
> 청풍淸風은 서래徐來하고 수파水波는 부흥不興이라
> 은린銀鱗 옥척玉尺 펄펄 쒸고 백구白鷗 편편片片 나리든다
> 격안隔岸 전촌前村 양삼가兩三家 저녁 연기煙氣 이러나고
> 반조입강半照入江 반석벽半石壁의 새 거울을 거러 논 듯
> 창랑가滄浪歌 반겨 듯고 칠리탄七里灘 나려가서
> 고기 주고 술을 사서 취醉토록 마신 후에
> 애내곡欸乃曲 불느면서 달을 쌔우고 도라오니
> 세상世上 알가 염려念慮로다
>
> <김 334>[3]

이 시조는 화자가 고기를 잡고 아름다운 풍경을 감상하며, 술을 마시는 여가활동을 통해서 기분전환을 하고 즐거운 심리를 표출하여 행복을 추구하고 있는 작품이다. 초장에서 화자는 세상의 일이 뜬 구름과 같은 것이므로 자연 속에서 어부의 생활을 하겠다는 의지를 밝히

---

3) 김홍규 역주, 『사설시조』, 고려대학교 민족문화연구소, 1993. 이 논문에서 '김 000'이라고 하는 시조의 번호는 모두 위의 책을 따랐음을 밝혀둔다.

고 있다. 중장에서 화자는 작은 배에 그물을 싣고 경치가 좋은 곳에서
고기를 잡아서 술과 바꾸어 취하도록 마시고 있다. 중장의 전반부에
서 화자는 강에는 맑은 바람이 서서히 불어오고 물결이 잔잔하다는
〈적벽부赤壁賦〉의 한 구절을 인용하고, 은비늘의 큰 고기가 뛰놀고 백
구가 날아와 아름다운 경치를 보여주고 있음을 노래하고 있다. 다음
으로 화자는 저편 언덕의 연기 속에 있는 두어 채의 집과 물에 비친
햇빛이 도리어 석벽에 비치어 거울을 비추어 놓고 있는 상황의 자연
의 아름다운 풍경을 묘사하고 있다. 그리고 화자는 굴원4)의 〈창랑
가〉를 듣고 엄자릉이 부춘산富春山에 숨어 낚시를 했다는 칠리탄과
관련된 고사를 인용하고 여울로 내려가서 잡은 고기와 술을 바꾸어서
먹으며 취했다는 것을 말하고 있다.

　종장에서 화자는 배를 저으며 부르는 노래인 애내곡欸乃曲을 부르
면서 달과 함께 돌아오는데, 세상 사람들이 자신의 이러한 행동을 알
까봐 걱정이 된다고 한다.

　이 시조의 화자는 자연의 경치에 흠뻑 젖어서 여가활동을 하고 있
으며, 석양에 비친 강 속의 경치를 감상하면서, 잡은 고기와 술을 바
꿔 취하도록 먹으면서 여가를 보내고 있는데, 그러한 경치에 더하여
하늘에는 달이 떠서 고기잡이배를 환하게 비추어준다고 묘사하고 있
다. 이때 독자들은 낚시를 즐기는 가어옹假魚翁을 주제로 하여 한 폭
의 동양화를 감상하고 있으며, 화자는 일상의 노동활동에서 탈피하

---

4) 굴원屈原의 〈어부사漁父辭〉의 다른 이름, 또는 〈어부사〉에서 굴원이 만난 어부가
　노래하는 대목인 "창랑의 물이 맑으면 내 갓끈을 씻고, 창랑의 물이 흐리면 내 발을
　씻을 것이다.(滄浪之水淸兮, 可以濯吾纓, 滄浪之水濁兮, 可以濯吾足.)"를 지칭하
　는 이름이라고 함.

여 낚시와 뱃놀이로 즐거운 여가활동을 하고 있다고 할 수 있다.

결국, 이 시조의 화자는 고기잡이라는 여가활동을 통하여 자신의 기분을 전환하고 심리를 안정시킨 후에 세속의 영욕에 대하여 미련을 버렸으나, 술에 취한 행동이나 은둔을 지향하는 자신의 마음이 다른 사람들에게 들킬까봐 두려워하는 마음을 드러내고 있다고 할 수 있다.

여가활동을 통해서 기분전환과 유흥지향을 보여주는 다른 시조를 살펴보기로 한다. 기분전환으로 일어나는 심리안정은 소극적이고 수동적인 마음과 행동에서 적극적이고 능동적인 마음과 행동을 가져오게 할 수 있다. 하지만 지나친 호기로 말미암아 이상주의자의 위험한 여가활동을 보여주고 있는 시조도 있다.

> 쇼년 힝락이 다 진커놀 와유강산 ᄒ오리라
> 인호샹이 즈작으로 명뎡케 취ᄒᆫ 후에 한단침 도도 베고
> 쟝쥬 호뎝이 잠간 되어 방츈 화류 츠즈 가니
> 리화 도화 영산홍 좌산홍 왜철죽 진달화 가온딕
> 풍류랑이 되여 춤추며 노니다가 세류영 넘어 가니
> 황됴 편편 환우셩이라 도시 힝락이 인싱귀불귀 아닐진딕
> 쑴인지 샹신지 몰나 다시 깅쇼년 ᄒ오리라
>
> <김 242>

이 시조에서 화자는 늙어서도 젊은 시절을 그리워하며, 이상주의자가 되어 꿈과 술 그리고 꿈속의 여행을 통해서 소년시절로 돌아가고자 하고 있다. 초장에서 화자는 소년시절의 즐거운 놀이를 다 하고 나서, 자연에 누워서 한가롭게 지내고자 한다. 그러나 중장에서 화자는 술 단지와 술잔을 끌어당겨 혼자 마시면서[5] 정신을 차리지 못할

정도로 취하고자 한다. 술을 혼자 마시는 것은 위험하다. 혼자서 마시는 술은 자제를 할 수 없어 자신을 비관적으로 빠지게 하거나 실천할 수 없는 이상주의자가 되게 한다. 다음으로 화자는 한단지몽邯鄲之夢[6]과 장주호접莊周胡蝶[7]의 고사를 인용하여 나비로 변신하고 봄날의 아름다운 꽃과 버들 속에서 황조가 짝을 찾는 모습을 묘사하고 있다.

기분을 전환하고 심리를 조정하는 여가라고 해서 다 같은 것은 아니다. 위의 시조처럼 술을 취하도록 마시거나 꿈속에서 나비로 변신하여 여가를 즐기는 것은 위험한 여가라 할 수 있다. 사람이 꿈속에서 나비로 변하는 장면은 신선하지만 실제로 일어날 수 없는 환상이라 할 수 있다. 중장에서 화자는 환상 속의 나비로 변신하여 봄철의 다양한 꽃을 관광하고 버드나무 언덕을 넘어가니 짝을 찾던 꾀꼬리가 정답게 웃고 있는 모습을 보여준다고 하고 있다. 여기서 나비가 풍류랑이 되어 많은 꽃을 지나며 풍류를 즐겼다고 하니 꽃은 여인들로 비유될 수 있고 나비는 남자로 비유될 수 있다. 남자인 나비는 풍류객이 되어 꽃밭에서 즐겁게 놀았다고 할 수 있다. 결국, 종장에서 화자는 늙었지만 다시 소년으로 돌아가서 놀아보고자 한다. 이 시조에 나타난 여가생활은 화자가 술과 꿈 등을 매개로 하여 기분전환을 증폭시

---

5) 도연명의 〈귀거래사歸去來辭〉에는 "술단지와 술잔을 끌어 당겨 혼자서 마시는 인호상이자작引壺觴而自酌"이라는 구절이 있다.

6) 〈침중기枕中記〉에 나오는 이야기로 인생의 덧없음과 영화의 헛됨을 말하는 것이다. 그 내용은 "노생盧生이라는 사람이 중국 하북성의 남서부에 위치한 한단邯鄲의 여관에서 도사 여옹呂翁의 베개를 빌려 베고 잠깐 잠이 들어 부귀영화를 누리면서 80까지 살아온 꿈을 꾸었는데, 깨어보니 아까 주인이 짓던 좁쌀의 밥이 채 익지 않았다"는 것이다.

7) 장주호접莊周胡蝶은 "장주莊周, 즉 장자莊子가 꿈에 나비가 되었다가 꿈을 깬 뒤에 다시 자신으로 돌아왔으나, 장주가 호접이 되었던가 호접이 장주가 되었던가 깨닫지 못한다"는 고사故事이다.

켜주는 여가생활을 하지만 잘못하면 생산적이 아닌 소모적인 것으로 인생을 황폐화시킬 수 있는 위험이 함께 존재하고 있다.

다음으로 술을 주제로 하여 여가활동을 형상화하고 있는 시조를 다시 살펴보기로 한다.

> 술이라 ㅎ는 거시 어니 삼긴 거시완듸
> 일배一杯 일배一杯 부일배復一杯ㅎ면 한자설恨者泄 우자락憂者樂에
> 액완자扼腕者 도무蹈舞ㅎ고 신음자呻吟者 구가謳歌ㅎ며
> 백륜伯倫은 송덕頌德ㅎ고 사종嗣宗은 요흉澆胸ㅎ고
> 연명淵明은 갈건葛巾 소금素琴으로 면정가이眄庭柯而 이안怡顔ㅎ고
> 태백太白은 접라接蘿 금포錦袍로 비우상이飛羽觴而 취월醉月ㅎ니
> 아마도 시름 풀기는 술만흔 거시 업세라
>
> <김 247>

이 시조는 술의 장점을 통해서 화자의 기분 전환과 심리의 안정감을 취하는 작품이라 할 수 있다. 여가생활을 하는 데는 많은 교육을 필요로 하고 인내를 요구하는 것들도 있다. 예를 들면 낚시, 등산, 스키, 자전거타기, 미술 감상, 음악 감상 등은 집중력과 인내력을 필요로 한다. 그런데 술 마시기는 별다른 공부를 하지 않아도 아무나 쉽게 접할 수 있으나, 그 정도를 조절하기가 어려워 옛날부터 많은 일화를 남기고 있다. 쉽게 접할 수 있는 여가활동은 현재의 화투놀이인 고스톱처럼 내기를 지나치게 하면 그 폐해가 엄청나다고 할 수 있다. 여가활동으로 술을 마시는 일은 위험한 여가가 될 수 있으므로 잘 조정하여 건전하고 아름답게 술을 마시는 방법을 터득하는 일이 중요하다고 할 수 있다.

초장에서 화자는 술의 유래에 대하여 언급하고 있다. 그리고 중장
에서 화자는 술의 장점을 몇 가지로 나누어 설명하고 있다. 먼저, 인
간의 정서적인 측면에서 술의 장점으로 화자는 '한恨이 있는 사람에
게는 한을 풀어 주며, 부축 받던 사람이 일어나 춤을 추게 하고, 고통
받아 신음하는 사람은 노래하게 한다'는 내용을 표현하고 있다. 그 다
음으로 화자는 술의 달인인 유백륜8), 완사종9), 도연명10), 이태백11)
등의 고사를 인용하여 술의 장점을 나타내고 있다. 마지막으로 종장
에서 화자는 시름을 풀어내는 데는 술이 제일이라고 한다. 시조의 화
자는 모임의 장소에서 부르는 〈권주가〉인 것처럼 시조를 노래하면
서 기분전환을 하고 심리를 안정시키는데 술이 필요한 것처럼 말하고
있다. 이는 술의 장점을 부각시키려는 화자의 의도라고 할 수 있다.
술을 적당히 마시면 보약이라고 할 수 있으나, 술을 적당히 잘 마시기
는 어렵다고 할 수 있다. 이 작품에서는 술을 찬양하고 있지만 현실적
으로는 술의 장단점을 잘 분석하여 술이 지나쳐서 위험한 여가가 되
지 않도록 우리가 노력하는 일이 필요하다고 할 수 있다.

이처럼 몇몇 시조에 나타난 여가활동이 지나치게 유흥지향으로 흐
르게 되는 이유는 연행의 장소가 주연을 베풀거나 흥을 돋우어야 할
상황이었기 때문이라 할 수 있다. 이러한 시조에서는 소년시절의 놀

---

8) 유백륜劉佰倫은 유령劉伶이며 주덕송酒德頌을 지었고, 죽림칠현竹林七賢의 한 사람
   이다.
9) 완사종阮嗣宗은 진나라 완적阮籍을 말하는데 죽림칠현竹林七賢의 한 사람으로 술
   을 잘 하였다.
10) 도연명陶淵明의 〈귀거래사歸去來辭〉에 갈건으로 술을 마시며 질박한 거문고를 들
    고 정원의 나뭇가지를 바라보며 기쁜 표정을 짓는 모습을 설명한다.
11) 이백李白의 〈춘야연도리원서春夜宴桃李園序〉에 술잔을 날리어 달 아래 취한다는
    내용이 나온다.

이나 풍류를 통하여 지나친 호기를 부리고 위험한 여가활동을 조장하는 작품이 다수가 있다. 여가활동이 지니고 있는 본질은 즐거움과 해방감, 그리고 자율적인 행동이라서 여가를 통하여 자기만족을 가능하게 하는 것이라 할 수 있다. 우리는 지나치게 유흥지향으로 흘러가는 위험한 여가를 담고 있는 시조보다는, 여가활동의 즐거움과 해방감이 심리적인 안정감과 기분전환을 일으키는 시조를 본받아 쾌적하고 행복한 생활을 해야 할 것이다.

3. 건강관리와 신체회복

옛날부터 인간은 일을 끝내고 나면, 놀이나 여가활동을 통해서 건강을 관리해왔다. 그래서 학자들은 인간을 '놀이하는 사람'으로 규정하기도 하였으며, 인간의 문화는 놀이에서 시작하고 놀이로서 끝나는 것으로 평생 놀이를 통하여 인간의 문화가 형성된다고도 하였다.

여가활동은 놀이의 핵심요소로 기본적으로 휴식을 통하여 생리적 리듬을 유지하게 하고 피로를 풀게 한다. 따라서 여가활동은 생명력을 돋우고 순화시키는 신체의 유지기능을 지니고 있다. 여가활동은 피로한 육체를 풀어줌과 동시에 과로한 심신을 회복시켜 육체의 균형을 유지하는 데 기여한다고 한다. 따라서 여가활동은 휴식을 통해서 스트레스 해소와 근육이완을 하고 체육을 통한 신체단련을 통해서 신체의 균형을 이룰 수 있다.

사설시조에는 우리 선인들이 경험한 여가활동을 통해서 신체를 회복하고 즐거운 생활을 형상화하는 작품이 있다.

공명功名을 혜아리니 영욕榮辱이 반半이로다
동문東門에 괘관掛冠ᄒ고 전려田廬의 도라와셔
성경聖經 현전賢傳 헷쳐 노코 읽기를 파罷ᄒᆫ 후後에
압닉에 슬진 고기도 낙고 뒷뫼에 엄긴 약藥도 키다가
임고원망臨高遠望ᄒ야 임의任意 소요逍遙ᄒ니
청풍淸風이 시지時至ᄒ고 명월明月이 자래自來ᄒ니
아지 못게라 천양지간天壤之間에
이 ᄀᆺ치 즐거움을 무어스로 대代홀소니
평생平生의 이리 저리 즐기다가
노사태평老死太平ᄒ야 승화귀진乘化歸盡ᄒ면
긔 됴혼가 ᄒ노라

<심 244>12)

  즐겁게 잘 산다는 것은 무엇일까? 그것은 마음과 육체가 편안한
상태에서 자신의 인생을 설계한대로 완성하여 가는 것이라 할 수 있
다. 위의 시조처럼 우리의 선조들은 여가활동으로 독서, 낚시, 한가
롭게 거닐기 등을 하면서 건강을 관리하고 지친 심신을 회복하기도
했다. 위의 시조는 화자가 과거라는 부귀공명의 시간을 초월하고 전
원으로 돌아와서 여가활동을 하면서 마음과 육체를 수양하며 지내는
것을 표현하고 있다.
  초장에서 화자는 자신의 과거가 영광과 욕됨이 반반이라고 회상하
고 있다. 이는 벼슬살이를 하면서 깨우친 인생의 교훈이 되는 격언과
같은 말이라 할 수 있다. 중장에서 화자는 벼슬을 버리고 전원으로
돌아와서 여가생활을 시작한다. 중장에 나타난 여가생활은 글 읽기,

---

12) 심재완, 『역대시조전서』, 세종출판사, 1972.

낚시, 약 캐기, 한가로이 거닐기 등이다. 성인들의 경전과 현인들이 지은 책을 읽는 여가활동은 과거에 출세를 위해서 혹은 벼슬길에 오르기 위해서 책을 읽는 것과는 다르게 자신의 인격을 완성하고 교양을 갖추기 위해서 라고 할 수 있다. 화자의 낚시는 고기를 잡기 위해서 낚시를 하는 것이 아니라, 자유로운 시간에 정신을 수양하기 위해서 하는 것이고, 화자의 약 캐기는 자신의 건강한 몸을 유지하기 위해서 하는 운동이라 할 수 있다. 한가롭게 거닐기 운동은 신체의 발달과 회복을 위해서 필요하며, 더욱이 높은 산에 올라 마음대로 걷는 것은 육체의 건강함뿐만이 아니라 정신의 안정감도 줄 수 있다. 이처럼 글 읽기, 낚시, 약 캐기, 한가로이 거닐기 등의 여가활동은 건강한 신체와 안정된 마음을 지니게 하여 화자의 마음을 즐겁게 하고 있다.

종장에서 화자는 평생을 태평함과 즐거움으로 지내다가 자연의 조화에 따라 세상을 떠나면 좋다고 한다. 여기에서 화자는 노후의 여가활동을 통하여 자연에 순응하며 돈과 명예, 그리고 시간을 초월하는 건강한 인생을 살아가며 세상의 이치를 통찰하는 모습을 보여주고 있다.

다음은 자연에 숨어서 지내는 선비의 모습을 통해 건강한 신체를 유지하면서 여가를 즐기는 모습을 살펴보기로 한다.

> 주력성酒力醒 다연헐茶煙歇ᄒ고 송석양送夕陽 송소월送素月 홀지
> 학창의鶴氅衣 님의ᄎ고 화양건華陽巾 졋게 쓰고
> 수지주역手持周易 일권一卷ᄒ고 분향焚香 묵좌墨坐ᄒ야
> 소요消遣 세려世慮 홀지 강산지외江山之外에
> 풍범風帆 사조沙鳥와 연운煙雲 죽수竹樹ㅣ 일망一望의 다 드노미라
> 잇다감 셔나믄 벗님ᄂᆡ와 위기圍碁 투호投壺ᄒ고

고금영시鼓琴詠詩ᄒᆞ야 송여년送餘年을 ᄒᆞ리라

〈김 261〉

노후의 여가는 마지막으로 자기를 실현할 수 있는 기회를 준다. 젊은 시절에는 하고 싶은 일이 있어도 시간의 제약, 경제의 제약 등으로 실천할 수 없었던 일이 노후에는 마음껏 자기를 실현할 수 있는 기회를 제공하기도 한다. 위의 시조는 노후에 자연으로 돌아가 신체의 건강과 정신의 안정을 통하여 여유롭게 살아가는 선비의 모습을 보여주는 내용을 표현하고 있다.

초장에서 화자는 달이 떠오르는데 차를 끓이며 자연의 경치와 술에서 깨어나는 자신의 현실을 그림처럼 펼쳐내고 있다. 여기에 나타난 화자의 건전한 여가활동은 차 마시기와 아름다운 자연을 감상하기라고 할 수 있다. 화자는 차 마시기를 통해서 술에 취한 어제의 일을 잊고 마음을 정리하며 여유롭게 살아가려고 한다. 거기에 더해 화자는 해지는 저녁놀과 하늘의 달을 감상하는 여유를 가지고 있다. 중장에서 화자는 취미와 교양활동으로 주역周易을 읽으면서 조용히 앉아서 정신을 집중하여 세상의 근심을 씻어내고 있다. 현대인들이 웰빙well-being의 시대를 맞이하여 정신집중의 수단으로 요가를 선택하여 조용하게 앉아서 기도를 드리고 있는 것 같다. 기도를 하고 난 후에 근심을 털어버린 화자는 눈을 들어 돛단배, 물새, 대숲의 자연을 감상하면서 거시적인 측면에서 세상사의 흐름을 읽는 혜안을 가지게 되었다. 종장에서 화자는 여가활동으로 시, 바둑, 투호, 거문고 타기 등을 하고 있다. 시창작과 거문고 타기는 오늘날에도 일반인들이 취미와 교양을 기르는데 아주 적합한 것이고, 바둑은 한가한 시간을 보내

기에 적합한 것이며, 투호는 정신 집중과 육체적인 건강을 함께 단련
할 수 있는 것이다.

위의 시조는 화자는 자연으로 돌아가 옛 친구들과 함께 노후에 여
가생활을 하는 모습을 생생하게 보여주고 있다. 화자는 대도시에서
새벽부터 열심히 일하며 바쁘게 달리는 사람들이 음미할 수 없는 인
생의 참된 의미를 즐기고 있다. 노후에 자연에서 건강하게 살면서 아
름다운 자연의 경치와 친구들과 함께 하는 여가생활은 훌륭한 노후생
활이라 할 수 있다.

다음으로는 노후에 건강을 관리하기 위해 가족들과 함께 취미생활
을 하면서 살아가는 모습을 살펴보기로 한다.

> 뒤 뫼희 고사리 뜯고 압 닉에 고기 낙가
> 솔제자率諸子 포약손抱弱孫ᄒ고
> 일감一甘 지미旨味를 흔듸 안자 눈화 먹고
> 담소談笑 자약自若ᄒ야 만실滿室 환희歡喜ᄒ고
> 우락憂樂 업시 늙엇시니
> 아모도 환해宦海 영욕榮辱은 나는 아니 구求ᄒ노라
>
> <김 282>

노후까지 안정되게 열심히 살면서 여가를 즐기는 생활은 개인적인
즐거움뿐만 아니라 가족들에게도 기쁨을 주는 것이 된다. 가족들과
서로 격려하고 함께 대화를 나누는 것은 노후의 고독이 해소되고 사
회의 일원으로서 자신감을 가지게 된다고 할 수 있다.

위의 시조는 초장에서 화자가 뒷산의 고사리와 앞 냇가의 고기를
잡는 여가활동의 한 단면을 보이고 있다. 고사리를 캐고 고기를 잡는

행위는 신체적인 노동을 필요로 하는 것으로 건강한 육체를 가지게
한다. 중장에서 화자는 가정에서 자식들과 손자들을 거느리고 잡은
고기와 고사리를 나누어먹으니 집안이 즐겁다고 한다. 자식들과 손
자들이 함께 대화를 하며 즐겁게 살아가는 삶은 노후의 삶을 더욱 보
람차게 하는 것이다. 이처럼 심신의 건강한 삶은 자신의 건강한 육체
를 유지할 수 있고 노후생활을 더욱 편안하게 한다고 할 수 있다. 종
장에서 화자는 벼슬길의 영욕을 구하지 않는다고 하고 있다. 가정의
안정과 적절한 노후의 여가활동은 개인의 즐거움뿐만 아니라 가족을
화목하게 하고 서로 협조하여 노후의 고독을 해소하는 21세기 고령화
시대에 새로운 가족문화의 대안으로 자리를 잡을 수 있다.

위의 시조에 나타난 선인들의 모습처럼, 우리는 노후생활을 단순
히 남은 시간으로서 받아들이는 것이 아니라, 더 적극적으로 육체적
인 건강을 위해 취미생활을 하고, 가족들과 대화를 하는 등의 적절한
여가활동을 통해서 건강한 신체를 유지하고 보람 있는 시간을 만들어
나가는 가족문화와 여가문화를 새롭게 창조해야 하겠다.

4. 인성계발과 생활변화

여가활동의 진정한 가치는 새로움과 변화, 그리고 건강과 행복의
지속에서 이루어진다. 인간은 정신의 동물이며 창조의 존재이다. 여
가활동을 통해서 얻어지는 건전한 정신과 건강한 신체는 인간의 인성
계발을 촉진시킴으로써 인간다운 최대의 행복을 누릴 수 있다. 그러
므로 여가활동은 정신의 차원에서 무한한 인간문화와 가치관, 그리고

정체성과 창의력을 기르게 하는 요인 중의 하나이다.[13] 창의력을 통하여 자기를 계발하는 인간은 알고자 하는 지적 능력과 아름다움을 추구하는 미적 능력, 그리고 목표를 실현하는 창조적 능력을 동시에 소유하고 있다.

사설시조에는 여가활동의 하나인 여행을 통해서 자기를 계발하고 인생관의 변화를 보여주고 있는 작품이 있다.

> 낙양성리洛陽城裏 방춘화시芳春花時에
> 초목군생草木群生이 개자락皆自樂이라
> 관동冠童을 기회期會ᄒ여 탕춘대蕩春臺 화전花煎ᄒ리고
> 문수암文殊菴 중흥사中興寺에 연포배주軟泡盃酒ᄒ고
> 청일晴日에 등임백운봉登臨白雲峰ᄒ니 숨켯ᄂ 듯
> 비홍교飛虹橋 낙전각樂殿閣과 정암제실靜菴齋室
> 제월광풍霽月光風 망월회룡望月回龍에 문진탐승問眞探勝ᄒ여
> 수락산사水落山寺 옥유천玉流川에 진영塵纓을 씨쓴 후後에
> 천장안암天莊安岩으로 행화방초杏花芳草 석양로夕陽路에
> 답가행휴踏歌行休ᄒ여 태학太學으로 도라드니
> 증점曾點의 영귀詠歸 고풍古風을 니어 보러 ᄒ노라
>
> <김320>

인간은 행동하는 동물이라는 말이 있다. 인간은 원래 행동하는 동물로서 여행을 하면서 삶의 지혜를 터득하고 출발점인 일정한 장소로 되돌아오는 귀소성을 지니고 있다고 할 수 있다. 귀소성의 본성을 지니고 있는 여행은 여가활동의 하나로 자유와 해방 속에서 일탈하는

---

13) 강남국, 『여가사회의 이해』, 형설출판사, 1999, pp.86~96.

자유를 추구하여, 일상 속에서 안고 있던 고뇌와 스트레스를 해소하고 인간의 주체성과 정체성을 확인하는 기회를 제공한다.

초장에서 화자는 서울에 봄을 맞이하여 자연의 아름다움을 노래하고 있다. 아마도 봄날의 아름다운 경치를 구경하기 위해 여행을 준비하고 있는 모양이다. 중장에서 화자는 갓을 쓴 어른과 시중드는 아이를 대동하고 봄날에 서울 근교의 여행을 하고 있다. 화자는 탕춘대, 문수암, 중흥사, 백운봉, 비홍교, 낙전각, 정암재실[14], 망월사, 회룡사, 옥류천, 안암골 등을 돌아보며 봄날의 경치를 즐기고 있다. 이처럼 화자는 봄날의 경치를 즐기면서 세속에 찌든 마음을 풀어내고 다시 재충전하여 열심히 살아갈 인생을 설계하고 있다. 종장에서 화자는 세속의 명예와 이익을 잊고 무우대舞雩臺에서 바람을 쏘이고 시를 읊으며 돌아온 공자의 제자인 증점曾點의 풍류를 이어가고자 한다.

위의 시조에서 화자는 봄철을 맞이하여 백운산, 북한산, 안암골 등의 서울 근교를 친지들과 함께 풍류 여행을 하면서 세상사의 명예와 이익이 헛됨을 알아차리고 스스로 만족하면서 살아가겠다고 하여 변화된 삶과 생활의 모습을 보여주고 있다.

다음의 시조는 남자의 일생인 소년시절과 노년시절의 노동과 여가생활을 노래하고 있다. 여가는 일이 있으므로 가능하며, 일도 여가가 있으므로 능률이 오른다고 할 수 있다. 이 작품은 일과 여가를 함께 소개하여 젊은이의 생활과 늙은이의 생활의 차이점을 나타내고 있다.

　　남아男兒의 소년少年 행락行樂 ᄒᆞ올 일이 ᄒᆞ고 하다
　　글 닑기 칼 쓰기 활 ᄡᅩ기 ᄆᆞᆯ 둘니기 벼슬ᄒᆞ기 벗 사괴기

술 먹기 첩妾 ᄒᆞ기 화조월석花朝月夕 노리ᄒᆞ기 오로 다 호기豪氣로다
늙게야 강산江山에 물러와셔 밧 갈기 논 ᄆᆡ기 고기 낙기 나모 뷔기
거믄고 ᄐᆞ기 바독 두기 인산지수仁山智水 오유遨遊ᄒᆞ기
백년百年 안락安樂ᄒᆞ여 사시四時 풍경風景이 어닉 그지 이시리
<김 225>

인간의 삶에서 노동과 여가를 명확하게 구분할 수는 없다. 위의 시
조에서는 소년시절의 노동과 여가 그리고 노년시절의 노동과 여가를
나누어 표현하고 있다.

초장에서 화자는 소년시절의 노동과 여가를 함께 서술하고 있다.
소년시절의 노동은 글 읽기, 칼 쓰기, 활쏘기, 말타기, 벼슬하기 등이
라 할 수 있다. 이러한 일들은 소년들이 출세하고 입신양명立身揚名하
는 데 필요한 과목들로 중요한 노동임을 보여주는 것이다. 그리고 다
음으로 나열되는 우정, 음주, 첩 만들기, 노래하기 등은 대장부의 호
기를 보여주는 여가활동이라 할 수 있다. 이 작품의 여가활동은 첩
만들기와 음주하기 등과 같은 위험한 여가가 있는가 하면, 우정과 노
래하기 등의 건전한 여가가 함께 존재하고 있다.

중장에서 화자는 노년생활의 노동과 여가를 함께 표현하고 있다.
노년생활의 노동은 밭 갈기, 논매기, 나무 베기 등이라고 할 수 있고,
노년생활의 여가는 낚시하기, 거문고 타기, 바둑, 산수여행 등이라
할 수 있다. 여기에 제시된 노년시절의 여가는 능동적인 여가로 건전
한 생활과 육체의 건강을 함께 가져다 줄 수 있는 것들이다. 종장에서
화자는 소년시절과 노년시절의 노동과 여가를 통해서 더 부러워할 것
이 없다고 하면서 자신감에 차 있다.

우리는 평생동안 여가활동을 즐기며 자기를 계발하고 안전한 여가를 추구하여, 소년시절과 노년시절에 변화된 생활의 모습을 보여주는 선인들의 느리고 여유로운 여가활동을 본받아야 할 것이다.

다음은 벼슬을 한 사대부가 은퇴하여 자연으로 돌아와 여유롭게 지내면서 자기 생활을 변화시키고 있는 시조를 살펴보기로 한다.

> 딕장부大丈夫 공셩신퇴功成身退 후의 임쳔林泉의 초당 짓고
> 만권萬卷 셔척 엽폐 쌋코 천금千金 준마駿馬 솔질하야
> 보라미 길드려 두고 종ᄒ야 밧 갈니고 절딕가인絶代佳人 엽폐 두고
> 금준金樽의 술을 부어 벽오동 거문고 식 줄 언져 무릅 우에 언고
> 남풍시南風詩 화답ᄒ야 강구연월康衢煙月의 누엇시니
> 이목지소호耳目之所好와 심지지소락心志之所樂은 이뿐인가
>
> <김 222>

이 작품에서는 벼슬살이에서 물러난 사대부들이 여가생활을 자신이 원하는 대로 호화롭게 즐겼음을 표출하고 있다. 이런 현상은 사대부들이 생산 활동을 하지 않으면서 여가활동을 통하여 오로지 건강유지와 취미로서 스포츠, 유희, 예술을 즐기고 일반적인 교양에 대한 대화거리 등으로 시간을 보내는 것이라고 할 수 있다. 위 시조에 나타난 화자는 자연을 대상으로 책과 노비를 거느리고 아름다운 여자를 옆에 두고 음악을 감상하면서 여유로운 여가생활을 보내고 있음을 알 수 있다.

초장에서 화자는 출세를 한 뒤에 벼슬살이에서 물러나와 있음을 알 수 있다. 중장에서 화자는 자연을 찾아가 집을 짓고, 만권의 책을 곁에 두고 여유로운 생활을 하고자 한다. 선비가 벼슬에서 물러나와 책

을 읽는 것은 적절한 노동활동이라고 할 수 있다. 하지만 다음에 나오는 준마駿馬 손질하기, 보라매 길들이기 등은 사냥이라는 여가활동을 위해서 마련된 것이다. 사냥은 화자의 신체적인 건강을 보장해 줄 것이다. 아름다운 여인과 함께 술을 마시며, 거문고를 타면서 태평시대의 음악을 즐기는 모습은 심신의 건강을 위해서 필요한 여가활동이라 할 수 있다. 여인을 옆에 두고 술을 마시는 여가는 사대부들이 즐겨할 수 있는 여가활동이지만 잘못하게 되면 위험한 여가가 될 수 있다. 이러한 이 작품의 여가활동은 서구의 유한계급의 휴가처럼 위험한 여가와 건전한 여가가 함께 포함되어 있는 것이 특징이다. 현재를 살아가는 우리들은 위험한 여가보다는 건전한 여가를 통하여 건강한 육체와 맑은 정신을 가꾸어나가야 할 것이다. 종장에서 화자는 노후생활의 여가활동을 '눈과 귀에 좋은 것과 마음에 좋은 것'15)이라는 말로 대표하여 자신의 인성을 계발하고 생활의 변화를 추구했다고 한다.

이처럼 화자는 벼슬살이를 물러나와 자신이 젊은 시절에 하지 못했던 전원생활을 하면서 여가활동을 즐기고 있다. 자신을 계발하기 위해서 사냥을 하기도 하고, 태평성대의 음악을 감상하면서 남풍시南風詩16)를 즐기면서 생활의 변화도 추구하고 있다. 결국 위의 시조는 부귀와 공명을 추구하던 세속의 생활을 떨치고 늙어서 전원으로 돌아와 여가활동을 하면서 육체와 정신의 건강을 추구하고 있다. 여기서 화자는 젊은 시절에 벌어둔 재산으로 자신의 인성을 계발할 수 있는

---

15) '진이목지소호盡耳目之所好, 궁심지지소락窮心志之所樂'으로 눈과 귀에 좋은 것을 다하고 마음에 즐거운 것을 다함.

16) 남풍시南風詩는 순舜임금이 오현금五絃琴을 타면서 즐겨 불렀다는 태평성대를 노래하는 시詩이다.

여가활동을 즐기면서 변화하는 생활환경에 잘 적응하여 개인의 행복을 추구하고 있다.

위의 사설시조에 나타난 여가활동은 크게 노후생활과 소년생활로 나누어진다. 젊은이들은 **빠름**의 여가활동을 주로 하고 있다. 속도를 강조하면 강조할수록 저항이 더욱 강해지는 것은 물리학의 법칙이라 할 수 있다. 속도의 여가활동을 주로 하면 반드시 저항이 생기기 마련이다. 이에 비해 노인들은 느림의 문화를 생명으로 하고 있다. 21세기 초부터 우리 사회에서는 속도 위주의 경쟁이 너무 치열하다 보니 이제 느림의 문화가 논의되고 있다. 느림의 문화가 등장한 이유 중의 하나는 빠르게 경쟁하다 보니 그 반작용으로 나타나는 것이라고 할 수 있으며, 다른 하나는 인간이 자연스럽게 본질적으로 가지고 있는 속도를 이미 초월했기에 이제는 자연의 본질인 느림의 문화로 돌아가자는 것이다.[17] 노후생활은 생활 그 자체가 여가라고 할 수 있으며 느림의 문화를 실천할 수 있는 좋은 기회라 할 수 있다. 노후생활을 여유롭게 그리고 느리게 살아가면서 여가활동을 어떻게 하느냐에 따라서 그 사람 자신의 건강은 물론 삶의 완성도도 달라진다고 할 수 있다.

5. 현대인과 여가문화

'누구에게나 자유 시간은 주어지나, 아무나 여가활동을 할 수는 없다'[18]라는 말이 있다. 조선시대에 우리의 선조들은 어떻게 여가활동

---

17) 윤은기, 「웰빙시대의 시時테크」, 『웰빙과 여가문화』, 여가문화학회, 2004.6.10.

을 했을까? 본고에서는 조선 후기 사설시조에 나타난 여가활동의 양
상을 분석하여 우리민족의 여가문화의 한 단면을 살펴보았다.

　조선조 사설시조에 나타난 여가활동은 기분전환과 유흥지향, 건강
관리와 신체회복, 인성계발과 생활변화 등의 양상으로 주제화되어 작
품에 나타나고 있다.

　'기분전환과 유흥지향'을 내용으로 하는 시조에 나타난 여가활동은
연행의 장소가 주연을 베풀거나 흥을 돋우어야 할 상황이라서 그런지
아니면, 소년시절의 행락을 노래하고 있어서 그런지 기분전환을 통
한 유흥지향의 경향이 상대적으로 강하다고 할 수 있다. 여가활동이
지니고 있는 본질은 즐거움과 해방감, 그리고 자율적인 행동이라서
여가를 통하여 자기만족이 가능하지만, 그 즐거움과 해방감이 심리
적인 안정감과 기분전환을 통하여 유익한 여가생활이 되도록 하는 것
이 중요하다고 할 수 있다. 이러한 유형의 시조에는 기분전환을 통하
여 건전한 여가활동을 형상화하는 작품도 있었지만, 소녀시절의 행
락을 보여주면서 지나친 호기로 위험한 여가활동을 조장하는 작품도
있었다.

　'건강관리와 신체회복'을 내용으로 하는 시조에 나타난 여가활동은
노년시절의 남은 시간을 그냥 보내는 것이 아니라 적극적으로 육체적
인 건강을 위해 취미생활을 하고, 가족들과 대화를 하는 인생을 설계
하여, 삶을 보람으로 충족할 수 있는 시간으로 만들어나가고 있어 귀
감이 될만한 내용이 많았다. 이런 유형의 시조는 소년시절의 여가활
동보다는 노년시절의 여가활동이 대부분이라서 건전한 여가활동을

---

18) S. de Grazia, 『Of time, Work, and Leisure』, Doubleday & Company Inc., New
　　York, 1964, p.5.

많이 나타내고 있다.

　'인성계발과 생활변화'를 내용으로 하는 시조에 나타난 여가활동은 화자가 세상사의 명예와 이익이 헛됨을 알아차리고 스스로 만족하면서 살아가겠다고 하는 변화된 생활의 모습을 보여주고 있었다. 이러한 유형의 시조는 소년시절과 노년시절의 여가활동을 형상화하는 작품에 모두 함께 나타나고 있으나, 다른 유형의 작품보다도 확실한 자아성찰을 바탕으로 미래지향의 건강한 여가활동을 담고 있어 주목을 요한다고 할 수 있다.

　우리 선조들이 사설시조를 통해서 표출한 가장 완전한 여가활동의 기능은 개인의 신체건강, 기분전환, 인성계발, 창조정신 등의 요소를 함께 누리는 것이라 할 수 있다. 오늘을 살아가는 우리들은 선조들이 사설시조를 통해서 보여준 이러한 건강회복, 기분전환, 자기계발, 창조정신 등의 여가활동을 본받아야 할 것이다.

　다른 측면에서 사설시조에 나타난 여가활동의 양상은 크게 소년시절의 여가활동과 노년시절의 여가활동으로 나누어질 수 있다. 소년시절의 여가활동은 건전한 여가와 위험한 여가로 나누어질 수 있다. 사설시조에 나타난 건전한 여가에는 여행하기, 친구 사귀기, 노래하기 등의 활동이 있고, 위험한 여가에는 술 마시기, 여자 사귀기 등이 있다. 노년시절의 여가활동으로는 대부분 바둑 두기, 장기 두기, 음악 하기, 노래하기, 걸음걷기 등의 건전한 여가생활을 표출하고 있었다. 이런 현상은 젊은이들과 노인들의 체력과 건강에 차이점을 둔 우리 선조들의 삶의 지혜를 보는 듯하였다.

　주5일 근무를 시행하는 2004년부터 우리사회는 노동중심의 사회에서 여가중심의 사회로 이동하고 있다고 할 수 있다. 여가시간이 많

아지고 여가문화도 다양해짐에 따라 현대인들은 더욱 건강한 육체와 맑은 정신을 강조하는 여가생활을 추구할 것이다. 이러한 시기에 우리들은 우리의 옛 시조에 나타난 여유와 느림의 미학에 바탕을 둔 여가활동에도 관심을 기울여 심신이 건강한 멋의 여가활동을 즐겨야 할 것이다.

사대부시조와 여가활동의 양상

1. 사대부와 여가활동

사대부들의 여가활동과 관련지어 논의하고자 하는 시조는, 고려 말에서부터 21세기인 현재에 이르기까지 700여 년에 걸쳐 창작되고 있는 한국의 대표적인 정형시로, 우리 문화에서 중요한 위치를 차지하고 있다. 조선시대의 험난한 정치현실에서 벗어난 사대부들은 고향으로 돌아와 정신적 안정을 되찾고 산수자연에서 생활하면서 시조를 매개로 하여 산수자연과 상대적인 관계를 맺었던 것이다. 출처出處 의식이 투철했던 조선의 사대부들은 정치현실인 인간세상의 홍진을 벗어나기 위해서 산수자연으로 돌아와 전원생활을 하면서 여가활동을 실천하기도 하였다. 이처럼 사대부시조에 나타난 산수자연에는 전원생활과 여가생활을 포함하여 인간세상이 지니고 있는 다양한 현상을 함께 표출하고 있다.

사대부시조士大夫時調는 사士와 대부大夫가 지은 시조時調, 즉 전前·현現직 관리를 중심으로 한 선비들이 지은 시조로 조선시대 지배계층의 삶을 표현하고 있는 시조를 부르는 명칭이라 할 수 있다. 지금까지

의 사대부시조 연구에서는 강호가도江湖歌道의 형성의 원인으로 당쟁
하黨爭下의 명철보신明哲保身과 치사객致仕客의 한적閑適을 창작의 주된
동기로 내세우고 있다.[1] 이러한 논리는 사대부시조의 주된 창작된 동
기가 산수자연의 모습에 성리학의 성정미학性情美學을 표현한 산수시
조와 산수자연을 배경으로 전원생활田園生活이나 여가생활餘暇生活의
모습을 노래한 자연시조로 나누어질 수 있는 근거를 마련하고 있다.[2]

우리의 옛시조에는 조선시대 사대부들이 경험한 여가활동을 다른
갈래의 문학 작품보다도 다양하게 표현하고 있다. 시조에 나타난 여
가활동에 대한 연구는 사설시조[3]와 사대부시조[4]로 나누어 살펴본
필자의 논문들이 있다.

우리 사대부들의 일상생활은 노동과 여가로 나누어질 수 있는데,
조선시대에 여가를 마음껏 누릴 수 있는 공간은 누정樓亭과 별서別墅
그리고 원림園林 등의 산수자연이라고 할 수 있다. 이러한 공간을 배
경으로 하고 있는 시조에는 조선시대 우리 사대부들이 일상생활에서
체험한 여가활동의 다양한 양상을 잘 드러내고 있다. 여기서는 여가
활동을 개인이 가정, 노동, 및 기타 사회의 의무로부터 자유로운 상

---

1) 조윤제, 『한국문학사』, 동국문화사, 1963, pp.130~141; 최진원, 『국문학과 자연』,
   성균관대학교 출판부, 1977. p.10.
2) 김홍규, 『강호자연과 정치현실』, 『세계의 문학』 19호, 1981, 민음사; 이민홍, 『사
   림파문학의 연구』, 형설출판사, 1985.
3) 류해춘, 「사설시조에 나타난 여가활동의 양상」, 『시조학논총』 21집, 한국시조학
   회, pp.23~46.
4) 류해춘, 「시조에 나타난 가을철 사대부의 여가활동」, 『시조학논총』 23집, 2004,
   pp.49~69; 류해춘, 「시조문학에 나타난 여름철 사대부의 여가활동」, 『우리문학연구』
   20호, 2006, pp.61~80; 류해춘, 「시조문학에 나타난 봄철의 여가활동에 대한 시고」,
   『어문논집』 34집, 2006, pp.153~172; 류해춘, 「사대부시조에 나타난 겨울철 여가
   활동의 양상」, 『시조학논총』 29집, 2008, pp.21~40.

태아래에서 기분전환과 건강회복 그리고 인성계발 등을 위해서 시간을 내어서 사회활동을 하는 행위로 정의하고자 한다.[5]

사대부시조에 나타난 여가활동의 양상은 오늘날 우리 사회에서 유행하고 있는 참살이의 정신과 서로 상통하고 있다. 현대인들의 삶에서 여가활동의 한 요소로 자리 잡은 웰빙well-being은 자연식을 먹고, 육체의 건강을 위해 노력하며, 삶의 질이 높은 생활을 추구하는 것이라 할 수 있다. 여기서는 '웰빙'을 '참살이'라는 우리말의 순화어로 바꾸어 부르기도 한다.[6] 얼마간의 차이와 이로 인한 오류를 너그럽게 포용할 수 있다면 참살이라는 말이 사용되기 이전에도 우리 사회에서는 채식이나 생식을 선호하고 즐기는 사람이 많았으며, 심신의 건강을 위해 요가나 참선을 하는 사람이 많았으므로 참살이라는 말과 여가활동의 의미는 비슷하다고 할 수 있다.

이 글에서는 사대부시조에 나타난 사대부들의 여가활동을 배경으로 하고 있는 작품에서 찾아서 그 양상을 분석하여 보기로 한다. 사대부시조는 어느 계절에 창작되느냐에 따라 그 소재와 주제가 달라진다. 여기서는 사대부들이 체험한 여가활동의 양상을 1) 봄철의 여가활동과 삶의 재충전, 2) 여름철의 여가활동과 전원생활, 3)가을철의 여가활동과 공동체생활, 4)겨울철 여가활동과 취미생활 등의 4가지로 나누어 분석하였다.

우리 민족의 정체성을 잘 드러내고 있는 사대부시조를 통해서 사대부들의 여가활동이 일상생활에 끼친 영향과 그 기능을 검토해보고자 한다.

---

5) 김광득, 『여가와 현대사회』, 백산출판사, 1997, p.94.
6) 국립국어원 편, 『2002년 이후 생겨난 새말 사전에 없는 말 신조어』, 2007, p.312.

2. 봄철의 여가활동과 삶의 재충전

아리스토텔레스는 "여가를 인간 행동의 목표이고 모든 행동이 지
향하는 종착점으로 보아, 우리가 평화를 얻기 위하여 전쟁을 하는 것
과 마찬가지로, 우리는 여가를 향유하기 위하여 일을 한다."7)라고 하
였다. 그는 자신이 여가의 존재이자 일생을 여가자로 지칭하고 평화
와 자유스런 사고 속에서 사색하고 명상하여 예술을 창작하고 감상한
다고 하였다.

여가활동의 본질은 삶의 즐거움과 일로부터의 해방감을 얻음으로
써 인간에게 행복감과 자기만족을 주는 것이라 할 수 있다.

> 우는 것이 **뻐꾸기냐** 푸른 것이 버들 숲가
> 어촌 두어 집이 냇 속에 들락날락
> 말가한 깊은 소에 온갖 고기 뛰노나다
>
> <윤선도(1587-1671)>8)

위의 시조는 봄의 정취를 감상하면서 삶의 관조와 재충전을 노래하
고 있는 작품이다. 봄철에 추구하는 삶의 재충전은 개인의 삶을 여유
롭게 하고 인성을 계발하여 우리의 인생을 행복하고 건강하게 한다.

초장에서 화자는 뻐꾸기와 버들 숲을 노래하고 있다. 어디에선가
들려오는 뻐꾸기 소리, 이것은 청각적으로 잡은 봄의 흥취이며, 저기

---

7) Aristotle, 『Nichomachean Ethics』, New York: Random House, 1948, pp.1104~
1105.
　천병희 옮김, 『아리스토텔레스 니코마코스 윤리학』, 도서출판 숲, 2013, p 401
참조.
8) 심재완, 『역대시조전서』, 세종출판사, 1972, 2176번.

바라다 보이는 저 푸른 버들 숲, 이것은 시각적으로 잡은 봄의 경치라 할 수 있다. 여기서 화자는 봄의 모습을 시청각으로 묘사하여 표현하고 있다. 단순히 평면적으로 봄의 감흥을 느끼는 것이 아니라 입체적으로 봄의 감흥을 느끼고 그 점을 시청각적 효과로 표현하고 있다.

중장에서 화자는 어촌의 두세 집이 연기 속에 들락날락하고 있는 모습을 묘사하고 있다. 이 장에 나타난 연기는 밥 짓는 굴뚝의 연기일 수도 있고, 냇가에서 일어나는 안개일 수도 있다. 언덕이나 산위에서 내려다보는 어촌의 모습은 그 자체로 하나의 풍경화라 할 수 있다. 만물이 새로운 봄의 풍경을 감상하는 일은 피로하고 지친 사람에게 원기를 북돋워 주기도 한다. 내 삶이 즐겁고 건강하기 위해서는 나태하고 지루한 생활의 반복을 피하고 신선하고 자극적이며 활기찬 생활을 해야 한다. 활기 넘치는 즐거움으로 산에 올라 마을을 내려다보는 일은 몸의 활력을 충만하게 한다고 할 수 있다.

종장에서 화자는 물 맑고 깊은 소沼에 온갖 고기들이 봄을 맞아 뛰어 놀고 있다고 한다. 여기서 화자는 석양이 지기 시작하는 시기에 물가에 고기들이 뛰면서 놀고 있는 모습을 표현하고 있다. 이때 화자는 바닷가에서 봄의 정취를 마음껏 즐기고 있다. 어촌의 봄의 정취를 만끽하는 화자는 봄과 하나가 된 듯하다. 이 작품은 매연과 공해로 가득한 현대의 도회지 문명과 함께 살아가는 사람들에게 어촌, 뻐꾸기, 버들 숲, 물고기 등이 어우러진 자연환경 속에서 살아가는 삶의 소중함을 일깨워주고 있다.

위의 시조처럼 인간이 생활에서 삶의 질을 한 단계 성숙시키는 능동적인 여가는 저절로 생기지 않는다. 여가활동은 단순히 쉼을 즐기거나 축 늘어져서 수동적으로 시간을 보내는 데서 멈추는 것이 아니라 각자가 자신의 삶을 한 단계 끌어올려 삶의 지혜를 키워나갈 수 있을 때 이루어지는 것이다.

옛날부터 인간은 일을 끝내고 나면, 놀이나 여가활동을 통해서 건강을 관리해왔다. 그래서 학자들은 인간을 '놀이하는 사람'으로 규정하기도 하였으며, 인간의 문화는 놀이에서 시작하고 놀이로서 끝나는 것으로 평생 놀이를 통하여 인간의 문화가 형성된다고도 하였다.

심신을 회복시켜 육체적 균형을 이루는 여가활동에는 놀이 못지않게 먹는 것에도 관심을 기울여야 한다. 잘 먹고 잘 산다는 것은 무엇일까? 여가활동에서 음식이 가장 큰 관심거리인데 건강한 음식은 제철에 제 땅에서 나는 먹을거리이다.

자연스러운 음식이 몸에 좋다는 말이 있다. 우리의 몸은 우리가 자란 자연과 분리될 수 없다는 뜻을 지닌 것으로, 자연 속에서 나는 것을 먹으라는 말이다. 사람의 체질은 자신이 살고 있는 그 땅의 풍토와 같을 때, 즉 몸과 땅이 동질성을 유지할 수 있을 때 가장 건강하다고 할 수 있다. 요즘 건강을 위해 좋은 음식을 가려먹으려고 힘쓰는 사람들이 점점 늘어나고 있다.

여기서는 우리 사대부들이 전원생활을 하면서 즐겨먹은 건강식을 노래하고 있는 시조를 살펴보기로 한다.

> 강호에 봄이 드니 이 몸이 일이 많다
> 나는 그물 깁고 아이는 밭을 가니
> 뒷산에 싹이 긴 약초는 언제 캐려 하느냐
>
> <황희(1363~1452)>[9]

---

9) 심재완, 『역대시조전서』, 세종출판사, 1972, 125번.

　건강한 삶을 위한 음식의 재료는 우리의 자연에서 생산되는 것이
라 할 수 있다. 식량이 부족한 농촌에서는 봄철이 다가오면 먹을거리
를 찾는 일이 중요했다. 봄이 되면 어른과 아이들이 모두 산과 들로
나가서 먹을거리를 구해 와야 했다. 제철에 나는 음식을 먹기 위해
부지런히 움직이는 농촌의 모습을 위의 시조에서는 보여주고 있다.
농산물이든 수산물이든 제철에 나는 식품을 먹으면 완전한 식품에 가
까워 몸에 좋다고 한다. 추운 겨울 동안에는 제철에 나는 나물도 먹기
힘들었고, 얼음이 얼어 물고기 잡기도 힘든 때라 어른아이 할 것 없이
심한 영양 불균형 상태에 놓여 있으므로. 봄철이 되면 부지런히 물고
기도 잡고 밭을 갈아 곡식과 채소를 심어야 한다.

　초장에서 화자는 농촌에 봄이 되니 자신의 일이 많아 졌다고 한다.
봄이 오는 농촌에서는 겨우내 움츠렸던 우리의 몸을 움직여 많은 일
을 해야 한다. 이러한 농촌의 사정을 사실적으로 묘사하고 있다. 이
때 우리의 선조들은 시간을 내어서 여러 가지의 일을 해야 했다.

　중장에서 화자는 고기잡이를 할 그물을 손질하고 아이에게는 밭을
갈도록 하고 있다. 시내에 나가 물고기를 잡는 일도 중요한 일과라고
할 수 있다. 고기잡이의 경험이 많은 어른들은 비교적 숙련된 노동자
로 힘이 덜 드는 일인 그물을 기워서 고기를 잡을 수 있도록 준비하는
일을 하고, 아이는 힘이 들고 많은 체력을 요하는 밭갈이를 해서 서로
분업을 하고 있다. 냇가에서 고기를 잡는 일을 천렵川獵이라고 하는
데, 시냇가에서 잡은 고기로 매운탕을 해먹으면서 겨울 동안 부족했
던 영양분을 보충하면서 여가를 즐기는 일은 우리의 인생을 윤택하게
한다. 그리고 아이는 밭을 갈아서 보리씨, 밀씨, 배추씨, 무씨, 호박
씨, 오이씨 등을 뿌려서 천연의 먹을거리를 준비해야 한다. 이러한

생활은 오랫동안 관습화된 우리 선인들의 삶의 지혜이며 오늘날의 시선으로 보면 건강하고 윤택한 삶을 준비하는 과정이라고 할 수 있다.

　종장에서 화자는 철이 더 늦기 전에 뒷산에 있는 약초를 캐야한다고 조바심을 내고 있다. 늦봄이 되어 잡풀이 길게 자라게 되면, 약초 캐기가 쉽지도 않고, 그 약효도 떨어진다고 한다. 산에는 칡, 더덕, 산도라지, 삽초뿌리 등의 귀한 약초가 있다. 이러한 약초들은 민간에서 건강식으로 향유했을 뿐만 아니라 필요할 때에는 한약재로도 사용되었다.

　이처럼 위의 시조에서는 화자가 봄철을 맞이하여 우리의 전통적인 농촌 생활을 통해 자연 속에서 생산된 물고기와 밭의 채소와 곡식, 그리고 산에서 생산되는 약초를 통해서 건강한 삶을 살아가는 지혜를 보여주고 있다.

　오늘날 한국사회에서는 생존을 위해 고군분투하던 시대가 지나갔다고 할 수 있다. 이제 어떤 삶을 살 것인가? '양'보다는 '질'로써 승부를 거는 시대, 이른바 새로운 여가활동이 화두로 등장하고 있다. 현대인들은 물질적 가치나 명예를 얻기 위해 달려가는 삶보다는 마음의 여유를 지니고 정신이 건강한 친구와 함께 삶을 즐기는 것을 행복의 척도로 삼는다. 행복한 삶을 생활화하려는 현대인들이 위의 시조처럼 자연친화적인 생활을 하면서 자연이 제공하는 천연식품을 섭취하는 농촌생활을 가끔씩 체험한다면, 정신적 스트레스가 훨씬 줄어들고 업무의 효율도 높아지며, 신체와 정신이 평화로워져서 즐겁고 행복한 생활을 하게 될 것이다.

3. 여름철 여가활동과 전원생활

여가활동은 심신의 여유로운 삶을 통해서 건강한 생활을 하는 것을 목적으로 한다. '가장 인간답게, 가장 행복하게' 살기 위해서는 개인의 취미 생활만큼 중요한 일도 없을 것이다. 현대인들은 눈코 뜰 새 없이 바쁜 세상사에 쫓겨 자신도 경쟁과 속도의 노예가 되어 아등바등 살아가고 있다. 항상 바쁜 일에 쫓기다 보면 몸과 마음이 황폐해지기 마련이다.

따라서 현대인들은 남을 생각하는 외형적인 삶보다는 자신이 스스로 행복해지는 내면적인 삶을 추구하고 싶어 한다. 그래서 불필요한 만남이나 시간을 과감하게 줄이고 자신만의 시간을 갖도록 노력하는 것이다.

여름철 우리 생활 주변에 흔하게 널려있는 흙과 자연, 하찮아 보이지만 그 속에 엄청난 생명의 신비가 숨어 있다. 사대부들은 깊은 산속에 은거하면서 자신의 건강과 삶의 여유로움을 즐겼다. 여가활동은 정신을 순화시키고 피로한 육체를 풀어줌과 동시에 과로한 심신을 회복시켜서 신체의 균형을 유지하는 데 기여한다고 할 수 있다.

산하山下에 여름이오 산상山上에 봄이로다
사월四月에 쏘치 피고 접동이 나제 우니
더욱 더 복거卜居한 곳 기픈 줄을 알래라

<지덕붕池德鵬(1804~1872)>[10]

---

10) 심재완, 『역대시조전서』, 세종출판사, 1972, 1460번.

이 시조의 화자는 산속에서 한가롭게 살아가면서 세월의 흐름을 잊어버리고 있다. 이 작품에서는 화자가 게으르게 삶을 낭비하고 있는 모습을 표현한 것처럼 보일 수 있다. 게으름과 느림은 다르다고 할 수 있다. 게으름이 목적의식과 의미부여가 없는 시간 흘려보내기와 시간 때우기라면, 느림은 삶의 여유와 깊이를 느끼기 위해서 취하는 적극적인 삶의 한 형태라고 할 수 있다.

초장에서 화자는 산 아래에는 여름인데 산 위에는 봄이라고 한다. 이런 점에서 볼 때 화자가 느리게 살면서 삶의 깊이와 여유를 누리고 있는 곳은 1,000m 이상이 되는 높은 산이라 할 수 있다. 지리산이나 한라산, 그리고 백두산 등의 높은 산을 초여름에 올라가면 산 아래는 여름철 녹음이 우거져 있는데, 산 위에는 봄철의 꽃이 피어 있는 것을 우리들도 목격하게 된다.

중장에서 화자는 산정상의 봄철 모습을 꽃이 피는 모양과 접동새가 낮에 우는 모양을 구체적으로 묘사하고 있다. 종장에서 화자는 자연이 느리게 변하는 상황을 통해서 자신이 깊은 산속에 있음을 깨우친 것처럼 말한다. 이처럼 선비들은 깊숙한 산속에서 느리게 가는 계절을 벗 삼아, 마음의 여유를 가지고 삶의 깊이를 느끼면서 살아가고 있다.

앞 시조의 화자처럼 마음의 여유를 가지고 깊이 있게 그리고 느리게 살아가면 육체적 건강이 지켜지고 삶이 윤택해진다고 할 수 있다. '인자요산仁者樂山'이라고 한다. 마음이 어진 사람은 자신의 마음을 고요하게 안정시켜야 하기에 움직이지 않는 산을 좋아한다는 의미일 것이다. 조선시대 선비들은 벼슬살이를 하다가 고약한 시절을 만나면 깊은 산골에 들어가서 여가생활을 하면서 자신의 삶을 되돌아보거나 자신의 의지를 더욱 다지는 계기로 만들었다. 오로지 겸손하고 공경하며 진실하고 정성스러우며 꾸밈이 없고 담박한 생활을 하고, 자연을 완상하면서 건강한 생활을 하려고 했다.

여가활동의 진정한 가치는 새로움과 변화, 그리고 취미생활의 성숙과 발전 속에서 이루어진다. 인간은 정신의 동물이며 창조의 존재이다. 여가활동을 통해서 얻어지는 건전한 정신과 건강한 신체는 인간의 심신안정과 인성계발을 촉진시킴으로써 인간이 인간다운 최대의 행복을 누릴 수 있게 해준다. 즐거운 여가활동은 정신의 차원에서 무한한 인간문화와 가치관, 그리고 정체성과 창의력을 기르게 하는 요인 중의 하나라고 할 수 있다.[11] 창의력을 통하여 자기를 계발하는 인간은 알고자 하는 지적 능력과 아름다움을 추구하는 미적 능력, 그리고 목표를 실현하고자하는 창조적 능력을 동시에 소유하고 있다.

현대사회에서는 자신이 살고 있는 산하에서 자란 농산물을 먹으며 건강한 육체와 맑은 정신을 유지하려는 사람들이 점차 늘어가고 있다. '신토불이身土不二'라는 말이 있다. 이는 사람과 흙은 하나라는 뜻으로 육체와 정신의 건강 이외에도 생명의 기원을 뜻하는 가장 동양적인 표현이기도 하다. 우리 생활 주변에 흔하게 널려있는 흙과 자연, 하찮아 보이지만 그 속에 엄청난 생명의 신비가 숨어 있다.

사람의 체질은 자신이 살고 있는 그 땅의 풍토와 같을 때, 즉 몸과 땅이 동질성을 유지할 수 있을 때 가장 건강하다고 할 수 있다. 깨끗한 음식을 먹으면 몸이 깨끗해지고, 기름기가 많은 음식을 먹으면 몸이 살찌기 마련이다. 요즘 건강한 삶을 추구하는 사람들은 자연식을

---

11) 강남국, 『여가사회의 이해』, 형설출판사, 1999, pp.86~96.

하려고 하며, 자연 속에서 생산된 먹을거리를 먹으려고 한다. 여기서
는 우리 선조들이 여가활동으로 즐겨먹은 건강식을 주제로 하는 다른
작품을 살펴보기로 한다.

간 밤 오던 비에 압 닉히 물 지거다
등 검고 슬진 고기 버들 넉싀 올놋고야
아희야 그물 닉여라 고기잡기 ᄒᆞ쟈셔라

<유숭兪崇(1661~1734)>[12]

일상의 주어진 일에 바쁜 나날을 보내던 선비들에게도 장마철이
다가오면 휴식의 기회가 생긴다. 조선시대 선비들은 여름철이 되어
홍수가 지고 나면 시내에 나가 천렵川獵을 즐기면서 고기를 잡아 회를
쳐서 먹곤 하였다. 홍수가 진후에 마음을 같이 하는 친구가 찾아와서
고기잡이를 할 것을 제안하면 고마운 마음으로 받아들이고 그 친구와
함께 시냇가로 고기잡이를 간다.

이 시조는 시냇가에서 홍수가 진후에 고기잡이를 하면서 즐거운
여름 한 때를 보내는 선비들의 모습을 흥겹고 즐겁게 표현하고 있다.
초장에서 화자는 지난밤에 내린 비로 인해서 앞 냇가의 물이 홍수가
났음을 묘사하고 있다. 홍수가 나게 되면 흙탕물이 내려감으로써 고
기들은 맑은 물을 마시러 시냇가 가장자리로 나오거나 시냇가의 상류
쪽으로 움직인다. 이 시기에 고기잡이를 하면 매운탕과 자연산 회를
마음껏 먹을 수 있다.

중장에서 화자는 버드나무의 잎이나 뿌리가 물위로 떠올라 있는

---

12) 심재완, 『역대시조전서』, 세종출판사, 1972, 74번.

곳에서 많은 고기가 있는 것을 발견하고 있다. 이 시기에 비가 와서 불어난 강물은 풍요로움을 나타내고 있으며, 선비들에게는 매운탕이나 자연산 물고기 회를 마음껏 즐기며 영양을 보충할 수 있는 기회가 된다.

종장에서 화자는 아이를 불러 그물을 가지고 오라고해서 천렵을 하고자 한다. 갇힌 물위로 떠올라 있는 초목의 잎이나 뿌리가 우거진 시냇가에 그물을 드리우고 물고기를 몰면, 고기가 그물로 들어가게 된다. 이렇게 해서 잡은 고기로 선비들은 매운탕을 즐기면서 여름철에 부족하기 쉬운 단백질과 지방을 공급받게 된다. 한편으로 물고기를 잡으며 물에서 노는 일은 여름철의 여가활동이면서 물놀이의 일환으로 육체적으로도 건강하게 한다. 이때 선비들은 비록 고기잡이라는 단순한 활동을 하지만 마음의 여유를 가지고 진솔한 마음으로 뜻이 일치하는 벗과 함께 인생을 즐기고 있다고 할 수 있다.

이 시조의 사대부들처럼 여가활동을 즐기려는 현대인들도 시냇가에서 고기를 잡는 생활을 가끔씩 한다면, 정신적 스트레스가 훨씬 줄어들고 업무 효율도 높아지고 건강도 몰라보게 좋아 질 것이다. 현대인들이 이렇게 살아간다면 정신과 육체가 편안해지고 매일 매일이 즐겁고 상쾌해질 수 있을 것이다.

4. 가을철 여가활동과 공동체 생활

한국의 자연은 사계절 모두 아름답지만 특히 가을의 자연은 더욱 아름답다. 가을에는 단풍이 아름답게 산을 물들이고, 하늘은 더없이 높고 푸르며, 강물은 맑기가 그지없다. 20세기까지 한국인들은 여가가 필요하지 않은 사람들처럼 부지런하게 노동을 하였다. 하지만 현대사회의 한국인들은 여가와 노동을 조정하여 행복한 삶을 추구하고 있다.

여가생활은 삶의 질과 연관되어 있다. 인간이면 누구나가 가장 소망하는 목표의 하나는 자신의 자유로운 시간을 가지는 것이다. 아름다운 계절인 가을철에도 대부분의 현대 한국인들은 여가를 단순히 '쉼'의 의미로 받아들이고 있는 듯하다. '바쁘다 바빠'의 문화 속에서 살아온 한국인들은 자신에게 적합한 취미생활을 가지고 있지 못한 경우가 흔하다. 진정한 취미생활로 여가를 선용하는 경우는 드물고 시간이 나면 잠을 자거나 그럭저럭 놀거나 그냥 끼리끼리 모여 잡담으로 시간을 흘려보낼 뿐이다.

여기서는 조선시대 사대부들이 가을의 정취 속에서 어떻게 여가를 즐겼는지를 살펴보기로 한다. 시조에는 우리 사대부들의 여가활동을 형상화하면서 기분전환과 유흥을 통한 심리의 조정을 내용으로 하고 있는 작품이 있다.

> 추산秋山이 석양夕陽을 끽고 강심江心에 줌겼는듸
> 일간죽一竿竹 두레 메고 소정小艇에 안즈시니
> 천공天公이 한가閑暇히 너겨 달을 죠ᄎ 보닉도다
>
> <류자신柳自新(1541~1612)>13)

위의 시조에는 가을을 맞이하여 아름다운 하늘을 배경으로 자연을

---

13) 심재완, 『역대시조전서』, 세종출판사, 1972, 2967번.

벗하며 가을의 정취와 한가로운 삶을 즐기는 사대부의 모습이 잘 드
러나 있다. 초장에서는 단풍이 곱게 물든 가을 산이 저녁 햇빛을 받
아, 강 속에 그 그림자를 드리우고 잠겨 있는 모습을 묘사하고 있다.
아마도 화자는 석양이 지는 저녁 늦게까지 여가를 즐기면서 여유롭고
한가한 생활을 하고 있는 듯하다.

　중장에서 화자는 경치가 좋은 곳을 배경으로 하여 낚싯대를 둘러
메고, 강가에 작은 배를 띄우고 낚시를 하고 있는 상황을 보여주고
있다. 경치가 아름다운 강에서 휴식을 취하며 여유롭게 낚시를 하고
있는 모습은 화자가 거의 신선이 된 것처럼 여겨진다. 종장에서 화자
는 한가롭게 하늘의 달을 감상하면서 가을의 정취에 흠뻑 젖어 여가
생활을 즐기고 있다. 마치 하늘에서는 달을 보내고, 강물 위에는 배
를 띄워 놓고, 인간은 낚시를 하는 동양화 한 폭을 감상하고 있는 것
처럼 묘사하고 있다. 이때 화자는 하늘의 달과 지상의 작은 배, 그리
고 낚시하는 인간의 모습을 통해서 자신의 존재가 대우주인 자연 속
에서는 한 점밖에 되지 않는다는 무욕의 진리를 깨우치고 있다.

　이처럼 이 시조의 화자는 가을 속에 흠뻑 도취되어 강 속에 비친
석양의 경치를 감상하면서, 낚싯대를 드리우고 여가생활을 보내고
있으며, 게다가 하늘에는 달까지 둥실 솟아오르니, 천하의 절경인 가
을 정취를 노래하고 있으니, 독자들은 마치 아름다운 한 폭의 동양화
를 감상하는 듯하다. 여기서 우리는 사대부들이 체험한 자연을 벗하
며, 느리고 그리고 한가롭게 살아가는 삶의 지혜를 배울 수 있다. 진
정한 의미의 여가생활은 일에서 벗어나 자유를 추구하고 그 속에서
여유로움을 느끼고 재미가 있어야 한다. 이 시조처럼 자유로운 생활
과 여유로운 생활, 그리고 재미가 깃든 여가생활은 현대인들을 풍요

롭고도 보람찬 삶으로 인도할 것이다.

조상 대대로 살아왔고, 현재 자신들이 사는 땅에 곡식의 씨앗을 심고 길러서 가을철이 되면 가을걷이를 하게 된다. 이때 사람들은 가을걷이를 하면서 즐거운 마음으로 1년 농사의 고마움을 표시하게 되는데, 이런 긍정적인 사고가 인생을 행복하게 할 것이다. 행복은 지극히 주관적이어서 계량화할 수 없는 것이지만, 사람들은 스스로 열심히 노력해서 의식주를 해결함으로써 개인의 행복을 누린다고 할 수 있다.

우리 사대부들은 옛시조를 통해서 현대인들에게 귀감이 되는 잘 벌고 잘 쓰는 법 그리고 긍정적 사고를 통해 행복을 추구하는 모습을 보여주고 있다.

> ㄱ을히 곡셕 보니 됴흠도 됴흘셰고
> 내 힘의 닐운 거시 머거도 마시로다
> 이밧긔 천사만종千駟萬鍾을 부러 무슴 ㅎ리오
>
> <이휘일(1619~1672)>[14]

개인의 의식주가 어느 정도 해결되고 나면, 각 개인은 신체, 인성, 지성의 조화를 통해서 행복을 추구하고자 한다. 이 작품의 화자는 가을걷이를 풍족하게 한 후 자신의 행복한 마음을 실어 펴고 있다. 가을에 곡식을 수확하는 시기는 절기로 추분秋分에서 상강霜降까지 한 달 사이이다. 이 시기를 놓치면 일 년 농사가 흉년이 들게 된다. 우리의 옛날 농촌에서는 가을걷이를 할 때 가장 중요한 것은 비가 오지 않아

---

14) 심재완, 『역대시조전서』, 세종문화사, 1972, 38번.

야 한다는 것이다. 이 작품에서 이휘일(1619~1672)은 일 년 동안 강수량의 조절이 잘 되어 풍년이 들었으니, 그 만족함으로 다른 것은 부러워할 것이 없다고 한다. 이 작품의 화자는 여름철에는 비가 적절하게 오고, 가을철에는 비가 오지 않는 좋은 기후를 보여, 올해에는 농사가 풍년이 들어 풍성한 수확을 거두어들였다고 한다. 이처럼 화자는 자기가 열심히 노력한 땅에서 생산된 곡식을 곳간에 가득히 쌓아두고 그 수확의 기쁨에 흥겨워하고 있다.

초장에서 화자는 일 년 동안 고생하여 거둔 곡식이 많아서 풍년이 들어 기쁜 마음을 노래하고 있다. 풍년이 드는 것은 사람의 힘으로만 되는 일은 아니고 하늘의 도움이 있었기에 가능하다고 할 수 있다. 중장에서는 자신의 힘으로 노력하여 농사를 지어 얻은 곡식이니 먹어도 정말 제 맛이 난다고 한다. 아마도 화자는 자신이 농부가 되어 열심히 노력하여 가을걷이를 한 것이니 행복감이 더욱 클 것이다.

자신의 노동으로 직접 생산한 가을 농작물을 보면 만족감과 자신감이 생기고 건강한 육체와 건전한 정신을 가지게 될 것이다. 종장에서 화자는 이밖에 천사만종, 즉 말 네 마리가 끄는 수레가 천 개나 되고 쌀 십만 석에 해당하는 부귀함도 부러워하지 않는다고 말하고 있다.

이 시조에서는 하늘이 돕고 농부들이 열심히 노력하여 풍년이 들어 만족하고 행복해하는 삶을 노래하고 있다. 화자는 열심히 농사를 지어 육체적으로 건강을 지키고 가을걷이를 끝낸 후에 자신이 수확한 농작물에 대하여 자부심을 가지며 더 이상의 물질적 풍요에는 욕심을 내지 않는 소박한 행복을 추구하는 모습을 보여주고 있다. 참살이를 추구하며 살아가려는 현대인들은 이 시조의 화자처럼 자기의 땅에서

자신이 수확한 신토불이身土不二의 곡식을 먹고 그것에 만족하여 행복
한 생활을 할 수 있어야 한다.

5. 겨울철 여가활동과 취미생활

한국의 겨울은 눈이 내려 온 세상을 하얗게 덮을 때가 가장 아름답
다고 한다. 눈이 오는 소리에 맞추어 온 천지는 은세계가 되어 조용해
지고, 사람들은 마음의 여유를 가지고 휴식을 취하게 된다. 휴식은
몸과 마음에 여유를 주고 삶을 풍요롭게 하며 그 질을 향상시킨다.
휴식은 마음에 여유를 주고, 내일을 위해서 재충전을 할 수 있는 중요
한 시간이다. 삶의 질을 중시하고 개성적인 삶의 태도를 존중하는 21
세기 지식 정보화 사회에서 이제 '쉰다는 것'은 중요한 요소이다. 많
은 사람들에게 자유를 주고 생활에 활력을 주는 여가활동이 우리 사
회의 새로운 문화로 자리를 잡아가고 있다.

최근 우리 사회에서 자연스럽게 번져가는 여가문화는 단순히 놀고
마시는 소모적인 삶의 형태가 아니다. 휴식은 여가문화의 한 부분으
로 자리 잡아 가고 있으며, 가족과 함께 여유를 즐기는 바람직한 놀이
문화로 발전해가고 있다. 물질적인 풍요가 세상의 모든 것을 가져다
준다는 물질만능주의에 대한 믿음은 심신이 피폐해지고 자꾸만 무엇
인가에 쫓기며 살게 한다. 심신의 수련은 결국 행복해지기를 원하는
현대인들의 본능적인 다가섬이며 참된 나를 찾기 위한 노력이라고 할
수 있다.

우리 몸은 제철에 나는 식품을 섭취하면 건강하다고 한다. 여기서

는 겨울철에 먹을 수 있는 별미 음식인 죽을 먹으면서 겨울에 필요로
하는 영양분을 공급받아 건강한 생활을 하고 있는 작품을 살펴보기로
한다.

> 북풍北風이 노피 부니 압 뫼히 눈이 딘다
> 모첨茅簷 춘 빗치 석양夕陽이 거에로다
> 아히야 두죽豆粥 니것 느냐 먹고 자랴 흐로라
>
> <신계영(1577~1669)>15)

위의 시조는 옛날에도 우리 조상들이 올바른 먹을거리 문화를 형
성하고 있었음을 보여주는 예가 된다. 현대인들도 시조의 화자처럼
제철에 알맞은 별미음식으로 식사를 계속하면 건강한 생활을 할 수
있을 것이다. 겨울철에는 가을에 추수한 콩을 재료로 해서 많은 음식
을 만들 수 있다. 콩은 밭의 쇠고기로서 많은 영양을 지니고 있다고
한다.

초장에서 화자는 북풍의 차가운 바람과 함께 앞산에 눈이 오는 경
치를 묘사하고 있다. 겨울철 눈이 오면 한가로운 시간을 가질 수 있
다. 이때 어머니들은 시간을 내어서 겨울철 별미음식을 만들어 가족
들이 먹게 했다. 중장에서 화자는 초가의 처마 끝에 차가운 빛이 들어
온다고 하니 아마도 저녁때가 다 되었을 것이다. 해가 저물어 저녁때
가 지났는데도 별미로 만드는 음식인 콩죽의 소식은 아직도 없다. 별
미로 만드는 음식인 콩죽은 시간이 많이 걸리는 음식이다. 옛날에는
적절한 분쇄기가 없어서 콩을 가는데 많은 시간이 걸렸다. 오랫동안

---

15) 박을수, 『한국시조대사전』, 아세아문화사, 1992, 1892번.

사용하지 않았던 맷돌을 청소하고, 다시 맷돌을 돌려 콩을 가루로 만들어야 했다.

종장에서 화자는 음식을 기다리다가 지쳤는지 콩죽이 익었느냐고, 아이에게 물으면서 너무 늦게 나오는 별미음식을 기다리고 있다. 이처럼 화자는 토속의 별미음식을 기다리고 있으면서 자연스럽게 한편의 시조를 부르는 여유로운 마음을 가지고 있다.

다음에서는 취미생활로 매화를 기르면서 여가생활을 즐기는 작품을 살펴보기로 한다.

> 눈으로 기약期約터니 네 과연果然 푸엿고나
> 황혼黃昏에 달이 오니 그림又도 셩긔거다
> 청향淸香이 잔盞에 떳스니 취醉코 놀녀 허노라
>
> <안민영(1816~?)>16)

동양에서 사군자의 하나로 꼽히는 매화는 절개를 지키는 꽃으로 선비들로부터 많은 사랑을 받았다. 특히 한 겨울에 꽃을 피우는 매화의 기질로 인해 선비들은 그 어떤 꽃보다도 더 많은 사랑을 주었다. 겨울에 눈이 올 때 피는 설중매는 이름 그대로 눈기운이 자욱한 한겨울에 꽃을 피워 더욱 사랑을 받았다. 설중매의 향기는 봄이 오는 전령사의 역할도 했으며, 그 향기가 너무나도 아름다워 신으로부터 얻은 자연의 향기라고도 했다.

초장에서 화자는 눈이 오면 꽃이 핀다고 기약해서, 믿지 않았는데 정말로 매화가 눈이 오는 겨울에 핀 모습을 묘사하고 있다. 화자는

---

16) 심재완, 『역대시조전서』, 세종출판사, 1972, 679번.

매화가 겨울철 눈이 올 때 필 것이라고 믿지 않았는데, 소문대로 겨울철 눈꽃 속에 핀 매화를 보고야 말았다. 그 이름은 설중매이다. 중장에서 화자는 저녁때가 되어 달이 떠오르니 매화의 그림자가 희미하게 비춰지는 모습을 묘사하고 있다. 희미한 그림자 속에서 매화가 은은한 향을 뿜어내니, 화자의 마음은 안정되고 즐거운 생활이 된다.

종장에서 화자는 매화의 향기가 잔에 떠있는 술을 마시고 있으니 취하여 놀고자 한다. 매화가 향기를 내뿜는 날 매실로 담근 술인 매실주를 마시는지 아니면 매화를 꺾어서 술잔에 띄워놓고 마시는 술인지 정확하지는 않지만 매화 향기가 방에 가득하여 술잔에 매화 향기가 어린다고 한다. 화자는 겨울의 눈 속에 핀 매화의 올곧은 정신을 살려서 술에 취하고 매화에 취하는 즐거운 취미생활을 하고 있다.

현대생활은 각박하고 정서가 메마르다고 한다. 겨울철 매화향기가 가득한 집안은 건강과 정서함양에 매우 좋아 즐거운 생활을 하게 한다. 겨울철 가정에서 여가활동으로 매화를 기르며 그 맑은 향기로 가정을 편안하게 하면 가족들의 마음이 안정되고 정신도 맑아질 것이다.

6. 전통문화와 여가활동

지금까지 우리는 계절별로 사대부시조에 나타난 여가활동의 양상을 통해 조선시대 사대부들이 즐긴 여가활동의 양상을 살펴보았다. '누구에게나 자유 시간은 주어지나, 아무나 여가활동을 할 수는 없다'[17]라는 말이 있다. 사대부시조에 나타난 여가활동의 양상은 삶의 여유와 깊이를 체험하기 위해서 제대로 놀고 건전한 여가생활을 즐기는 모습으로 나타나고 있다. 현대인들도 봄, 여름, 가을, 겨울을 소재로 하여 여가활동을 노래하고 있는 사대부시조처럼 마음의 여유를 가지고 진솔하게 살아간다면, 육체적 건강도 지켜지고 정신적 삶도 윤택해질 수 있을 것이다.

　조선시대 사대부시조에 나타난 봄철의 여가활동 양상은 삶의 재충전을 바탕으로 봄의 정경과 삶의 생명력, 천연의 먹을거리와 건강한 삶, 봄철의 여유로운 삶과 취미생활 등을 주제로 하고 있다. 사대부시조에 나타난 여름철 여가활동의 유형에는 여름철의 자연의 생명력과 건강의 재충전을 주제로 하는 작품, 소박한 음식과 간결한 생활을 주제로 하는 작품, 그리고 마음의 여유와 진솔한 교제를 주제로 하는 작품 등이 있다.

　사대부시조에 나타난 가을철 여가활동의 유형에는 가을의 정취와 한가로운 삶, 즐거운 생활과 건강식의 향유, 가을걷이와 행복의 추구 등을 주제로 한 작품 등이 있다. 사대부시조에 나타난 겨울철 여가활동에는 차가운 북풍과 하얀 눈의 계절인 겨울철을 맞이하여 우리 선조들이 자연의 생명력을 중시하고 건강한 삶을 살아가기 위해 노력한 모습을 즐거운 취미생활과 안전한 먹을거리, 건강한 삶 등을 주제로 표출하고 있다.

　고시조에 나타난 사대부의 여가활동은 삶의 여유와 깊이를 체험하기 위해서 제대로 놀고 건전한 여가생활을 즐기는 모습을 보여주고 있었다. 현대인들도 사대부시조에 나타난 여가활동의 양상처럼 마음의 여유를 가지고 진솔하게 살아간다면, 육체적 건강도 지켜지고 정

---

17) S. de Grazia, 『Of time, Work, and Leisure』, Doubleday & Company Inc., New York, 1964, p.5.

신적인 삶도 윤택해질 수 있을 것이다. 행복한 삶은 지극히 주관적이라서 계량화 될 수 없는 것이지만, 마음의 여유를 가지고 진솔한 벗과 교제를 하는 방법을 통해서도 나타난다고 할 수 있다. 일상의 바쁜 생활 속에서 짬을 내어 자연 속으로 회귀하거나, 우리가 살아가는 삶의 속도를 줄이고 벗들과 함께 교유하면서 여유로운 삶으로 가끔씩 전환할 필요가 있다.

현대인들이 여가활동을 즐기는 양상은 단순히 물질의 가치와 성장 제일주의만을 추구하던 이전 세대와는 달리 개인주의의 가치관을 바탕으로 자연을 통해서 맑은 정신과 건강한 육체를 원하기에 유행하고 있다고 할 수 있다.

'실천하지 않으면 아무 것도 이루어지는 것이 없다.'라는 말이 있다. 지금 당장이라도 현대인들은 마음의 여유를 가지고 우리의 전통 문화 속에 담겨있는 참된 여가활동을 찾아내어 느리고 여유롭게 살아가는 참된 여가생활을 실천해야 하겠다.

3장.
대중예술과 사설시조

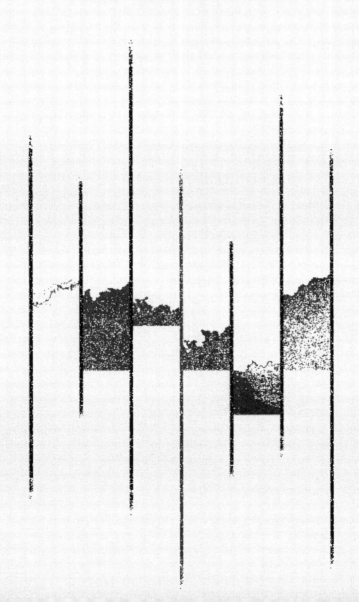

대중예술의 미학으로 본 사설시조

1. 재미있는 대중예술

　사설시조가 연구자들에게 던지는 가장 큰 문제는 우선 그 내용과 층위의 복잡성[1]에 있다. 사설시조의 내용을 살펴보면 현실 경험적 내용의 사설시조가 한편을 차지하고 있으되, 다른 한편으로는 관념 인식적 내용의 사설시조가 존재하고 있고,[2] 또 다른 한편으로는 유희 지향적 내용을 바탕으로 하는 사설시조가 저변의 다양한 층을 형성하고 있다.[3] 이런 유형의 사설시조들은 각기 다양한 문화적 양상을 드러내고 있어 사설시조라고 동질적 평가를 내리기에는 많은 문제점을 지니고 있다. 사설시조의 연구사를 총괄적으로 살펴보면 대부분의 연구자들은 거의 비슷한 기준으로 사설시조를 고급예술과 민중

---

1) 최동원, 「고시조론」, 삼영사, 1980; 박철희, 「한국시사연구」, 일조각, 1980; 서원섭, 「시조문학연구」, 형설출판사, 1982; 윤영옥, 「시조의 이해」, 영남대학교 출판부, 1986.
2) 장성진, 「사설 시조의 작가의식과 그 표현양상」, 경북대학교 대학원 석사학위논문, 1982.
3) 류해춘, 「사설시조에 나타난 시적 화자의 유형과 그 특성」, 『어문학』 52, 1991.

예술의 관점으로 평가하고 있다.[4] 이러한 관점은 대중예술의 요소[5]
를 지니고 있는 사설시조의 특성을 분석하는 데에 있어서 기초를 제
공하고 있다.

　　사설시조에 나타난 대중예술의 미학을 연구하는 작업은 19세기 이
후 대중문학의 경향을 추적하는데 도움을 줄 수 있다. 본고는 사설시
조에 나타난 '흥미진진한', '놀이적인', '재미있는', '기분전환의' 등의
내용을 주목하여 사설시조에 나타난 대중예술의 미학을 살펴보고자
한다. 이러한 논의는 대중예술의 미학을 지니고 있는 사설시조를 새
롭게 문학사에 자리매김할 수 있는 연구가 될 수 있다.

2. 통속성의 범위

　　고급예술[6]은 형식이 복잡하고 형식 그 자체가 감상의 평가기준이
된다면, 민중예술은 형식이 비교적 단순하고, 대중예술은 형식이 적
당히 복잡하다. 민중예술은 대체로 비용이 별로 들지 아니하고 접근
할 수 있으며, 대중예술은 접근을 위해 약간의 비용이 드는 반면에
고급문화는 희귀하고 독특해서 접근이 비교적 어렵다고 볼 수 있다.

---

4) 임종찬, 『시조 문학의 본질』, 대방출판사, 1986; 김학성, 「조선 후기 시가에 나타
　　난 서민적 미의식」, 『한국인의 생활 의식과 민중예술』, 성균관대학교 대동문화연
　　구원, 1984.

5) 이 논문에서는 대중예술(popular art)을 대중문화(mass culture)와 구별하여, 대
　　중예술이라는 문화산물은 대중문화라는 문화상황 속에 나타난 문화산물의 한 구
　　성요소로 파악하여 대중예술과 대중문화를 구별하고자 한다.

6) 고급예술이라는 어휘는 순수예술이라는 말과 대치할 수 있으나, 글의 특성이 대
　　중예술의 통속성을 나타내는 것이므로 대중예술과는 개념이 뚜렷하게 대비되는
　　고급예술이라는 용어를 사용하고자 한다.

고급예술이 진지성을 그 미학으로 한다면, 민중예술은 저항성을 그 미학으로 하고, 대중예술은 통속성을 그 미학으로 한다고 할 수 있다. 현실적으로 고급예술, 민중예술 그리고 대중예술이 자신들의 순수한 모습으로 나타나는 경우는 거의 없으며, 실제로 존재하는 예술은 그것들의 잡종일 뿐이다.[7] 이러한 예술의 3분법은 하나의 이상적인 유형들을 염두에 둔 분류라는 것을 인정해야 한다. 대중예술의 측면에서 사설시조를 논의하는 작업은 대중예술과 사설시조에 나타난 통속성을 찾아내는 작업이다. 사설시조에서 통속성을 찾는 연구는 1995년까지 거의 없었고 쉬운 일이 아니므로, 여기서는 대중예술에 나타난 통속성의 범주를 먼저 살펴보고 그를 바탕으로 사설시조에 나타난 통속성을 찾아내고자 한다.

1) 대중예술

대중예술이란 '모든 사람이 쉽게 접근할 수 있는 문화 산물'이라고 할 수 있다. 대중예술의 미학은 '거의 모든 사람에게 접근할 수 있는 성질', 즉 통속성을 지니고 있다. 그리고 이 통속성의 체험영역은 작품 속에서 '말초적인', '경박한', '진부한' 등의 수식어를 첨가할 수 있는 내용이라 할 수 있다.

아도르노는 대중예술의 영역에 부정적인 입장을 취하고 있는 대표적인 사상가로 대중예술의 미학을 저급한 통속성[8]으로 평가하고 있

7) G. H. Lewis, 「The Sociology of Popular Culture」, 『Current Sociology』 vol.26, 1978. pp.16~17.
8) T. W. 아도르노 저 (홍승용 역), 『미학이론』, 문학과지성사, 1984.

다. 저급한 통속성이란 폭력의 대리체험, 누워 떡 먹기, 왕자병, 소아
병, 도피주의 등을 의미한다. 하지만 본고에서는 대중예술의 미학인
통속성을 고급예술의 진지성과 함께 어우러져서 인간과 인간의 삶을
이루고 있는 핵심적인 내용으로 거의 모든 사람이 접근할 수 있는 성
향으로 파악하여 분석하고자 한다.9) 이런 통속성은 세상을 살아가면
서 평범한 일반인들이 별로 거부 반응을 일으키지 않고 대중매체를
통해서 받아들일 수 있는 대중성의 의미를 내포한다.

　　대중예술이란 용어는 민중예술, 대중예술, 고급예술이라는 삼분법
의 한 용어로 사용되어 왔다. 민중예술이란 도시화, 산업화되면서 현
실사회를 비판하는 계층의 사람들이 벌이는 시, 음악, 회화 활동 등을
의미한다. 대중예술은 어느 정도 교육을 받은 대중, 일반적으로 도시
에 살며 집단행동을 하는 경향이 있는 사람들의 요구에 의해 만들어
진 예술적, 또는 유사 예술적 산물로 이해되고 있다. 이에 비해 고급
예술은 교육받은 전문가에 의해서 독특한 개성으로 창작된 시, 음악,
회화 활동 등을 의미한다.10)

　　문화사적으로 어느 시기부터 이러한 삼분법의 문화유형을 적용해
야 하는 가에 대해서는 여러 입장이 있을 수 있다. 실제로 대중예술의
역사를 거슬러 올라가면 서양에서는 고대 그리스의 익살스러운 미무
스mimus 연극, 고대 로마의 극장에서 거리로 퍼져 불리던 인기가요
들, 중세 프랑스의 유랑가인들에 의한 외설적인 이야기 파블리오
fabliau 등이 있다.11)

---

9) 박성봉 편역, 『대중예술의 이론들』, 동연, 1994, p.11 참조.
10) A. 하우저 저 (임재해 편),「민중예술과 대중예술」,『한국의 민속예술』, 문학과지
　　성사, 1988.

동양에서는 한무제漢武帝가 악부를 설립하여 가요를 채집하면서부터 이에 조趙와 대代 지역은 민가民歌, 진秦과 초楚 지역은 풍요風謠 등12)을 채집하였는데 이 장르들은 고대사회에 나타난 대중예술의 성격을 지니고 있다. 또 우리나라에서는 부여의 영고迎鼓, 고구려의 동맹東盟, 예濊의 무천舞天 등13)의 '군취가무群聚歌舞'에서 대중예술의 성격을 유추할 수 있다. 이와 같이 동서양을 막론하고 대중예술의 기원은 고대사회로 거슬러 올라갈 수 있다. 우리나라도 서구의 여러 나라와 동양의 중국과 함께 고대 사회로부터 대중예술을 향유해 왔다는 사실을 확인할 수 있다. 고대사회에서부터 향유된 한국의 대중예술은 삼국시대와 고려시대 그리고 조선시대를 거쳐 현재까지의 역사로 이어질 수 있다.

우리나라의 19세기에는 실학 등의 영향으로 대중의 계층이 형성되기 시작한 시기이다. 19세기의 대중은 임금 노동과 상공업 등을 바탕으로 경제적 관계에 따라 모였다가 헤어지는 도시의 서민계층이 많은데 이들은 자유분방하고 수다스러우며 발랄한 기질적 취향을 지닌 집단으로 볼 수 있다. 이들은 19세기 이후부터 대중예술을 주도하며 수용해 나갔다. 동서양을 막론하고 근대 산업사회 이후부터 활발하게 창작된 대중예술은 통속성의 미학을 그 바탕으로 하고 있다. 하지만

---

11) A. 하우저 저 (백낙청 역), 『문학과 예술의 사회사(고대, 중세 편)』, 창작과비평사, 1976, p.189.

12) 『한서漢書』(예문지藝文志, 시부략詩賦略 총설㵼說), 自武帝立樂府而采歌謠, 於是 有趙代之謳 秦楚之風, 皆感於哀樂 綠事而發, 亦可以觀風俗知厚薄.

13) 『후한서後漢書』(동이열전東夷列傳), 正月祭天 國中大會 連日飲食歌舞, 名曰迎鼓 (부여夫餘). 『삼국지위지三國志魏志』(동이전東夷傳); 其民喜歌舞, 國中邑落 暮夜男女群聚 相就歌戲 (고구려高句麗). 『후한서後漢書』(동이열전東夷列傳), 以十月祭天大會 名曰東盟 (고구려高句麗). 『삼국지위지三國志魏志』(동이전東夷傳); 常用十月祭天 飲酒歌舞, 名之舞天(예濊).

이 통속성에는 진지한 창조성과 봉건제도에 대한 저항성을 내포하지 못한다는 약점을 지니고 있다. 대중예술의 통속성은 미래를 예견하는 능력이나 과거의 전통을 지키려는 정신이 잘 나타나지 않으며, 현실의 삶에 안주하거나 애정의 노골적인 표현으로 웃음을 해학적으로 유발하는 경우가 많다.

2) 사설시조

사설시조는 고급예술, 민중예술, 대중예술의 성격을 모두 지니고 있는 독특한 문예양식이라 할 수 있다. 사설시조가 새로운 자유시의 영역14)을 처음 개척하고, 저항성을 기본으로 하는 사설시조는 분명히 대중예술의 미학을 지닌 작품과 거리가 있다. 그 이유는 바로 고급예술과 민중예술의 조건을 자유시를 추구해간 사설시조들이 충족시키기 때문이다. 고급예술은 노력에 의한 새로움의 창조를 그 전범으로 한다면, 자유시의 영역을 개척한 사설시조는 고급예술의 한 영역에 들어가는 것이다. 여기서는 새로운 자유시의 영역을 개척한 사설시조의 창의성을 받아들여서 적당히 복잡한 유형의 통속성을 받아들인 사설시조를 대중예술의 범위에 포함시키고자 한다.

사설시조 중에서 저항성을 기본 미학으로 하고, 지배층에 대한 저항을 나타내는 작품은 민중예술의 성격을 지니고 있다고 할 수 있다. 반면에 사설시조에는 현실적인 삶에 안주하는 내용의 작품과 성의 노골적인 표현으로 웃음을 자아내는 작품들이 있다. 조선 후기 자생적 자본주의의 성장과 함께 활발히 창작된 이들 사설시조는 대중들에 이

---

14) 박철희, 『한국시사연구』, 일조각, 1980.

하여 생산되고 소비된 우리나라 대중예술의 한 부류에 포함되는 노래라고 할 수 있다.

형식적인 측면에서도 사설시조는 통속성을 지니고 있다. 대중예술은 고급예술의 형식을 적당히 변형시키거나 그 형식을 그대로 사용한다. 수세기 동안 계속된 시조의 3장 형식을 받아들인 사설시조는 그 형식을 적당히 변형시켜 조금 복잡하게 만들었다. 이러한 사설시조는 형식적인 측면에서 평시조의 형식을 약간 변형시킨 대중예술의 형식을 지니고 있다고 볼 수 있다.

조선후기 사설시조를 부르는 가곡창으로 '만횡蔓橫'이라는 창법이 유행하였다. 『청구영언』의 만횡청류는 모두 사설시조이고, 여기서 만횡청이 사설시조라는 설명은 사설시조의 발생이 만횡이라는 곡조와 밀접한 관련을 지니고 있음을 나타내는 것이다. 또 '만횡청류'가 예외 없이 사설시조라는 것은 '만횡'이란 곡조의 개발과 함께 사설시조가 문단에 주된 장르로 등장했다는 사실을 의미한다.

『청구영언』에서 '만횡'은 이를 담당한 중인 가객층이 음악계에 진출하는데 많은 도움을 주었다. 세월이 흘러 『가곡원류』에 오면 사설시조는 대중예술의 성격을 지닌 '만횡'으로 불리어졌음을 추측할 수 있다. 『가곡원류』[15)]에는 "만횡은 속칭 언롱言弄이라는 것으로 삼삭대엽三數大葉과 머리를 같이 하되 농弄으로 하는 것이다."라는 문구가 있다.

이러한 견해는 만횡이 삼삭대엽의 발달과 함께 파생된 변주곡의 한 종류임을 말하고 있다. 그래서 『가곡원류』의 만횡청이 삼삭대엽

---

15) 국립국악원본國立國樂院本, 『가곡원류歌曲源流』, "蔓橫俗稱言弄者, 與三數大葉同頭 以爲弄也."

의 새로운 형식을 받아들여 약간의 새로움을 추구하여 대중예술로 나
아갔다는 증거16)가 될 수 있다.

내용적인 측면에서 대중예술은 웃음의 해학성, 성의 관능성, 폭력
의 선정성, 몽상의 환상성, 눈물의 감상성 등을 내포하고 있어야 한
다.17) 19세기 사설시조에 두드러지게 나타나는 대중예술의 요소는
현대 대중예술에 나타나는 통속성의 요소와는 다르며, 조선후기 사설
시조에서 주목되는 통속성의 요소는 생활의 환상성과 성욕의 해학성
이라고 할 수 있다. 사설시조에서 대중예술의 범주에 포함시킬 수 있
는 작품은 형식적으로 적당히 복잡하게 흐트러진 사설시조의 형식을
지녀야 하며, 내용적으로는 성욕의 해학성이나 생활의 환상성을 만족
시켜야 한다.

결국 사설시조에 나타난 대중예술의 특성은 통속성18)으로 대표될
수 있다. 여기서 '통속성'이란 대중들의 취향과 기호에 적합하여 속세
와 통할 수 있다는 의미를 지닌다. 대중예술은 시민사회의 형성과 함
께 고급예술에서 이룩한 고상함의 내용을 대중의 취향에 맞추어 좀
더 잘 알려진 내용의 통속성으로 바꾸어 수용자에게 전달했다. 그러
므로 대중예술의 영역에 근접한 사설시조의 존재 의의는 사대부가 지
닌 미의식의 견고함19)을 깨뜨리고 통속성을 지닐 때 그 진정한 모습

---

16) 이와 같은 견해로 음악적인 측면에서는 사설시조의 모든 작품을 대중예술에 포함
    시킬 수 있을지 몰라도, 문학적인 측면에서는 사설시조의 모든 작품을 대중예술에
    포함시킬 수 없다. 왜냐하면 문학은 작품의 내용과 형식을 위주로 작품을 평가하
    는 것이지 음악처럼 곡조로 대중예술을 구별해 내지 않기 때문이다.
17) 박성봉, 『대중예술의 미학』, 동연, 1995, p.323.
18) 페터 부르거 저 (김경연 역), 『미학이론과 문예학 방법론』, 문학과지성사, 1987,
    pp.207~211.
19) 김학성, 「조선 후기 시가에 나타난 서민적 미의식」, 『한국인의 생활의식과 민중

이 드러난다고 할 것이다.

19세기는 우리나라의 대중예술이 음악, 문학, 미술 등 모든 분야에서 본격적으로 발전하기 시작한 시기이다. 이 시기에 사설시조는 잡가와 함께 대중문학의 한 부분을 맡아 우리나라 대중예술의 전통을 20세기로 이어가게 했던 것이다. 이제는 19세기 대중예술의 한 부분을 무리 없이 담당해 온 사설시조의 작품을 통해서 대중예술의 요소를 분석하고 그 기능을 살펴보기로 한다.

3. 통속성의 표출양상

대중예술은 거의 모든 사람들에 의해 소비될 수 있는 예술로 근대산업사회 이후에 성행한 문화의 산물이라고 볼 수 있다. 모든 사람들이 향유해야 하는 대중예술은 대중들과 손쉽게 통할 수 있는 통속성을 지녀야 한다. 이것은 대중들이 대중예술을 순간적으로 향유한 뒤에 인간사회가 지닌 현실세계의 억압된 협곡으로 되돌아가게 하는 통속성을 지녔다는 의미이다.

우리가 사설시조를 읽었을 때 순간적으로 향유하고 그냥 좋아할 수 있는 내용의 작품이 많이 존재한다. 이런 작품들은 보편적으로는 현실사회에서 승인받지 못하지만 우리들에게 익숙한 내용들이 많이 있다. 사설시조에 나타난 대중예술의 요소는 생활의 환상성과 성욕의 해학성을 통해서 살펴볼 수 있다.

예술』, 성균관대학교 대동문화연구원, 1984, p.251.

1) 생활의 환상성

생활의 환상성은 삶의 '현실성 혹은 실제성'이라는 것과 상반되어 반대쪽에 위치하는 대립개념이라 할 수 있다. 사설시조에 나타난 생활의 환상성은 고상한 환상성이나 진지한 환상성에 대비가 되는 가치차별의 환상성이라 할 수 있다. 이성과 합리주의에 의해 규정된 질서와 규율의 세계에 맞선 비합리적인 마음의 지원을 받으며 대중예술에 나타난 생활의 환상성은 불가능의 판단을 가능한 체험으로 바꾸어 놓아 모험을 즐기게 한다.

사설시조에 나타난 생활의 환상성은 시간과 공간의 질서, 그리고 인과관계 등을 자기 마음대로 무시하는 기상천외한 상상력을 지니고 있다. 여기서는 유흥의 현장을 노래하여 놀이문화와 함께 생활의 환상성을 나타내고 있는 사설시조를 분석하여 보기로 한다.

노릭ᄀᆞ치 죠코 죠흔 줄을 벗님닉야 아돗던가
춘하류春花柳 하청풍夏淸風과 추월명秋月明 동설경冬雪景에
필운弼雲 소격昭格 탕춘대蕩春臺와 남북南北 한강漢江 절승처絕勝處에
酒肴주효 난만爛漫흔듸 죠흔 벗 가즌 혜적嵇笛
알릿ᄯᅳ온 아모가이 제일명창第一名唱들이
차례次例로 벌어 안즈 엇거러 불너 닉니
중대엽中大葉 삭대엽數大葉은 요순堯舜 우탕禹湯 문무文武又고
후정화後庭花 낙시조樂時調ᄂᆞᆫ 한당송漢唐宋이 되어잇고
소용騷聳이 편락編樂은 전국戰國이 되어이셔
도창검술刀槍劍術이 각자등양各自騰揚ᄒᆞ야 관현성管絃聲 어릐엿다
공명功名도 부귀富貴도 닉몰릭라
남아男兒의 호기豪氣를 나ᄂᆞᆫ 됴하ᄒᆞ노라

<심 629>[20]

　김수장이 지은 이 사설시조는 놀이터와 노래판의 현장을 설명하고
있다. 유흥의 현장에 초점이 맞추어진 이 노래는 봄, 여름, 가을, 겨
울 사계절에 벗, 악공, 기녀, 명창들이 좋은 정자와 좋은 경치를 찾아
술을 마시고 질탕히 노는 모습을 묘사하고 있다. '차례로 안ᄌ 엇거러
불너 닉니'는 유흥현장에 참여한 인물들이 번갈아 돌아가며 사설시조
와 가곡을 불렀음을 말한다.

　이때 놀이판은 즐거움과 흥겨움에 휩싸이게 된다. '주효酒肴 난만爛
漫흔듸'라는 놀이판의 상황은 사설시조가 지닌 대중예술의 연행 분위
기를 연상할 수 있게 한다. 술과 안주가 어지럽게 널려있는 가운데
불리어지는 사설시조는 사대부와 중인 가객층의 향락적이고 소비적
인 생활상을 반영하고 있다. 향락적이고 소비적인 생활상을 반영한
이 사설시조는 중인 가객층이 경험한 생활의 유흥성과 환상성을 노래
한 것이다. 이와 같이 생활의 환상성을 노래한 사설시조는 유흥공간
에서 생산되어 중인 가객층이 주도하여 일반 대중의 노래로 퍼져 나
갔다.

　다음은 신비스러운 사물을 통해 생활의 환상성을 나타내고 있는
사설시조를 살펴보기로 한다.

　　　불 아니 ᄯ일지라도 졀노 익ᄂ 솟과
　　　녀무죽 아니 먹어도 크고 슬져 흔 걷ᄂ 물과
　　　질슴ᄒᄂ 여기첩女妓妾과 술 싐ᄂ 주전자酒煎子와
　　　양부로 낫ᄂ 감은 암쇼 두고

---

20) 사설시조의 번호에 〈심000〉은 『교본역대시조전서』(심재완 편, 세종문화사,
　　1972.)에 나오는 작품 번호이고, 〈김000〉은 『사설시조』(김흥규 역주, 고려대학교
　　민족문화연구소, 1993.)에 나오는 작품 번호이다.

평생平生의 이 다숫 가져시면 부를 거시 이시랴.

<김 149>

이 작품은 현실생활 속에 존재하기 어려운 사물에 대한 환상성을 노래하고 있다. 작품에 등장하는 다섯 사물은 모두 도깨비 방망이나 요술 램프의 환상성을 지니고 있다. 다섯 사물은 불을 때지 않아도 요리를 자동으로 밥을 해주는 솥, 여물과 죽을 아니 먹어도 크게 살져서 잘 걷는 말, 길쌈해주는 부인이 아니고 첩, 술이 솟아나는 주전자, 양 배로 새끼를 낳는 암소 등이다.

이들은 모두 현실적으로 존재할 수 없는 것이다. 이 작품은 현실적인 것을 무시하고 고상한 생활의 환상성[21]을 깨면서 통속적인 생활의 환상성을 추구하는 경우이다. 사설시조는 이와 같은 인간생활의 필수품에 허무맹랑한 의미를 부여하여 수용자에게 도깨비 방망이나 요술 램프의 환상성을 추구하는 의미를 부여하고 있다.

다음의 사설시조는 인생무상과 일장춘몽을 노래하며 생활의 환상성을 표현하고 있다.

잡으시오 잡으시오 이슬 한 잔 잡우시오
이 술 한잔 잡우시면 천만년니나 스오리라
이 술이 술이 아니라 한무졔 승노반에 이슬 밧은 것이오니
쓰나다나 잡으시오 권헐젹에 잡우시오.

<심 2496>

---

21) 내버디 몇치나 ᄒ니 수석水石과 송죽松竹이라 / 동산東山에 달 오르니 긔 더욱 반갑고야 / 두어라 이 다숫밧긔 또 더ᄒᆞ야 머엇ᄒ리. 이 작품은 윤선도의 『오우가』 인데 사대부가 수석송죽월水石松竹月에 사대부의 자연미를 고상한 창의성으로 표현하고 있다고 볼 수가 있다.

이 작품은 〈권주가〉로 노래하는 사설시조이다. 이 노래는 민요와 함께 뒤섞여 지금에도 친구들 사이에 술을 권할 때 불리어지고 있다. 여기에 인용한 노래는 순수한 한글로 적혀져 있지만 한문이 많이 섞인 〈권주가〉[22]가 불리어지기도 했는데, 이 작품들의 주제는 인생이 무상하니 술을 마시면서 마음껏 즐기는 삶을 살자는 것이다. 화자는 중장에서 자신이 주는 술을 청자가 한잔 받아먹으면 천만년을 살 수 있다고 한다. 화자는 술을 새벽에 받은 이슬에 비유하여 아주 좋은 명약임을 강조하고 있다.

이와 같이 사설시조는 술자리에서 서로 술을 권하면서 마시는 가운데 생활의 오락성과 인생의 무상성을 표현하고 있다. 하지만 종장에 오면 '쓰나 다나 잡으시오'에 오게 되면 강제적으로 술을 권하는 내용이 되고, '권할 적에 잡우시오'에 오면 협박에 가까운 내용으로 이어지고 있다. 이러한 유형의 사설시조는 인생이 짧은 것이니 그저 즐겁게 인생을 즐겨야 한다는 내용을 통속적으로 담고 있어 대중예술적인 요소인 생활의 환상성을 잘 드러내고 있다.

지금까지 사설시조에 나타난 생활의 환상성을 살펴보았다. 이러한 환상성은 이성과 합리주의에 의해 규정된 질서와 규율의 세계에 맞서서 비합리적인 감성의 지원을 받고 있다. 사설시조에 나타난 생활의 환상성은 불가능의 상황을 가능한 체험으로 바꾸어 놓고 있는데, 이

---

22) 약산藥山 동대東臺 여지러진 바위 / 꼿슬 썩어 주籌를 노며 무진無盡 무진無盡 먹스이다 // 인생人生 한번 도라 가면 다시 오기 어려워라 / 권勸홀 적에 잡으시오 / 백년百年 가사인인수假使人人壽라도 / 락樂을 중분中分 미백년未百年을 / 권勸홀 마듸 잡으시오 / 우왈羽曰 장사壯士 홍문鴻門 번쾌樊噲라 호주戶酒를 능음能飮ᄒ되 / 이 술 한 잔 못 먹엇네 권勸홀 적에 잡으시오 // 권군갱진勸君更進 일배주一盃酒ᄒ니 / 서출양관西出陽關 무고인無故人을 권勸홀 마듸 잡으시오. 〈김 248〉

것은 기존 질서의 파괴이며 변화가 없는 일상의 법칙성 안에서는 용납될 수 없었던 생활의 환상성을 경험하게 하여 대리만족의 역할을 제공하기도 한다. 이러한 환상성의 경험은 수용자에게 대리만족의 통속성을 체험하게 한다.

사설시조에 나타난 생활의 환상성은 삶의 '현실성 혹은 실제성'이라는 것과 반대에 위치하는 개념이라 할 수 있다. 통속성의 범주에서 삶의 환상성은 고상한 환상성이나 진지한 환상성에 대조가 되는 가치차별의 환상성으로 이해할 수 있다. 이러한 사설시조는 사대부시조의 견고함과 까다로움을 깨고 생활의 일시적 환상성을 추구하여 수용자에게 재미와 흥미를 제공한다. 사설시조에 나타난 생활의 환상성은 순간적으로 깨어지며 곧 일상의 피곤한 생활로 돌아와야 한다는 것을 전제로 하고 있다.

2) 성욕의 해학성

사설시조의 수용자는 사설시조에서 성욕에 관련된 표현을 독서할 때마다 해학의 웃음을 체험할 수 있다. 사설시조에서 해학의 체험은 그 자체가 남녀의 성행위에 관계되는 직접적이고 육체적인 내용을 주로 한다. 노골적으로 성행위를 표현하는 사설시조에서 수용자는 육체적인 자극과 정서의 뒤틀림을 체험한다. 이 육체적인 자극과 정서적인 뒤틀림이 웃음을 유발시키는 것이다. 그리고 사설시조에 등장한 남녀의 성행위는 애정을 바탕으로 이루어진 것이 아니라 어희語戱에 의한 것이거나 진실한 애정보다는 성행위를 즐기는 관음증의 자유로움이 자주 나타난다.

백발白髮에 환양 노는 년이 져믄 서방書房 ᄒ랴 ᄒ고
센 머리에 흑칠墨漆 ᄒ고 태산泰山 준령峻嶺으로
허위허위 너머 가다가 과그른 쇠나기에
흰 동정 거머지고 검던 머리 다 희거다
그르사 늘근의 소망所望이라 일락배락 ᄒ노매

<김 147>

　이 사설시조에 나타난 시적 화자가 추구한 성욕은 너무 직접적이고 노골적이라 웃음을 불러일으킨다. 초장에 등장한 비속한 표현은 대중예술의 특징을 유감없이 드러내는 요소라고 할 수 있다. 중장에서는 백발인 머리에 비정상적인 애정을 추구하는 늙은 여성이 젊은 서방을 차지하려고 머리를 검게 물들이고 산을 넘어 가다가 비를 맞아 머리가 희어지게 되는 황당한 상황을 묘사하고 있다.

　여기에서 웃음의 체험은 신명나는 일을 기대하다가 반전되는 상황에서 일어나는 웃음이며, 종장에서는 화자가 기대하는 안타까운 애정 추구를 '보일락 말락'이라는 의미를 지닌 '일락배락'이라는 의태어로 희미한 등불처럼 다시 묘사하고 있다. 여기서 독자는 어처구니가 없는 허무한 일상의 사건을 경험하며 웃음을 띨 수밖에 없다. 이렇게 중장의 웃음과 해학은 다시 종장에서 뒤집어져 화자에게 성욕추구의 기대를 가지게 하는 뒤틀린 표현으로 웃음을 유발하고 있다.

　뒤틀린 웃음 속에서 수용자는 정서의 자극과 해학을 즐길 수 있다. 이러한 내용의 전개는 뒤통수치기의 수법이라 할 수 있다. 우리는 이러한 태도를 농담에서 펀치-라인punch-line이라고 할 수 있다. 이 작품에는 뒤통수치기가 두 번 이루어졌다. 여기서 웃음은 기대와 놀라움 사이의 긴장으로 이루어져 있으며, 기대할 수 있는 것과 기대할 수 없는 것의 사이에서 역동적으로 이루어져 있다.

> 니르랴보자 니르랴보자 닉 아니 니르랴
> 네 남편드려 거즛거스로 물깃는 체ᄒ고
> 통으란 나리워 우물젼에 노코 쏘아리 버셔 통조지에 걸고
> 건너집 쟈근 김서방金書房을 눈기야 불너 닉여
> 두손목 마조 덥셕 쥐고 슈근슉덕 ᄒ다가셔
> 삼밧트로 드러가셔 무스일 ᄒ는지
> 즌삼은 쓰러지고 굵은 삼ᄃᆡ 슷만 나마 우즑우즑ᄒ더라 ᄒ고
> 닉 아니 니르랴 네 남편드려
> 져아희 입이 보다라와 거즛말 마라스라
> 우리는 마을 지어미라 밥먹고 놀기ᄒ 심심ᄒ여 실삼키러 갓더니라.
>   <심 2297>

이 사설시조는 불륜의 관계를 묘사하고 있다. 유부남과 유부녀가
행한 불륜의 성관계를 제1화자는 목격했다. 제1화자인 아이는 불륜의
성행위 주변을 사실적으로 묘사하여 유부녀의 문란한 성생활과 비도
덕을 고발할 증거를 모두 갖추고 있다. 제1화자에게 관찰된 유부녀의
음란하고 문란한 애정행각은 다음과 같다. 초장에서 제1화자는 불륜
의 관계를 채록하여 남편에게 이르겠다고 말하고 있다. 중장에서는
유부녀의 불륜을 구체적으로 설명하고 있다. 제1화자는 제2화자인
유부녀의 잘못된 애정행각을 시간의 흐름에 따라 상세하게 묘사하여
사건을 만들고 있다. 제2화자인 유부녀는 불륜의 관계를 가지기 위해
서 거짓으로 물을 긷는 체하고 이웃집 김서방을 눈짓으로 불러내어
삼밭으로 들어가 성행위의 재미를 마음껏 즐겼다는 사건이다. 성행

위의 모습은 '잔 삼은 넘어지고 굵은 삼은 끝이 춤을 춘다'라고 묘사
되어 있다. 삼밭에서 일어난 정사장면의 대담한 묘사는 쾌락적이고
관능적인 성욕의 자극적인 표현이다. 종장에서 다급해진 제2화자인
유부녀는 제1화자인 아이에게 타이르며 자신들은 부정행위를 한 것
이 아니고 '실삼을 캐러 갔다'라고 설명한다.

이와 같이 이 노래는 남녀 간의 불륜의 애정행각을 표현한 민화民畵
의 그림을 보는 듯이 그 내용을 해학적으로 표현하고 있다. 제2화자
인 유부녀의 어처구니없는 해명은 뒤통수치기가 되어 해학적인 웃음
을 일으키는 것이다. 성욕의 해학적 표현은 시적 소재의 확대에는 바
람직한 것이지만, 내용의 순수성과 독창성을 나타내고자 하는 문학
의 본질적인 의도와는 별로 관계가 없이 흥미성과 쾌락성에 집중하고
있다.

고려가요의 〈쌍화점〉, 〈만전춘〉 등의 작품에도 남녀 간의 노골적
인 애정생활을 표현하는 경우가 있다. 하지만 고려가요의 애정표현은
상당히 상징적인 수법으로 이루어지고 있다.[23] 고려가요의 상징적인
애정표현과 사설시조의 환상적인 애정표현은 그 태도가 다르다고 보
아야 한다. 남녀 간의 불륜의 관계는 현재까지 대중예술의 중요한 한
요소를 차지하고 있다. 다음은 남녀 간의 불륜의 애정을 언어적 유희
로 그려내고 있는 작품을 살펴보기로 한다.

---

23) 고려가요에 나타난 남녀 간의 애정표현은 '우물', '오리', '손목을 잡는다.' 등의
비유로 이루어지고 있다. 이러한 점에서 남녀 간의 애정생활을 상징적으로 표현하
는 고려가요와 남녀 간의 애정생활을 노골적으로 표현하는 사설시조는 그의 표현
기법이 다르다고 할 수 있다.

각시님 믈너 눕소 내 품의 안기리
이 아희놈 괘심ᄒ니 네 날을 안을소냐
각시님 그 말 마소 됴고만 닷져고리 크나큰 고양남긔 셍셍 도라가며
제 혼자 다 안거든 내 자ᄂ니 못 안을가
이 아희놈 괘심ᄒ니 네 날을 휘울소냐
각시님 그 말 마소 됴고만 도샤공이 크나큰 대듕션을
제 혼자 다 휘우거든 내 자ᄂ니 못 휘울가
이 아희놈 괘심ᄒ니 네 날을 붓흘소냐
각시님 그 말 마소 됴고만 벼록블이
니러곳 나게 되면 청계라 관악산을
졔 혼자 다 붓거든 내 자ᄂ니 못 붓흘가
각시님 그말 마소 됴고만 빅지댱이 관동 팔면을
제 혼자 다 그늘오거든 내 자ᄂ니 못 그늘을가
진실노 네 말 ᄀ틀쟉시면 빅년동쥬 하리라.

<김 395>

이 작품은 제1화자인 아이가 제2화자인 각시를 유혹하는 장면을 해학적으로 그려내고 있다. 아이는 각시를 유혹하면서 노골적인 각시의 성적인 질문을 능청스럽게 받아 넘기고 있다. 초장에서 아이는 각시를 품어 자고자 한다. 그런데 우리는 '각시님 믈너눕소'와 '아희놈 괘심ᄒ니' 등의 어투를 보아 정상적인 사랑이 아니고 불륜의 사랑이거나 아니면 그냥 재미로 즐기는 사랑임을 알 수 있다. 이와 같은 애정행위의 문학적 표현은 독자들에게 긴장감을 가지도록 한다.

중장에서는 아이와 각시의 대화를 통해서 성적인 유희를 아주 사실적으로 표현하고 있다. 각시는 주로 묻는 자의 입장에 서고, 아이는 답변하는 자의 입장에 선다. 아이를 한심하게 생각하며 묻는 각시

의 질문에 아이는 능청스럽게 그 질문을 받아낸다. 그 능청스러운 내용은 바로 각시의 뒤통수를 치게 되며 수용자에게 웃음을 유발시키는 것이다. 종장에서는 각시가 자신의 태도를 빨리 바꾸어 아이와 함께 백 년 동안이라도 함께 살겠다고 다짐을 한다. 이와 같은 시적 화자들이 행한 불륜의 애정과 재빠른 태도 변화는 수용자에게 웃음을 유발시키고 있다. 대화를 통해서 두 사람의 성적 갈등은 해소되지만 언어적 유희로 이루어진 애정의 표현은 사설시조의 통속성을 잘 보여주는 부분이 된다.

위의 시조에 나타난 애정행각은 매춘에 가까운 것이라고 할 수 있다. 콘스탄트 램버트는 "매춘이란 성적 체험이 단지 가려운 데를 긁듯, 정기적인 배출에 지나지 않는 사람들을 위해 가장 적당한 배출구이다."라고 했다.[24] 성행위에 대한 이러한 견해는 위의 사설시조의 화자가 지닌 성에 대한 인식을 잘 반영한다고 볼 수 있다. 통속적이고 불건전한 애정을 노래한 사설시조는 한량들의 애정행각에 자신감을 가지도록 할 수 있는 내용이 많다.

사설시조에 나타난 성욕의 해학성은 인간의 육체와 관련된 성행위를 사설시조에서 어떻게 묘사하여 웃음을 유발시키느냐 하는 것이다. 찬양할 만한 애정 표현과 수치스러운 성적 경험은 차이가 있듯이 에로티시즘의 관능성과 포르노그래피의 관능성은 차이가 있다. 사설시조에 나타난 성에 대한 행위의 묘사는 포르노그래피에 가까운 내용이 가끔 등장한다. 성욕의 해학성과 함께 금지된 장면들을 설명해 내는 사설시조는 우리의 말초 신경을 지나치게 자극하는 내용으로 이루어

---

24) C. Lambert, 『Music HO!; a study of music in decline』, London: The Hogarth Press, 1985, p.140.

져 있다. 이 같은 점은 연구자들이 사설시조를 실패한 문학[25]으로 규정하는 동기가 될 수 있다.

우리의 말초 신경을 자극하는 사설시조는 직접적이고 흥분된 상태로 우리를 이끌어가는 힘을 지니고 있다. 하지만 사설시조에 나타난 남녀 간의 애정표현은 성행위의 구체적인 묘사라기보다 성욕에 관한 본능을 어희를 통하여 해학적으로 묘사하여 표현하고 있는 것이다. 사설시조에 나타난 성욕의 해학성은 우리에게 성적인 상상력의 세계를 탐험하는 것을 허락하며 성에 대한 환상성을 깨우치도록 하며 해학적인 웃음을 유발시킨다.

4. 통속성의 기능

예술이 인간의 삶에 미치는 영향은 무엇인가? 여기에 대한 견해는 학자들마다 다른 이론을 제시할 수 있지만, 예술 작품의 기능은 장식적 기능, 교육적 기능, 심리학적 기능, 자율적 기능 등으로 나누어질 수 있다.[26] 앞의 장에서는 사설시조에 나타난 대중예술의 표현양상을 생활의 환상성과 성욕의 해학성을 통해 살펴보았다. 이 장에서는 통속성이 사설시조의 수용자에게 미치는 영향을 중심으로 그 기능을 분석하고자 한다. 대중예술의 미학을 지닌 사설시조의 작품에 자리잡고 있는 통속성의 기능은 예술의 오락성과 현실의 도피성으로 요약할 수 있다.

---

25) 고정옥, 『고장시조선주』, 정음사, 1949.
26) 박이문, 『예술철학』, 문학과지성사, 1983.

1) 예술의 오락성

대중예술의 기능적 범주를 적절하게 설명할 수 있는 용어는 오락성이라고 할 수 있다. 오락성娛樂性이라는 용어에는 쾌락과 흥미라는 의미를 내포하고 있다. 오락성이라는 용어는 '시간 죽이기', '빈둥거리기' 또는 '심심풀이 땅콩' 정도의 의미를 함축하고 있다.

예술은 진지하고 참된 의미를 담고 있어야 되는데 대중예술의 오락성은 기존에 이룩한 고급예술의 내용을 적당히 받아들여 대중에게 다가감으로써 예술의 값어치를 떨어뜨리는 작용을 한다는 것이다. 예술의 오락성을 우리 모두로 하여금 일상의 이런저런 근심에서 잠깐 벗어나는 기능으로 이해할 수 있을까? 대중예술의 오락성은 '꿩 먹고 알 먹자'는 이중성을 지니고 있다. 대중예술의 오락성은 일상에서 금지되고 억압된 욕망들이 꿈틀거리는 현실과 꿈 사이에 존재하는 비무장지대와 비슷하다.

아래의 사설시조에 나타난 예술의 오락성을 살펴보기로 한다.

각시닉 옥玉 ᄀ튼 가슴을 어이구러 댜혀 볼고
통 면유綿紬 자지紫芝 쟉져구리 속에
깁젹삼 안섭희 되어 죤득죤득 대히고 지고
잇다감 씀 나 붓닐 제 써힐 뉘를 모르리라.

<김 120>

위의 사설시조는 여성의 풍만한 육체를 표현한 삽화를 보는듯한 느낌으로 묘사하고 있다. 젊은 각시의 옥과 같은 가슴을 만지고자 하는 시적 화자의 마음을 각시가 입은 옷으로 의인화시켜 표현하고 있

다. 저고리의 안섶이 되어 각시의 옥같이 젊은 가슴을 만지고자 하는 상상력은 어린 시절의 성에 대한 환상성과 함께 존재하는 애정에 대한 신비로움을 잘 드러내는 오락성을 지닌 표현이라 할 수 있다.

'가끔 땀이 날 때 떨어질 줄 모르겠다.'라는 표현은 성행위의 즐거움을 관능적이고 육체적으로 표현하는 것으로 사설시조에 나타난 쾌락성과 오락성을 비유하는 표현이라고 할 수 있다. 위의 노래는 육체적인 성적 욕구와 정신적인 성의 신비로움을 함께 표현하여 애정욕구의 해소와 예술의 오락성에 대한 양면성을 함께 드러내고 있다.

다음은 애정행위를 직접 표현하고 있는 사설시조의 작품을 살펴보기로 한다.

> 드립더 브드득 안으니 셰 허리지 ᄌ늑ᄌ늑
> 홍상紅裳을 거두치니 설부지풍비雪膚之豊肥ᄒ고
> 거각擧脚 준좌蹲坐ᄒ니 반개半開ᄒᆫ 홍목단紅牧丹이
> 발욱어춘풍發郁於春風이로다
> 진진進進코 우퇴퇴又退退ᄒ니 무림茂林 산중山中에
> 수용성水舂聲인가 ᄒ노라
>
> <김 231>

이 사설시조는 남녀 간의 성행위를 시간의 흐름에 따라 표현하고 있다. 시간의 흐름에 따라 성행위를 묘사하는 표현은 작품의 수용자가 남녀 사이에 이루어지는 애정행위의 쾌락을 간접 체험할 수 있도록 한다. 초장은 성행위의 시작 부분으로 남녀가 서로 안고 사랑을 나누는 모습을 묘사하고 있고, 중장은 남자의 입장에서 여성의 성기 부분을 집중적으로 묘사하고 있는 부분으로 여성의 성기 부분을 목단

과 춘풍으로 비유하고 있으며, 종장은 남자의 입장에서 성행위를 구
체적으로 묘사한 것이다. 남녀 간의 성행위를 이와 같이 사실적으로
묘사하기도 어려울 것이다.

이 작품은 '화중유시畵中有詩 시중유화詩中有畵'라는 예술의 미학으
로 평가를 받을 수 있다. 이러한 성행위의 묘사는 시적 화자에게 사실
적인 즐거움을 줄 수 있으며, 수용자는 상상력을 바탕으로 성행위에
대한 간접적인 즐거움을 맛볼 수 있다. 사설시조에 나타난 성행위의
노골적인 표현은 수용자에게 성행위에 대한 대리만족을 충족시켜서
대중예술의 오락성을 잘 드러내는 것이다.

>각씨閣氏네 더위들 사시오
>일은 더위 느즌 더위 여러 히포 묵은 더위
>오육월五六月 복伏더위에 정情에 님 만나이셔
>둘 불근 평상平牀우희 츤츤 감겨 누엇다가
>무음 일 ᄒ엿던디 오장五臟이 번열煩熱ᄒ여
>구슬 쏨 들니면서 헐덕이는 그 더위와
>동지冬至둘 긴긴밤의 고은님 품의 들어
>ᄃ스흔 아름목과 둑거온 니블 속에 두 몸이 흔 몸되야
>그리져리 ᄒ니 수족手足이 답답ᄒ고
>목굼기 타올적의 웃목에 츤 숙늉을 벌덕벌덕 켜는 더위
>각씨閣氏네 사려거든 소견대로 사시옵소
>쟝ᄉ야 네 더위 여럿 둥에 님 만난 두 더위는
>뉘 아니 됴화ᄒ리 눔의게 ᄑ디 말고 브디 내게 ᄑᆞ르시소
>
><김 49>

이 작품의 작가는 19세기말의 신헌조申獻朝이다. 성욕과 식욕은 인

간의 기본 본능이자 욕구이다. 성에 대한 본능과 욕구가 없는 인간의
삶이란 아무런 의미가 없다. 성욕이 있고 이에 대한 쾌락을 추구하기
에 인간의 삶은 활력이 넘칠 수 있다.

사설시조에서 성욕에 대한 노골적인 표현은 그 장르를 대중예술에
가깝게 했다. 더위로 상징되는 성욕에 대한 노골적인 표현은 이 작품
을 대중예술의 대표적인 작품으로 승화시키고 있다. 더위로 상징되
는 성욕에 대한 유희를 표출한 이 작품은 사설시조를 하나의 애정표
현의 도구로 생각한 대표적인 작품이 될 수 있다.27) 조선시대 보수적
인 사대부의 입장에서 이러한 사설시조를 읊은 것은 사대부들이 사설
시조를 오락과 쾌락의 도구로 인식한 증거가 될 수 있다.

시적 화자인 여성이 더위를 추구하는 갈망은 바로 성적인 쾌락을
추구하는 여인의 소망인 것이다. 이 작품은 초장에서 '이른 더위', '늦
은 더위', '여러 해 묵은 더위'등을 제시하지만 이러한 더위팔기는 제2
화자인 여인에게는 아무런 필요가 없다. 중장에 나오는 임과의 애정
을 나누는 더위 둘을 사고 싶어 하는 제2화자는 애정의 쾌락과 흥미
를 추구하는 여성화자이다. 남녀가 즐기는 애정행위의 더위를 사고
싶어 하는 각시는 성행위를 오락으로 생각하는 태도를 보여주고 있
다. 이 사설시조는 더위팔기와 성행위를 동일시하고 있다. 여기서 더
위사기는 대리적인 정서 체험으로 간접적인 성행위가 된다. 그래서
수용자는 더위를 사면서 간접적인 성행위를 상상할 수 있는 쾌락을
제공받고 있다.

대중예술의 오락성은 대리적인 정서체험으로 '꿩 먹고 알 먹자.'는

27) 김종환, 「사설시조의 서술구조와 현실인식의 표출양상 연구」, 경북대학교 대학
원 박사학위논문, 1994.

기능을 지니고 있다. 우리가 대중예술을 탐닉하는 이유는 무엇보다
도 쾌락과 오락을 통해 즐거움을 얻기 때문이다. 우리는 실제 생활에
서 시간을 때우기 위해 혹은 그냥 취미로 대중예술을 즐긴다. 대중예
술의 기능인 오락성은 진지해야 할 애정을 해학적으로 표출하는 곳에
서 많이 나타난다. 수용자는 이런 사설시조를 통해 직접 성행위를 경
험하지 않고서도 간접적인 성행위를 대리적인 체험으로 즐길 수 있는
것이다.

2) 현실의 도피성

　문화계 일각에서는 아직도 고급예술과 민중예술은 인간의식의 발
달에 있어서 핵심적인 도구인 반면에 대중예술은 인간의 의식을 착취
하는 핵심적인 도구라는 보편적인 가정이 지배적이다. 이러한 견해
는 대중예술이 냉정한 현실을 외면하고 단순한 현실로 회귀하거나,
현실이 망각된 꿈의 세계로 나아간다는 것을 전제하고 있다. 대중예
술에서의 현실도피는 때로는 독창적인 분위기의 예술보다 더욱 의연
하게 인상적인 체험을 제공할 수 있다.

　우리를 억압하는 현실세계는 대개의 경우 우중충하고 노골적이며
심지어는 굴욕적인 경우이기까지도 하다. 이러한 배경에서 현실의
도피는 단순하게 분위기의 일시적인 변화가 아니라 도피주의의 환상
적이고 회피적인 체험이라고 볼 수 있다. 환상성의 현실도피는 비극
적이고 낭만적이며 보편적인 삶에 좌절하지 않고 삶의 현장에 적응하
고 살아남을 수 있게 한다. 다음에는 사설시조에 나타난 현실의 도피
성을 살펴보기로 한다.

남아男兒 소년少年 행락行樂 헐 일이 허다ᄒ다
임천臨泉 초당상草堂上에 만권萬卷 시서詩書 싸아 두고
절대絶代 가인佳人 엽혜 두고 줄 업는 거믄고 언져 놋코
보라민 길들여 두고 임수臨水등산登山허여 창 스기 말 타기 싱각ᄒ고
밧을 갈어 대월對月 간화看花ᄒ니
술 먹기 벗 스국기와 수변水邊에 고기 낙기
아마도 락樂ᄒ여 사시춘四時春에 절節가는 쥬를

<김 226>

　　위 사설시조의 주제는 소년의 행락을 표현하고 있다. 초장에서 제
시된 이 주제는 중장에서 구체화되고 있다. 중장에서 구체화된 내용
은 현실도피의 나열과 병렬로 이어지고 있다. 여기서 시적 화자는 입
신양명하기 위해서 책 읽기, 창 쓰기, 말타기 등을 실천으로 옮겨야
하는데 실천으로 옮기지 아니하고, 인생을 즐기기 위해서 애인 만들
기, 음악하기, 사냥하기, 술 먹기, 벗 사귀기, 고기 낚기 등을 실천으
로 옮기고 있어 현실을 도피하고 있다고 볼 수 있다. 그러나 시적 화
자는 일상적이고 현실적인 삶인 책 읽기, 창 쓰기 등의 공부를 늘 당
연히 하고 있으므로 술 먹고 벗 사귀기 등의 향락적인 분위기를 접하
여 여가를 선용하고자 하는 것일 수도 있다.
　　시적 화자는 정반대되는 대리적 정서체험을 통해서 현실을 도피하
면서 다시 세상읽기를 배우려고 한다고 볼 수 있다.

세월歲月아 네월아 가지를 마라 가지를 마라
청춘靑春 홍안紅顔이 다 늙는구나 인생人生 일세一世 생각生覺곳 하니
잠든 날 병病든 날 다 제除히 노면 다만 단 사십四十 못 사는 인생人生

안이 놀고서 무엇을 하리 오날도 날이오 릭일도 날이라
오날도 놀고 내일來日도 놀고 놀고 놀고 놀아를 보셰

<김 196>

위 사설시조의 주제는 인생을 마음껏 즐기자는 현실의 도피를 쾌락적으로 나타내고 있다. 마음대로 놀자고 하는 사설시조는 대중예술이 지닌 내용의 한 요소인 생활의 환상성을 통해 현실 도피성을 잘 나타내고 있다. 초장에서는 세월의 빠름을 한탄하고 있다. 중장은 인생의 한평생을 생각하니 허무하다고 하면서 놀자고 한다. 종장에서는 초장과 종장의 뜻을 이어받아 오늘과 내일을 구별하지 말고 무작정 놀자고 하고 있다. 이 작품은 현실의 무상성을 바탕으로 현실의 즐거움을 찾아가는 현실도피의 이중성을 내포하고 있다.

다음은 앞의 시조와 비슷한 내용으로 인생의 현실을 묘사하고 있는 작품이다.

비 바람 눈 셜이와 산山짐싱 바닷물결
들 더위 두메 치위 다 가초 격겨시며
빗난 의복 멋진 음식飮食 조흔 벗님 고은 식과 술 놀릭
거문고를 실토록 지닌 후後에
이 몸을 혜여 흐니 백번百番 블닌 쇠 아니면 만번萬番 시친 돌이로라
지금至今에 닉 나이 칠십七十이라
평생平生을 묵수默數ㅎ니 우습고 늣거워라
물에 셕긴 물 아니면 꿈속에 꿈이런가 ㅎ노라.

<심 1359>

위의 작품은 19세기 가객 안민영이 지은 것이다. 화자는 70평생을 살아오면서 덧없는 인생살이를 회상하고 있다. 화자는 부귀영화와 입신양명을 거치면서도 인생의 마지막에는 허무하고 불분명한 의식, 자기실현의 상실감에서 오는 인생살이가 하나의 꿈이 아니면 구름이라는 의식을 표출하고 있다. 이 작품의 시적 화자는 화려한 삶을 살아오고 즐겁게 인생을 살았으면서도 통속적인 삶을 살아온 것처럼 뒤통수치기를 하여 현실을 도피하고자 한다. 화자가 경험한 삶의 폭은 아주 넓으나, '인간의 삶은 무상하다'는 명제를 뛰어 넘지 못하고 현실도피를 주장하고 있다. 이 현실도피는 과거 향락적인 자신의 삶이 무상하니 수용자에게 유연한 삶의 자세를 요구하고 있는 이중성을 지니고 있다.

사설시조에 나타난 현실의 도피성은 주로 아동, 청소년을 포함한 젊은 층 아니면 노인층이나 소시민들과 관련되어 있는 경우가 많다. 이들은 현실적인 삶의 생활 속에서 일어난 문제를 자신의 책임으로 쉽게 인정한다는 사실과도 관련이 깊다. 하지만 권력, 돈, 재주, 기회 등을 소유하고 있는 층들은 책임을 주위로 돌리는 것에 익숙해져 있다. 그들은 책임회피가 자신들의 번영을 위해 얼마나 중요한 것인지도 잘 알고 있다.

사설시조에서 현실 도피성이라는 것은 현실과 이상이 큰 괴리를 지닐 때 효과적으로 기능한다. 우리는 사설시조의 현실 도피성을 올바르게 파악하려고 한다면 진실을 감추는 속임수로 표현된 사설시조의 현실 도피성을 받아들여야 한다. 냉정한 현실을 피해가면서 놀고자 하는 시적 화자는 여가활동을 속임수로 이용하는 경우도 있다. 그래서 사설시조와 같은 대중예술의 현실 도피성을 이해하기 위해서는

'속아준다'는 열린 지평을 가진 비평의 자세도 필요하다.

21세기를 바라보는 오늘날 참되고 진취적이고 창조적인 예술은 복잡한 형식의 예술이 아닐 수 없다. 소수에 의한 문화의 독점을 해소하는 방법은 경제적이고 사회적인 문제와 연결되어 있지만, 소수에 의해 유지되는 예술 독점을 방지하는 방법은 폭력적이고, 선정적인 대중예술로 단순화시키는 것이 아니라 오늘날의 대중들에게 예술의 판단 능력을 기르도록 훈련시키는 데에 있다.[28]

오늘날 예술의 과제는 다수 대중의 시야에 맞게 예술을 제약할 것이 아니라 대중의 시야를 될 수 있는 한 넓히는 일이다. 참된 예술을 이해하기 위해서는 대중에게 대중예술의 참된 의미를 알리는 것이 중요하다.

5. 21세기와 대중문화

21세기를 앞두고 있는 요즈음 우리나라의 대중문화는 매우 요란하고 복잡하다. 이제 대중예술이라는 용어는 더 이상 우리에게 생소한 용어가 아니다. 대중예술을 그냥 저급한 내용을 담고 있는 상업성과 영합한 통속예술이라고 부르면서 연구에서 제외하는 태도는 지양되어야 한다. 현재 대중예술을 접하지 않고 세상을 살아가는 사람은 아무도 없다. 대중예술은 앞으로도 더욱 통속적인 새로움을 추구하며 상업성과 영합하여 우리 앞에 나타날 것이다.

---

28) A. 하우저 저 (백낙청, 염무웅 공역), 『문학과 예술의 사회사(현대 편)』, 창작과비평사, 1974, pp.260~261.

대중예술이란 '모든 사람이 쉽게 접근할 수 있는 문화 산물'이라고 할 수 있다. 이러한 대중예술은 순간적인 향유 뒤에 인간을 현실 세계의 억압된 협곡으로 되돌아가게 하는 통속성을 지니고 있다. 대중예술은 거의 모든 사람들에 의해 소비될 수 있는 예술로 근대 산업 사회 이후에 성행한 문화의 산물이라고 볼 수 있다. 고급예술이 진지성을 그 미학으로 한다면, 민중예술은 저항성을 그 미학으로 하고, 대중예술은 통속성을 그 미학으로 한다. 사설시조에는 순간적인 향유 뒤에 현실 세계의 억압된 협곡으로 되돌아가게 하는 통속성을 지닌 작품들이 있다. 우리는 사설시조를 읽었을 때 순간적으로 향유하고 그냥 좋아할 수 있는 내용의 작품을 많이 접할 수 있다. 이런 작품들은 문학 연구가들에게는 보편적으로 승인받지 못하지만 대중들에게 익숙한 내용들이 많이 있다. 이런 내용을 우리는 사설시조에 나타난 대중예술의 요소로 규정하고 생활의 환상성과 성욕의 해학성을 통해 살펴보았다.

사설시조에 나타난 통속성의 기능은 예술의 오락성과 현실의 도피성으로 이어질 수 있다. 사설시조에 나타난 오락성은 일상에서 금지되고 억압된 욕망들이 꿈틀거리는 현실과 꿈 사이에 존재하는 성행위를 노골적으로 표현한 경우가 많다. 사설시조에 나타난 현실의 도피성은 단순하게 분위기의 일시적인 변화가 아니라 도피주의의 환상적이고 자극적인 체험을 통해서 우리가 느끼는 비극적이고 우중충한 현실의 삶을 피해 간다는 의미를 지니고 있다.

사설시조에 나타난 예술의 오락성과 현실의 도피성이 현재에 유행되고 있는 대중가요에도 흔한 내용이 되고 있다는 사실에 우리는 놀라지 않을 수 없다. 필자는 현재의 대중가요에 자주 나타나는 예술의

지나친 오락성과 적극적인 현실 도피성이 대중들의 스트레스를 해소
하는 건전한 문화 활동으로 나아가기를 바란다. 이제는 대중예술을
체계적으로 연구하여 그 역사를 정리하고 젊은 세대들에게 대중예술
의 본질을 올바르게 이해시켜야 한다.

　우리는 '악화惡貨는 양화良貨를 구축驅逐한다.'는 경제의 논리에 비
추어 저급한 대중예술의 성행을 경계하며 건전한 대중예술과 한국문
화의 발전을 모색해야겠다.

사설시조,
시적 화자의 유형과 그 특성

1. 시적 화자의 의식지향

사설시조는 다양한 가면을 쓰고 우리에게 접근한다. 이러한 이유
때문에 사설시조는 많은 연구에도 불구하고 명칭·발생·형식·장르·
작가 의식·미의식 등에 걸쳐 아직도 명쾌한 결론을 내리지 못하고
있다. 이 중에서 사설시조의 작자층은 작품의 산문성과 대화체 등을
통한 표현기법의 특이성으로 많이 논의되었다. 또 작품의 내용을 통
한 작품 자체의 논의도 있었지만 대부분 내용의 솔직성 등을 원인으
로 작자층에 대한 논의를 집중시켰다. 연구자들은 문학의 작가층이
지니는 의식과 형식이 동질성을 지닐 것이라는 가정아래 더욱 긴밀하
게 논의하였지만 그 결과는 작가층이 양반층인지 서민층인지 아직도
논쟁중이라고 할 수 있다.1) 실명씨失名氏의 작품으로 작자가 잘 알려

---

1) 고정옥, 『고장시조선주』, 정음사, 1949; 장성진, 「사설시조의 작자의식과 그 표현
 양상」, 경북대학교 대학원 석사학위논문, 1982; 조태영, 『사설시조의 작자층 한국
 문학사의 쟁점』, 집문당, 1987, pp.381~391.

지지 않은 사설시조는 이와 같은 문제점을 더 많이 지니고 있다.

이에 본고는 사설시조에 나타난 시적 화자의 유형을 분류하고 작품에 진술된 내면의식을 중심으로 향유층의 특성을 논의하고자 한다. 사설시조는 3장으로 구성되어 화자가 청자에게 시적 대상물을 통해 사상과 느낌을 전달한다. 즉 화자는 시적 대상물에 나타난 표현 가능한 세계를 언어를 매개체로 청자에게 알려준다. 지금까지 시조에 나타난 화자는 주로 형태적인 측면에서 논의되었다.[2] 이에 본고는 사설시조에 나타난 시적 화자의 의식지향을 통해 사설시조의 특성을 살펴보고자 한다. 이러한 연구는 기존에 논의된 작자층의 한계를 어느 정도 극복할 수 있다고 생각한다.

2. 의식지향의 측면에서 본 시적 화자의 유형

문학이 인간정신을 표현하는 예술의 한 형태라고 할 때 사설시조의 창작과 향수도 그 예외는 아니다. 사설시조에 나타난 인간정신은 그 시적 화자가 시를 통해 의미의 전달을 목적으로 하는 것이냐 혹은 자신의 감정표출에 기능을 두고 있느냐 하는 태도의 차이에 따라 다양하게 존재한다. 이에 사설시조도 다양한 형태로 존재한다. 그 특징 중의 하나가 시적 화자와 청자를 설정하고 있다는 것이다.

대부분의 사설시조는 화자가 어떤 형태의 담화를 청자나 독자에게

---

2) 김대행, 「시조의 화자와 청자」, 『시조유형론』, 이화여자대학교 출판부, 1986, pp.283~297; 박기호, 「장시조의 시적 화자에 관한 연구」, 한양대학교 대학원 석사 학위논문, 1988.

들려주고 보여주는 것으로 되어 있다. 이때에 시적 화자는 작품 속에서
작자와는 달리 어떤 가면을 쓰고 작품을 이끌어 나가는 인물을 말하는
것이다. 다시 말해서 시적 화자는 '시인이 처해있는 특정의 상황에
반응하기 위해서 내세워진 얼굴, 또는 탈이다.'라고 규정할 수 있다.[3]

사설시조는 화자가 독자나 청자에게 무엇인가를 말하는 담화행위
의 일종이다. 이때에 시적 화자는 자신의 목소리를 지닌다. 이 목소
리는 텍스트인 작품을 통해 사설시조로 독자에게 전달한다. 이 3자의
관계를 나타내면 다음과 같다.

화자 → ┃ 텍스트(사설시조) ┃ → 청자
(시인)   (독자)

이와 같이 작품에 나타난 의사소통의 기능은 수평적으로 존재하지
만 화자의 입장에서 일방적인 메시지의 전달로 규정할 수 있다. 사설
시조는 작자미상의 작품이 많으므로 인해 작자의 정체가 다른 시가
작품보다도 더욱 불분명하다. 여기서는 먼저 사설시조가 지닌 의미
전달의 양상을 통해 시적 화자의 의식지향을 살펴보기로 한다. 이러
한 연구는 사설시조의 특성이 작자 미상이 많으므로 간접적으로는 그
작자의 성격을 규명하는데 의의가 있다.

여기서 시적 화자의 의식지향이라고 하는 것은 작가가 작품에 시
적 화자를 등장시켜서 그 시적 화자로 하여금 어떠한 방향으로 텍스
트 속에서 의식을 부여해 가는가 하는 것이다. 즉, 어떤 화자는 시적

---

3) 김준오, 『시론』, 문장사, 1982, p.207.

대상물을 현실경험적인 입장에서 노래할 것이고, 또 다른 화자는 시적 대상물에 나타난 문제를 관념인식적인 입장에서 해결할 것이고, 또 어떤 화자는 연희의 공간이나 놀이의 현장에서 유희본능적으로 시적 대상물을 노래할 것이다.4) 이렇게 의식지향의 측면에서 시적 화자를 분류한 다음 사설시조의 작품에 직접 화자가 나타나느냐 하는 문제도 함께 검토하여 작가층을 살펴보고자 한다.

1) 관념인식적 화자

사설시조에 나타난 시적 화자가 시적 대상물에 제기된 문제를 선행된 이념이나 사상을 이해하고 적용하므로 해결될 것이라고 믿는 경우가 있는데 이를 관념인식적 화자로 부르고자 한다. 예를 들면 한시漢詩의 용사用事와 전고典故같은 양상을 빌려오거나 아니면 관습적인 유형을 통해서 추상적으로 시적 대상물의 문제점을 인식하는 화자이다. 이러한 화자는 현실의 문제를 윤리, 선험先驗, 초경험적인 세계 등으로 해결할 수 있다고 파악하고 있다. 이런 관점은 서민층의 작자인 경우는 상층 지향적인 문화의식에서 소산된 것이고, 지배층인 경우는 당시의 윤리와 지배체계를 당연시 여기는 의식에서 나온 것이라 파악할 수 있다.

그러면 사설시조에 나타난 관념인식적 화자는 어떠한 형태로 나타나는지 구체적으로 알아보기로 한다. 먼저, 함축적인 청자를 지향한

---

4) 김대행은 『시조유형론』, 이화여자대학교 출판부, 1986, p.200에서 시조의 본질을 논의하면서 작가가 시조를 창작하게 된 원인을 1. 도덕론적 입장 2. 표현론적 입장 3.쾌락주의적 입장으로 논의하고 있다. 이를 참조하여 시적 화자가 지향하는 의식을 3가지 유형으로 나누었음을 밝혀둔다.

화자를 살펴보자.

① 공부자孔夫子ㅣ 사람이시로되 의연依然한 하늘이시라.
　　의리義理를 프러늬여 오륜五倫을 블키시니
　　지우至愚혼 민맹民珉이 절로셔 어질거다.
　　국태민안國泰平民 안락安樂이 오로다 성덕聖德이로다.
　　천재후千載後 이 ㅈ튼 대인군자大人君子ㅣ 쏘 업슬쇠 ᄒ노라.
　　　　　　　　　　　　　　　　　　　　　　　　　　<258>5)

② 천하명산天下名山 오악지중五岳之中의 형산衡山이 됴토던지
　　육관도사六觀道士 설법대승說法大乘흘졔
　　제자승영통재弟子僧靈通才로 용궁봉명龍宮奉命ᄒ니
　　석교상石橋上 느즌 봄의 팔선녀八仙女 희롱戱弄ᄒ고
　　적하인간謫下人間 용문龍門의 높이 올라 출장입상出將入相타가
　　취미궁翠微宮 도라올졔 요조절대窈窕絶代를 좌우左右의 버려시니
　　영양난양양공주英陽蘭陽兩公主와 가춘운價春雲 진채봉秦彩鳳과
　　계섬월桂蟾月 적경홍狄驚鴻 심요연沈裊煙 백릉파白淩波로
　　슬커지 노니다가 산종일성山鍾一聲의 취醉혼 꿈을 다 쌔거고나
　　녜부터 인간부귀人間富貴와 세상영화世上榮華 져근덧인가 ᄒ노라
　　　　　　　　　　　　　　　　　　　　　　　　　　<2814>

　　①과 ②의 사설시조에 나타난 시적 화자가 작품을 통해 자신의 얼
굴을 드러내고 있어 시적 화자의 실체인 작가는 이면에 숨겨져 있다.
이 두 작품은 각각 시간적인 측면에서 선행해 있는 공자의 성덕과 고

---

5) 작품의 인용은 심재완의 《교본역대시조전집》을 사용했으며 아래에 새겨진 번호
　도 이 책의 번호임을 밝혀두고 이하 작품의 인용도 같음을 밝혀둔다.

소설인 〈구운몽〉을 선행담화로 하여 화자의 의식을 표현하고 있다.

①의 담화는 작자가 김수장이다. 초장은 공자를 하늘에 비유하고 있다. 여기서 하늘의 이미지는 평범한 일반인 위에 존재하는 성인이라는 느낌을 준다. 중장은 구체적으로 공자의 업적을 서술한다. 서술의 기법은 산문체의 형식으로 엮어나가고 있다. 산문체는 의리와 오륜이라는 단어를 나열하고 그 결과를 결합의 양식으로 조합하여 백성이 어질게 된다는 것과 나라가 태평하고 백성이 편안하다는 것을 설명한다. 종장은 공자를 대인군자에 비유한다. 이 비유는 시적 화자만이 그렇게 표현하는 것이 아니라 고대의 여러 선비와 학자들이 모두 같이 공자를 성인으로 생각하고 표현했다고 주장한다. 결국 이 담화는 성인 공자에 대한 찬양을 위주로 하고 있으며 시적 화자는 공자가 내세운 덕목을 시적 대상물이 되는 현실세계를 통해 관념적이고 추상적으로 인식한다.

화자는 선험적인 덕목인 유교윤리를 바탕으로 백성과 나라가 편안하게 된다는 것을 말하고 성현의 훌륭한 행적을 실천하면 우리의 행복이 가능하다고 말한다. 시적 화자는 자신도 공자의 윤리와 학문을 받아들여 자신에게도 반성의 기회로 삼으려는 함축적인 청자를 지향하고 있으며 청자에게도 공자와 자신의 생활태도를 관념인식적 화자로 전달하고 있다.

②는 〈구운몽〉이라는 선행담화를 소재로 사설시조화한 것이다. 사설시조는 장르상 어느 정도 열려있기 때문에 서사문학인 소설을 축약하여 노래했다. 이와 같은 작품은 〈천군연의〉와 〈숙향전〉을 사설시조화한 것 그리고 〈삼국지연의〉 등을 소재로 사설시조화한 것[6] 등약 20여 수가 있다. 이 담화의 초장은 〈구운몽〉의 서두 부분을 요약

하여 제시하고 있다. 김만중(1637~1692)이 지은 소설의 배경을 중심으로 모방하고 있으며 그 소설을 사설시조의 시문법에 맞추어 패러디하여 서술하고 있다. 여기서 시문법이란 3장의 형태를 지니고 있으며 각행을 4음보에 맞추어 설정하고 있는 것을 의미한다.

중장은 육관대사가 불교의 교리를 설교할 때 용왕龍王이 사람으로 변하여 참석했다는 것과 대사가 제자인 성진을 감사히 여겨 용궁에 보냈는데 돌아오는 도중 위부인이 보낸 팔선녀를 돌다리 위에서 만나 희롱하다가 대사의 노염으로 인간세계에 내려왔다는 것을 먼저 말하고 있다. 인간으로 환생한 양소유는 팔선녀의 후신인 여자들을 차례로 만나 옛정을 나누고 있다. 그 간에 양소유는 장원급제하여 출장입상의 몸이 되어 부귀영화를 한껏 누린다. 그 후에 산의 종소리에 꿈을 깨서 현실로 돌아온다는 것이다. 이처럼 초·중장에서는 소설의 중요 대목을 요약하여 나열하고 있다. 종장은 인간 세상의 부귀영화와 즐거움이 잠깐 동안이라고 서술하고 있다.

소설을 사설시조로 노래할 때에 제기된 것은 긴 소설의 사설시조화이다. 이 담화를 통해 소설이 사설시조로 노래할 때 나타난 현상은 의미의 축약과 시조의 3장 형식에 맞게 변형되어 새로운 독자들에게 제시된다는 것이다. 화자는 〈구운몽〉에 나타난 유·불·선의 사상을 서정화하면서 화자 자신의 관점을 서술하고 논평하고 있다. 화자는 자신이 〈구운몽〉을 읽고 난 후 자신의 독서물로서 후행담화인 사설시조를 노래하고 서술하여 독자에게 자신도 〈구운몽〉의 독자였음을 강조하게 된다. 위의 시조는 화자가 먼저 경험한 긴 소설의 독서체험

---

6) 서원섭, 『시조문학연구』, 형설출판사, 1977, pp.347~351.

을 사설시조의 시문법으로 재편한 작품이다.

작품에서 함축적인 청자를 지향한 화자의 담화는 선험적인 경험과 독서 대상물 등을 사설시조의 시문법으로 형상화하고 자아 성찰을 통해 독자에게 감화를 표현하고 있어 도덕론의 입장에서 주제와 교훈을 강하게 전달하고 있다.

다음은 현상적인 청자를 설정해 놓고 사설시조를 서술하고 있는 관념인식적 화자의 작품을 살펴보자.

③ 천지만물天地萬物이 엇디ᄒᆞ야 삼긴 게고
　시저리 쓰시면 태창太倉애 녹미祿米을 띠 누키고 머그리랴
　시저리 ᄇᆞ리시면 녹수청산綠水靑山이 어듸가 업스리오
　위천어부渭川漁夫도 낫대 ᄒᆞ나 ᄲᅮ니오
　신야경수莘野耕叟도 두어 고랑 바티로다
　ᄒᆞᄃᆞᆯ며 엄자룽嚴子陵도 제복帝腹애 발 연즈니
　그물기도 몯ᄒᆞ거든 셩식글 내실러냐
　어릴샤 뎌 재상宰相아 제 지브로 오라 홀샤.
　　　　　　　　　　　　　　　　　〈2805〉

④ 이졔사 못 보게 ᄒᆞ여 못 볼시도 적실的實ᄒᆞ다.
　만리萬里 가는 길에 해귀절식海鬼絶息ᄒᆞ고
　은하수銀河水 건너 쒸여 북해北海 ᄀᆞ로지여
　풍도심험風濤甚險흔듸 마니산摩尼山 굴가마귀 ᄎᆞ돌도
　바히 못 어더 먹고 태백산 기슭으로 두셰 번 감도라
　골각골각 우지지다가 굴머 죽는 싸히 닌 어듸가 님 ᄎᆞᄌᆞ보리
　아희야 날 볼님 오셔든 굴머 죽단 말 생심生心도 말고
　쓸쓸이 그리다가 갓과 썌만 남아 달바조 미트로

아장 붓삭 건니시다가 쟈근 소마 보신 후後에
이마 우희 손을 언고 발쏙 잣바져 장탄일성長歎一聲에
엄연명진奄然命盡ᄒᆞ야 승피백운乘皮白雲ᄒᆞ고 월궁月宮에 올나가셔
네 노던 항아姮娥 만나 팔극八極에 주유周遊ᄒᆞ야
장생불사長生不死 ᄒᆞ련노라 ᄒᆞ더라 ᄒᆞ여라

<2368>

③과 ④의 사설시조는 시적 화자가 담화 속에 청자를 설정해 놓고
있다. ③은 〈호호가〉인데 두곡 고응척(1531~1606)의 작품으로 그 세
작품 중의 하나이다. 여기에 등장한 청자는 재상이다. ④의 청자는
'아희'이다.

③의 작품은 사설시조의 창작 연대와 작자층을 알려주는데 중요한
자료의 역할을 한다. 사설시조의 발생에 대하여 대부분 학자들은 임
진왜란과 병자호란 이후에 평시조가 변하여 이루어졌다고 하고 있다.
이에 〈호호가〉는 작자가 사대부층이고 살아온 시기가 16세기이므로
이 시기에 이미 사설시조가 창작되었다는 것을 증명하고 있다. 초장
에서는 천지만물이 생긴 배경에 시적 화자가 관심을 표명하고 있다.
중장은 화자가 시절에 따라 벼슬살이와 강호생활의 태도를 결정짓겠
다는 태도를 보여준다. 화자의 삶의 태도는 벼슬살이와 강호생활 이
두 가지인데 옛날의 인물들과 그 소재를 나열하여 자신의 인생관을
설명하고 있다. 종장은 재상에게 집으로 돌아오라고 권유하고 있다.
이 담화는 초장이 귀거래歸去來 문제를 제시하고 중장이 그 문제를 부
연 설명하고 종장이 해결책을 제시하고 있다. 즉 화자는 청자인 재상
에게 현실정치의 어려움을 헤쳐 나가지 말고 귀거래하여 집으로 돌아
오는 것을 권하고 있다.

④의 담화는 임과 헤어진 후 초경험적인 천상세계를 설정하여 일상적인 현실과 격리된 세계를 노래하고 있다. 초장은 다른 외부의 상황에 의해 피동적으로 임을 만나지 못함을 서술하고 있다. 중장은 임과 헤어진 후에 일어나는 여러 사건들을 서술하고 있으며 화자인 '나'는 임을 찾기 힘들다는 것을 말한다. 종장은 아이를 등장시켜 임과 나를 연결시키고 있다. 이 담화에서 초장은 '나'인 시적 화자의 마음을 묘사하고, 중장은 '임'과 '나'에 대하여 서술하고, 종장은 '임과 나' 사이에 연락을 취해줄 아이를 설정하고 있다. 임과 나를 분리시키는 세계는 가난이며 굶어죽는 모습이 마니산 까마귀에 비유되어 있다.

이 담화는 전반적으로 도가적 관념의 색채를 지니고 있다. 여기서 현상적인 청자로 등장한 아이는 화자가 떠나고 없는 곳에서 화자를 찾을지도 모르는 임에게 화자의 말을 전해주어야 한다. 화자는 임을 그리워하다가 굶어 죽는다. 청자인 아이는 화자의 임이 오기라도 하면 이 사건의 전말을 전해야 한다. 이 작품은 임에게 가지 못하는 화자의 갈등 문제를 해소하기 위해 청자인 아이를 설정하고 그 아이를 통해서 장생불사하는 영원한 사랑을 실현하고자 한다. 즉 현실의 사랑보다도 더욱 평등해지고 만족할 수 있는 월궁을 설정하고 그 곳에서 영원한 사랑의 행복을 추구하고 있다. 이 작품에서 청자인 아이는 관습적인 유형의 청자와는 다르게 화자의 명령을 임에게 전달해야 하는 또 다른 임무를 지니고 있다.

이처럼 현상적 청자를 설정한 화자는 ③처럼 한시를 전범으로 사설시조로 패러디하여 화자가 지닌 유학자의 처세관을 나타내기도 하고, ④처럼 현실적으로 이루어지지 못한 사랑을 천상세계에서 도교의 세계관으로 해결하고자 하는 내용을 표현하기도 한다. 여기서 작가의 대리인인 화자는 자신의 의사전달을 화자가 직접 발화하는 것처럼 전달하고 있다. 즉 화자는 일방적으로 청자에게 말을 건네어서 사실의 전달임을 주지시키고 있다.

다음은 대화체를 수용하여 이중 화자를 지향하고 있는 화자를 살펴보자.

⑤ 꿈은 고향故鄕 가건마은 나는 어이 못 가는고
　꿈아 너는 어느 식이 고향故鄕 갓다 왓누
　당상堂上 학발쌍친鶴髮雙親 일향만강一向萬康 흐옵시며
　규리閨裡에 홍안처자紅顔妻子와 어린 동생同生과
　각댁제절各宅諸節리 다 태평泰平턴야
　태평泰平키는 태평泰平터라만 너 아니 온다고 수심愁心일네

<341>

⑥ 물 알의 그리마 지니 돌의 우의 즁놈 셋 가는 즁의
　민 말재 즁아 게 잇거라 말 물어보쟈
　인간이별人間離別 만사즁萬事中에 독수공방獨宿空房 삼겨 주시던
　부쳐 어늬 졀 어늬 법당法堂 탁자卓子 우희 감중연坎中連흐고
　두 눈이 감흐케 안자뜨냐 닐러라 보쟈
　그 즁이 막대를 놉피 드러 백운白雲을 フ르치며
　닐녀 쇽절업다 흐더라

<1086>

⑤와 ⑥의 사설시조는 이중 화자가 대화를 나누고 있는 상황을 설정하고 있다. ⑤의 시조는 꿈인 무정물을 제2화자로 가정하고 제1화자와 대화를 나누고 있는 상황을 설정하고, ⑥의 시조는 제1화자와

제2화자인 중과의 대화를 묘사하고 있다.

⑤의 담화에서 꿈은 청자이고 또 화자로 존재하고 있으며, 나와 고향 소식의 중간자로 매개물의 역할도 수행하고 있다. 꿈은 인간의 간절한 바람이 심리적으로 억압받을 때 나타나는 현상이다. 초장에서 화자는 꿈에서 고향을 가나 실제 자신은 가지 못하는 상황을 서술한다. 화자의 희망은 몸소 고향에 찾아가는 것이다. 여기서 우리는 이상과 현실의 괴리에서 오는 제1화자의 고민을 엿볼 수 있다. 화자는 꿈이 혼자서 고향을 다녀오는 것에 상당한 원망과 시샘을 나타내고 있다. 왜냐하면 절박한 고향 소식을 직접 알고자 하는데 꿈은 혼자서 고향을 다녀오기 때문이다.

이에 제1화자는 중장에서 꿈을 의인화하여 고향의 소식을 묻는다. 제2화자인 꿈은 화자에게 종장에서 고향 소식을 전하며 모두 태평하다고 말한다. 그러나 제2화자인 꿈은 또 제1화자의 고향에 대한 무관심을 냉정하게 묘사하여 서로 긴장관계를 가지게 한다. 화자가 고향을 그리워하는 모습을 냉소적이고 희극적으로 묘사하고 있다. 제1화자는 고향을 다녀온 사람에게 직접 고향 소식을 알고자 하여 꿈에게 고향 소식을 물어보지만 제2화자인 꿈은 제1화자의 불만을 사실적으로 해결하면서 서로 갈등하는 장치로 설정되어 있다.

⑥의 사설시조는 표현한 시어를 통해 살펴볼 때 상당히 불교에 부정적인 면을 보이고 있다. 예를 들면 '즁놈', '말물어 보자', 그리고 '닐러라 보쟈' 등의 반말 표현이다. 이 담화는 제1화자와 청자이며 제2화자인 중과의 대화를 통해서 작품을 완성하고 있다. 제1화자의 불교에 대한 부정적인 시각은 종장에 나타난 제2화자인 스님과의 대화로 반전된다. 종장에서 제2화자가 막대를 높이 들어 흰 구름을 가

르치며 속절없다 하는 모습은 의미의 함축성을 지닌 표현이다. 초장
에서 제1 화자는 주로 시조의 배경인 다리와 물 그리고 산을 묘사하
여 시적 공간을 표현하고 있다. 여기서는 다리 위에 스님 세 명이 지
나가고 그 그림자가 다리 아래로 흘러가는 물속에 비치고 있는 모습
을 묘사하고 있어 동양화 한 폭을 감상하는 느낌을 가지게 한다. 화자
는 다리 아래서 물속의 그림자를 통해 다리 위의 상황을 짐작하고 있
는 듯하다.

중장에서는 화자가 물음을 제기하는 것으로 자신의 현실문제인 독
수공방하는 외로움을 부처에게 욕을 함으로써 극복하고자 한다. 세
상살이에서 친구가 없고 짝을 만들어주지 않음을 원망하고 있다. 감
괘坎卦는 시적 화자의 위치를 알려주는 역할을 한다. 감괘는 주역에
[☵]라는 형상으로 그림이 그려지는데 아래와 위로 모두 물이 있는
모습을 나타낸다. 종장은 스님의 모습을 묘사하고 간접화법으로 제1
화자와 스님이 대화를 한다. 막대로 흰 구름을 가리킨 것은 언젠가
구름이 사라진다는 것을 의미하며 인생의 덧없음, 친구와 짝이 있어
도 인생은 덧없음을 의미한다. 위의 사설시조는 이중 화자가 서로 대
화를 통하여 주제를 드러내며 불교의 세계관를 묘사하고 있다. 여기
서는 이중 화자가 등장하여 주역의 사상과 불교의 세계를 융합하여
하나의 동양화 같은 느낌의 작품을 만들어내고 있다.

지금까지 사설시조에 나타난 화자의 유형 중에 관념인식적 화자를
살펴보았다. 이들 화자는 시적 대상물을 인식하는 데 있어 주로 선험
이나 관념적으로 세계를 파악한다. 관념인식적 화자는 모든 사람에
게 진리로 여겨질 수 있는 보편타당한 생각을 제시하므로 객관적이고
교훈적인 성격을 지닌다. 보편적인 내용을 강조하며 그것이 개인적

인 정서의 특수한 전달 행위로 변화하지 않는 범위 내에서 화자의 목
소리를 드러내는 것이다. 흔히들 평시조는 유교적 이념을 교훈적으
로 말하는 경향이 우세하고, 사설시조는 유교적 규범을 벗어나 인간
적 본능을 표출하는 시가로 설명한다. 하지만 여기서 상당히 많은 사
설시조가 교훈적 내용과 선험적인 경험을 바탕으로 도덕론의 입장에
서 창작되고 있음을 밝혀내었다.

　이와 같은 사설시조는 작자층과 향유층이 교훈적인 평시조의 수용
층과 거의 같은 맥락이라 할 수 있다. 관념인식적 화자의 사설시조는
500여 편의 작품 중에서 200여 편의 작품이 있다.

2) 유희지향적 화자

　사설시조에 나타난 화자가 작품에서 시적 대상물인 세계를 웃음과
쾌락에 바탕을 두고 즐겁게 표현했을 때 이를 여기서는 유희지향적
화자로 부르고자 한다. 인간은 노래를 부르면서 즐거움을 느끼고, 그
내용을 재미있게 꾸며 청자들에게 흥미를 주려고도 한다. 사설시조를
짓는 일, 노래하는 일, 듣는 일 등은 모두가 즐거움을 주는 것이다.
하지만, 사설시조는 화자와 작품 사이에 관심사 표명보다도 청자와
작품 사이에 더 많은 긴장을 일으키며 웃음을 유발하는 작품들이 있다.
화자는 청자가 가지는 흥미와 쾌락을 중심으로 작품을 노래하고, 이에
청자는 화자의 언술에 매료되어 긴장감을 풀고 쾌락과 웃음을 즐기기
면 애호자가 된다. 사람은 다른 동물과 같이 생명을 보존하고 또 종족
을 보호하지만 이와는 달리 유희 충동이 있어 예술 활동을 한다. 이
점에 있어 다른 생물보다 한층 고상한 위치에 속한다고 할 수 있다.

사설시조는 어떤 면에서 놀이이고 오락이며 음악이다. 사설시조의 화자와 청자 사이에 관심과 흥미를 일으키는 소재는 담화 속에 나타난 애정과 사랑에 관한 담론이 많다. 사설시조의 연희공간에서 작품을 통하여 청자와 화자가 쾌락의 감정을 유지하는 데는 성적인 이야기가 전략적인 소재이다. 위대하고 신비로움을 지니고 있는 성담론이 단순히 육체적 쾌락에 의한 대상으로 묘사되고 동물적인 충동으로 처리되었다면 그것은 성적인 쾌락일 뿐이지 문학적 승화는 되지 못한다는 비판도 있다. 사설시조에 나타난 성적인 소재는 상당히 노골적인 것도 있지만, 어느 정도 비유가 되어 희극적으로 표현되어 있어 주목할 수 있다. 이러한 유희지향적 화자는 놀이의 공간·세월의 무상함·성적인 쾌락을 추구하는 사설시조의 담화 속에 많이 나타난다.

그러면 사설시조의 유희지향적 화자는 어떻게 나타나고 있는지 알아보자. 먼저, 함축적인 청자를 지향하는 화자의 형태를 살펴보자.

⑦ 어제 밤도 혼쟈 곱송그려 시오줌 ᄌ고
　지난 밤도 혼쟈 곱송그려 시오줌 ᄌ늬
　어인 놈의 팔자八字ㅣ 완듸
　주야장상晝夜長常 곱송그려서 시오줌만 자노
　오늘은 그리던 님 맛나 발을 펴 브리고 츤츤 휘감아 줄가 ᄒ노라.
<1974>

⑧ 노릭ᄀᆞ치 죠코 죠흔 줄을 벗님늬야 아돗던가
　춘하류春花柳 하청풍夏清風과 추월명秋月明 동설경冬雪景에
　필운소격弼雲昭格 탕춘대蕩春臺와 남북한강南北漢江 절승처絶勝處에
　주효酒肴 난만爛漫흔듸 죠흔 벗 가즌 혜적嵇笛

알럿ᄯ온 아모가이 제일명창第一名唱들이

차례次例로 벌어 안ᄌ 엇거러 불너 ᄂᆞ니

중대엽中大葉 삭대엽數大葉은 요순堯舜 우탕禹湯 문무文武 ᄀᆞᆺ고

후정화後庭花 낙시조樂時調ᄂᆞ 한당송漢唐宋이 되어잇고

소용騷聳이 편락編樂은 전국戰國이 되어이셔

도창검술刀槍劍術이 각자등양各自騰揚ᄒᆞ야 관현성管絃聲 어리엿다

공명功名도 부귀富貴도 ᄂᆡ몰릭라

남아男兒의 호기豪氣를 나ᄂᆞ 됴하ᄒᆞ노라

〈629〉

⑦은 화자가 임과 만나서 안고 자는 즐거움을 상상하며 성적인 쾌락에 집중하는 마음을 희화적으로 표현하고 있다. ⑧은 김수장이 지은 것으로 친구와 함께 음악을 공부하고 연주하는 즐거움을 사설시조로 표현하고 있다. 이 시에 한문어투가 많이 등장하는 것은 사대부를 닮으려는 그의 언어사용 태도 때문인 듯하다.

⑦은 화자가 임을 그리워하는 모습을 시간적으로 연관관계를 중심으로 표현한다. 초·중장은 과거의 외로움과 '새우잠'으로 임이 없는 현실을 묘사한다. 종장은 현재의 희망과 미래의 기대를 나타낸다. 시간적인 측면에서 초·중장과 종장은 서로 대립되는 현상을 지닌다. 즉 시간적인 측면에서는 과거의 외로움과 현재 그리고 미래의 즐거움이 서로 대립하고, 잠자는 모습에서는 새우잠과 휘감아 자는 잠으로 서로 대립한다. 이처럼 과거와 미래는 시간과 잠의 형태에서 대립을 하고 있다. 이 작품에서 화자는 과거에 이루지 못한 소원을 자신에게 이야기하듯이 발화하고 있다. 이것은 화자가 함축적인 청자를 지향하고 있는 화자이다.

⑧은 화자가 공명과 부귀도 모르는 채 가악을 연주하고 노래에 열중하고 있다는 것이다. 마음으로는 사대부의 생활을 동경하면서도 가객으로서의 자부심과 가악을 통한 생활의 즐거움을 노래하고 있다. 초장은 노래가 좋다는 것을 벗에게 아는 지를 묻는다. 중장은 초장의 부연 설명과 내용의 나열을 통해 텍스트를 완성한다. 종장은 화자가 부귀와 영화를 버리고 노래를 좋아함에 만족한다고 표현하고 있다. 종장에서는 화자의 심경을 토로하고 있지만 근본적인 화자의 계층적인 약점을 역설적으로 표현하고 있다. 즉 화자는 가까이 하고 싶은 부귀와 공명을 멀리함으로써 시적 대상물인 작품과의 거리를 최대화하면서 관찰자의 입장에서 자신의 처지를 표현하고 있다.

유희지향적 화자 중에서 함축적인 청자를 지향하고 있는 화자는 자신이 쾌락과 즐거운 놀이 등을 자신의 태도와 주관적인 감흥에 의해 표현하고 고백하면서 화자의 내면적인 정서 상태를 자신과 다른 사람에게 전달하려고 한다.

다음은 현상적인 청자를 설정해 놓고 유희지향적 의식을 청자와 공유하고자 하는 유형의 화자를 살펴보자.

⑨ 세월歲月아 네월아 가지를 마라 가지를 마라
　　청춘홍안青春紅顔이 다 늙는구나
　　인생일세人生一世 생각生覺곳 하니
　　잠든 날 병病든 날 다 제除히 노면
　　다만단 사십四十 못 사는 인생人生
　　안이 놀고서 무엇을 하리 오날도 날이오 릭일도 날이라
　　오날도 놀고 내일來日도 놀고 놀고 놀고 놀아를 보세
　　　　　　　　　　　　　　　　　　　　　　　　<1634>

⑩ 어우화 벗님네야 수요장단壽夭長短을 恨치마소
　자고自古로 성제명聖帝明과 인현군자仁賢君子라도
　천명天命을 ᄇ라거ᄂ 우읍다 진시황秦始皇은
　채약동녀採藥童女 못 온 전前에 사구沙丘에 혼魂이 되고
　허믈며 한무제漢武帝는 신선神仙을 구求하다가
　금란金丹에 병病이 들어 한남漢南에 덥힌 위엄威嚴이
　무릉송백武陵松柏 빗소릐로다
　암아도 태평성대太平聖代에 무병무우無病無憂 홀쩨
　취醉코 놀싸 ᄒ노라

〈1936〉

　⑨와 ⑩의 작품에 등장한 청자는 세월과 벗이다. 화자는 청자에게 세월의 무상함을 강조하여 즐겁게 놀자고 권하고 있는 유희지향적 화자이다.

　⑨의 작품에서 설정된 청자는 세월이다. 초장은 세월을 의인화시켜 청자로 설정하고 세월에게 가지 말라고 부탁한다. 하지만 세월의 흐름은 화자의 의지와 무관한 것이다. 흐르는 세월과의 갈등은 체념으로 해결되고, 화자의 체념하는 마음은 즐겁게 놀이를 하자는 유희 본능에 가까워진다. 이 작품에서 화자는 실천규범이나 정신적인 면의 교훈이나 현실비판을 생각하지 않고 있다. 단지 놀이를 즐겁게 하여서 세월이 덧없이 흘러가니 즐기자는 시적 화자의 의도를 나타낸다. 화자는 인생이 짧은 것이므로 그저 즐겁게 살아야 한다는 것을 강조하고 있다.

　⑩의 작품에 설정된 청자는 벗이다. 화자는 현상적 청자인 벗에게 술을 마시며 유쾌하게 즐겨보자고 권하고 있다. 이 사설시조는 여항문

화인 박문욱의 것이다. 그는 영조 때의 가객으로 시조를 많이 지었다.

시조의 초장은 벗에게 인생의 길고 짧음을 한탄하지 말라고 한다. 중장은 진시황제도 불사약을 구하기 위해 동남동녀를 보냈으나 그들이 오기 전에 죽었고, 한무제도 신선의 방술을 구했으나 결국 죽었으니 인간의 생명은 천명天命이라고 한다. 종장에서 화자는 태평한 시절을 만나면 술을 마시고 놀자고 한다. 사람은 제각기 삶을 살아도 백년이 되지 못한다. 이 기간 동안에 사람은 잠을 자고 걱정을 해야 하므로 권할 때 서로 즐겁게 술을 마시며 유쾌히 즐겨보자고 말한다.

이렇게 현상적으로 청자를 설정한 유희지향적인 화자는 자신의 감정을 더욱 다정하게 청자에게 토로한다. 이런 상태는 타인에게 자신의 느낌이나 감정을 설명하거나 아니면 명령이나 간청을 한다.

다음은 대화체를 수용한 이중화자의 경우를 살펴보자. 이러한 사설시조의 담화 속에는 화자가 둘 이상 존재하여 대화를 지향하고 있다.

⑪ 기름에 지진 쑬 약과도 아니 먹는 나를
　냉수冷水에 살문 돌만두를 먹으라
　지근 절대가인絶代佳人도 아니 허는 날을
　각시閣氏님이 허라고 지근지근
　아모리 지근지근흔들 품어 잘 줄 이스랴

<409>

⑫ 니르랴보자 니르랴보자 늬 아니 니르랴
　네 남편ᄃ려 거줏거스로 물긧는 쳬ᄒ고
　통으란 나리워 우물젼에 노코 쏘아리 버셔 통조지에 걸고
　건너집 쟈근 김서방金書房을 눈기야 불너 늬여

두손목 마조 덥셕 쥐고 슈근슉덕 ᄒ다가셔
삼밧트로 드러가셔 무스일 ᄒᄂ지 즌삼은 쓰러지고
굵은 삼디 씃만 나마 우즑우즑ᄒ더라 ᄒ고
ᄂ 아니 니르랴 네 남편ᄃ려.
져아희 입이보다라와 거즛말 마라스라
우리는 마을 지어미라 밥먹고 놀기ᄒ 심심ᄒ여
실삼키러 갓더니라.

<2297>

⑪과 ⑫의 사설시조는 대화체를 수용하고 있으며 성적인 쾌락과
유희본능을 표현하고 있다.

⑪은 일상적인 음식인 물만두와 일상적인 여성인 각시를 고급음식
인 꿀 약과와 아름다운 여인인 절대가인과 비교하여 표현하고 있다.
화자는 누군가를 품어 자고 싶어 한다. 화자의 가까이에서 쉽게 품어
잘 수 있는 사람은 각시이다. 이 작품은 인간의 성적인 욕구를 역설적
으로 표현하고 있다. 사실은 절대가인을 품어 자고 싶은 인간의 욕망
이 이루어지지 않아 대리만족으로 각시와 성생활을 하면서 불만적인
요소를 거꾸로 표출한 것이다. 종장은 이러한 화자의 입장을 더욱 희
극화시키는 역할을 한다.

이 작품에서는 각시의 말이 간접화법으로 제시되고 있어 두 번째
화자의 역할을 한다. 예를 들면 '지근', 'ᄒᄅ고 지근지근' 등의 말은
각시의 성적 유혹을 역설적으로 드러내는 의태어이다.

⑫는 유부녀와 유부남이 애정행각을 나누는 모습을 관찰하는 제1화
자인 아이와 제2화자인 유부녀가 대화로 작품을 이끌어가고 있다. 남
녀 간의 애정행각을 노래한 이 시조의 초장은 제1화자인 아이가 여인

의 불륜관계를 목도한 후 남편에게 일러바치겠다고 한다. 중장은 여자
가 남자를 유혹하여 삼밭에서 저지르는 불륜을 묘사하고 있다. 종장은
제2화자인 여자가 부정한 행위를 한 것이 아니고 밭에 삼 캐러 갔다고
한다. 이렇게 이 담화는 너스레를 떠는 대화체로 구성되어 있다.

대화체를 설정한 유희지향적 화자는 숨어 있던 두 명의 화자인데
작품 속에서 상호간에 서로 교차되는 언술을 진술하므로 긴장과 갈등
을 가져오게 한다. 이러한 갈등의 소재는 대부분 성과 관계가 있다.

사설시조에 나타난 유희지향적 화자는 놀이의 현장이나 남녀관계
의 성생활을 재미있게 묘사하고 있으며 인간의 정신이 지니고 있는
쾌락과 유희본능을 사설시조로 형상화하여 표현하고 있다. 500여 편
의 사설시조 중에서 유희지향적 화자가 작품을 이끌어가는 것은 180
여 편이 있다.

3) 현실경험적 화자

사설시조에 나타난 화자가 시적 대상물을 있는 감정 그대로 개성
적으로 경험한 사실을 표현했을 때 우리는 이런 화자를 현실경험적
화자로 부르고자 한다. 인간은 자신이 경험한 사실을 생생하게 표현
하고 전달하고자 하는 본능을 지니고 있다. 이와 같은 화자의 사설시
조는 개인의식을 자연스럽게 표출하고 삶의 모습을 진술하게 담고 있
어 사실적이고 현실비판의 의식을 지니고 있다. 현실경험적 화자는
자신의 감정과 경험을 솔직하게 토로함으로써 마음속에 맺힌 부족함
을 풀어내고 그 결과 자아의 감정은 정화된다. 사설시조 작품 속에서
화자의 행동과 인식의 기초는 자신이 경험하고 체험한 현실을 중심으

로 사실적으로 세계를 표현하는데 초점이 맞추어져 있다.

여기서는 사설시조에 나타난 현실경험적 화자가 어떠한 형태로 나타나는지 구체적으로 알아보기로 하자. 먼저 함축적인 청자를 지향한 현실경험적 화자를 살펴보자.

⑬ 님이 오마 ᄒ거늘 저녁밥을 일지어 먹고
　중문中門나서 대문大門나가 지방地方 우희 치ᄃ라 안자
　이수以手로 가액加額ᄒ고 오ᄂ가 가ᄂ가 건넌 산山 ᄇ라보니
　거머횟들 서 잇거늘 져야 님이 로다 보션 버서 품에 품고
　신 버서 손에 쥐고 곰븨님븨 님븨 곰븨 천방지방 지방천방
　즌듸 ᄆ른듸 굴히지 말고 위령충창 건너가셔 정情엣말 ᄒ려ᄒ고
　겻눈을 흘긋 보니 상년칠월上年七月 사흔날
　굴가 벽긴 주추리 삼대 슬드리도 날 소겨거다
　모쳐라 밤일싀만졍 ᄒ여 낫이런들 눔 우일번 ᄒ쾌라
<752>

⑭ 일신一身이 사자 ᄒ니 믈것 계워 못 살니로다
　피皮ㅅ겨 ᄀᆺ튼 갈랑니 보리알 ᄀᆺ튼 슈통이
　잔 벼록 굵은 벼록 왜벼록 쒸는 놈 긔ᄂ 놈의
　비파琵琶ᄀᆺ튼 빈듸 세기 사령使令ᄀᆺ튼 등에 어이
　갈따귀 사메여기 셴 박휘 누른 박휘 바금이 거져리
　부리 샢족ᄒᆫ 모기 다라 긔다ᄒᆫ 모기
　살진 모기 야윈 모기 그리마 샢오룩이
　주야晝夜로 뷘틈 업시 물거니 쏘거니 셸거니 뜻거니
　심ᄒᆫ 당버리에 어려이왜라
　그듕에 춤아 못 견딀손 오육월五六月 복伏더위에 쉬ᄑ린가 ᄒ노라
<2437>

⑬과 ⑭의 사설시조는 화자가 현실에서 경험한 일들을 비교적 사실적으로 표현하고 있다. ⑬은 화자가 임을 그리워하는 애틋한 감정을 사실적으로 희화화시키고 있다. 임을 그리워한 화자는 저녁밥을 일찍이 먹고 집을 나서 임을 기다린다. 여기서 화자는 자신의 착시현상으로 삼대의 그림자를 잘못 임이라고 여긴 자신의 실수를 해학적으로 표현하여 임을 기다리는 절실한 상황을 묘사하고 있다. 버선 벗어 품에 품고 신 벗어 손에 쥐고 임을 찾아 단번에 달려가는 모습을 노래하고 있지만 정신을 차리고 보니 임이 아닌 자연물로서 삼대의 그림자인 것이다.

이 작품의 화자는 움직이며 동적인 성향을 지닌다. 집이라는 내부의 공간에서 밖으로 지향하는 원심적인 공간을 추구하고 있다. 점점 확대되는 공간이다. 그런데 화자는 임을 만나지 못한다. 화자의 마음은 임으로 생각하고 그림자인 사물을 보고 달려갔지만 임이 아니라는데서 임을 만나기 위한 상황은 더욱 간절해진다. 그리고 종장은 밤이기에 망정이지 낮이면 실없는 사람이 될 뻔했다고 표현한다. 이와 같이 화자는 함축적인 청자로서 자아의 반성과 함께 개인적인 사랑의 감정을 너스레를 떨면서 해학적으로 표현하고 있다.

⑭는 작가가 문헌마다 다르다. 대부분은 이정보가 아니면 작자미상으로 되어 있다.[7] 이 작품의 화자는 온갖 벌레들에 시달리고 있다. 중장은 초장의 '물것'에 대한 보충·부연 설명으로서, 이, 벼룩, 빈대,

---

7) 병와가곡집瓶窩歌曲集, 해동가요海東歌謠(일석본一石本, 주씨본周氏本)에서는 작가가 이정보李鼎輔로 되어 있고, 진본珍本 청구영언靑丘永言을 비롯한 다른 시조집時調集은 무명씨無名氏로 되어 있다. 작자가 누구이던 시적 화자의 내면의식은 화자의 경험적인 사실을 소재로 현실경험의 내용을 서술하고 있다.

모기 등의 벌레를 나열한다. 종장은 가장 심한 '물껏'으로 쉬파리를 규정한다. 이 시조는 '물껏'이 지닌 비유의 의미를 어디에 두느냐에 따라 논의가 달라질 수 있다. 이 글에서는 '물껏'을 자연물인 벌레와 함께 인간이 살아가는 데 괴롭히는 사회의 부조리와 부정부패의 문제로 파악하고자 한다. 이때 '물껏'은 관리의 부조리와 부정부패를 의미해서 백성들이 착취당하고 수탈당하는 것을 의미한다. 이 작품은 관리들의 비행과 부조리에 대해 풍자하는 작품이라 할 수 있다. 현실사회의 모순을 비판하고 공격하는 화자는 양반도 될 수 있고 서민도 될 수 있는데 작가는 이 작품을 통해서 자신의 현실비판 정신을 사실적으로 드러내고 있다.

이처럼 함축적인 청자를 지향한 화자는 현실에서 경험하고 느낀 자신의 감정을 가장 주관적으로 자신에게 고백하듯이 기술하고 있다. 이럴 때에 시적 화자는 자신의 경험을 비유하고 내면화시킴으로써 그 목소리를 자기반성과 사회비판의 정신을 함께 표현할 수 있다.

다음으로 현상적인 청자를 설정한 화자를 살펴보자. 이는 화자가 겉으로 드러나든지 숨어서 있든지 간에 작품의 표면에 자신의 말을 들어줄 청자를 현상적으로 설정하는 것이다.

⑮ 한숨아 셰한숨아 네 어닉틈으로 드러온다.
　고모장즈 셰술장즈 들장즈 열장즈에 암돌젹귀 수돌젹귀
　빈목걸식 쑥닥 박고 크나큰 줌을 쇠로 숙이숙이 ᄎ엿ᄂᄃᆡ
　병풍屛風이라 덜컥 졉고 족자簇子ㅣ라 ᄃᆡ굴 말고
　네 어닉 틈으로 드러 온다.
　어인지 너 온 날 밤이면 줌 못드러 ᄒ노라.

<3181>

⑯ 기를 여라문이나 기르되 요기ᄀᆞ치 얄믜오랴

　　믜온 님 오게 되면 꼬리를 회회 치며

　　치뛰락 나리쒸락 반겨서 닛닷고 고온 님 오게 되면

　　뒷발을 바동바동 무로락 나오락 캉캉 즛는 요 노랑 암기

　　쉰 밥이 그릇그릇 날진들 너 먹일 줄이 이시랴

〈129〉

　⑮[8]와 ⑯의 사설시조는 현상적 청자를 '한숨'과 '개'로 각각 등장시키고 있다. 화자는 청자에게 일방적으로 건넨 말을 진술한다. 청자는 단순히 화자의 언술을 듣기만 있다. 화자는 청자에게 정보를 일방적으로 전달하고 있어 화자의 의사에 동조할 것을 암묵적으로 강요하고 있다.

　⑮는 인간의 생리적인 현상인 한숨을 객관화하고 의인화하여 청자로 등장시키고 있다. 초장은 한숨이라는 주체가 살며시 화자의 마음속으로 들어온다. 중장에서는 한숨이 들어오는 것을 막기 위해 고모장지, 세살장지, 들장지, 열장지, 암돌쩌귀, 배목걸쇠, 크나큰 자물쇠, 병풍, 족자 같은 것을 늘어놓고 한숨을 막고자 한다. 종장은 한숨이 들어온 밤이면 잠 못 이룬다고 하면서 체념적인 포기를 표현하고 있다. 결국 이 사설시조는 화자가 가슴을 열어놓고 있으니 한숨이 들어온다는 것이다. 화자가 정신의 현상인 한숨과 걱정을 사물과 물질로 닫으려고 노력해도 이것은 이루어 질 수 없는 불가능한 일이라고 할 수 있다.

　이 작품의 화자는 한숨이라는 매개물을 제어할 사물을 적절하게

---

8) 조동일은 「창노래와 벽노래」(조규철, 박철희 편, 『시조론』, 일지사, 1982)에서 위의 작품을 벽노래라 칭하고 논의하고 있다.

희화화시키고 객관화시켜서 격조가 있는 비유로 승화시키고 있다. 중장에 나열된 사물은 형체가 없는 마음을 구체적으로 설명하기 위해서 설정해 놓은 매개물들이라 할 수 있다.

⑯은 개를 기르면서 보고 느끼고 경험한 것을 묘사하고 있다. 개는 영리하고 온순하여 인간과 친하다고 한다. 초장은 개가 얄밉다고 표현한다. 중장은 미운임이 오면 반기고 고운임이 오면 물려고 한다고 하면서 개의 못마땅한 점을 서술한다. 종장은 개에게 밥을 주지 않겠다는 화자의 다짐을 기술한다. 화자는 청자인 개에게 잘못된 행동에 대해 응징하겠다는 의도를 표출한다.

여기서 청자인 개는 작품의 역설적이고 해학적인 효과를 극대화하는 적절한 매개물이다. 개가 사랑하는 임에게 짖는다는 것은 화자의 마음을 읽지 못하는 행위이다. 화자는 청자인 개에게 사랑하는 임에게 짖지 말라고 경고하는 마음을 다시 확인시켜주고 있다. 여기서 개는 사랑하는 임을 쫓아 버린 것에 그친 것이 아니라 사랑하는 임에 대한 생각을 더욱 간절하도록 유도하는 매개물이라 할 수 있다.

이와 같이 화자는 일상의 세계에 일어난 일을 작품의 세계로 표현하여 청자에게 정보를 전달하고 있다. 화자는 작품 속에 청자를 설정해 놓고 현실에서 겪은 경험을 청자에게 말을 건네면서 자신의 의도를 따라주기를 은근히 강요하고 있다.

다음으로는 현실경험적 화자가 대화체를 지향한 이중화자의 유형을 살펴보자. 화자와 청자인 제1화자와 제2화자가 직접 담화 속에서 말을 건네는 형태라 할 수 있다.

⑰ 살구꽃 봉실봉실 핀 밧머리에 이라이라 하는 저 농부農夫야
　　그 무슨 곡식을 시무랴고 봄 밧을 가오
　　예주리 천자강이 홀아비콩 눈끔적이팟 녹두기장 청경차조
　　새코 찌르기 참깨 들깨 동부 쥐눈이 찰수수를 갈랴함나
　　그 무엇슬 스무랴 하노 그것도 저것도 다 아니오
　　구곡 장진 신곡 미등할 째에 제일 농량에 긴한 봄보리 가오
<1462>

⑱ 논밧가라 기음 미고 뵈잠방이 다임쳐 신들메고
　　낫가라 허리에 츠고 도씌 벼려 두러 메고
　　무림산즁茂林山中 드러 가셔 삭싸리 마른 셥흘 뷔거니 버히거니
　　지게에 질머 집팡이 밧쳐노코 시옴을 츠즈가셔
　　점심點心 도슭 부시이고 곰방딕를 톡톡 써러 닙담빈 퓌여 물고
　　코노릭 조오다가 석양夕陽이 지너머 갈졔
　　엇씌룰 추이즈며 긴소릭 져른소릭 ᄒ며 어이 갈고 ᄒ더라
<654>

　　위의 작품 ⑰과 ⑱은 농촌의 목가적 현실을 사실적으로 묘사하고
있다. ⑰은 살구꽃 피는 봄날에 부지런히 일하는 농부의 모습을 나타
낸다. 초장은 밭이라는 공간에서 농부가 일하고 있음을 말한다. 중장
은 제1화자가 곡식들의 이름을 나열하고 병렬한 다음 제시된 상황에
의문을 부여한다. 제2화자인 농부에게 하는 일을 묻는다. 종장은 농
부가 위에서 나열된 곡식의 이름을 부정하고 봄보리를 심어야 한다는
것을 알게 된다. 여기서 시적 화자들은 봄보리를 심어야 하는 것을
스스로 행동을 통하여 나타낸다.
　　⑱은 농사일을 한 농부가 산에 가서 나무를 하는 모습을 한가하게

묘사하고 있다. 초장은 산에 갈 준비를 하는 모습을 나타내고 중장은 산에 들어가 나무를 한 후에 점심을 먹고 노는 모습을 서술한다. 종장은 해가 져서 지게꾼이 행동하는 모습과 이야기를 인용해 놓고 있다. 여기에 등장한 두 화자는 농사짓는 사람의 모습과 나무하는 사람의 행동을 사실적으로 그려놓고 있다. 그 내용은 실제로 부지런히 일하는 농부의 모습이기보다는 어느 정도 세상을 즐기면서 살아가는 나무꾼의 모습을 함께 보여주고 있다.

이와 같이 대화체를 지향한 현실경험적인 화자는 화자와 청자 간에 서로 교차되는 언술을 진행하여 소통하고 융합하는 모습을 보여주고 있다. 현실적인 소재를 중심으로 화자는 서정적인 감각으로 농촌의 풍경을 서술하고 있으면서 두 명의 이중화자를 등장시켜서 극적인 효과를 표출하고 있다.

지금까지 사설시조에 나타난 화자의 유형 중에서 현실경험적 화자를 살펴보았다. 이 유형의 화자는 시적 대상물을 인식하는 데에 있어 주로 현실이나 자신의 주관적인 경험을 작품에 표현한다. 현실경험적인 화자는 살아가는 삶의 생생한 표현, 이별한 임을 생각하는 마음, 무생물의 시어를 의인화하는 등 다양하게 시적 대상물을 표현하고 있다. 사설시조에 나타난 현실경험적인 화자는 현실을 동조하고 묵시적으로 바라본 것이 아니라 현실을 직시하고 나름대로의 비판을 가하고 있어 보다 나은 현실을 향한 노력이라고 볼 수 있다. 사설시조 500여 편 중에서 현실경험적 화자의 작품은 120여 편이 있다.

3. 시적 화자의 특성과 그 의미

사설시조에 나타난 다양한 시적 화자의 유형은 그 장르가 지닌 여러 가지 내용과 의미를 함께 포용하고 있다. 사설시조는 인간사에 일어난 다양한 문제를 주제로 표현하고 전달한다. 의식지향의 측면에서 살펴 본 화자의 대상물을 파악하는 태도는 관념인식, 유희지향, 현실경험 등 세 가지의 의식을 지향하는 방향이고, 그러한 현상을 구현하는 형식적인 방법도 세 가지로 나누어 살펴보았다. 화자의 형식적인 유형은 함축적인 청자를 통해 이야기하듯이 표현하기도 하고, 현상적인 청자를 설정하여 명령하듯이 표현하기도 하며, 대화체를 지향하는 이중화자를 통해서 대등하게 표현하기도 한다.

이런 측면에 사설시조의 장르는 상당히 탈서정의 진술양식[9] 이어서 자유로운 정신으로 시적 대상물을 노래하고 있다. 이는 시적 화자가 평시조에서 표현할 수 없었던 다양한 삶의 정신을 서정의 세계에 포함시키려고 노력한 결과이다. 그래서 사설시조는 현실 생활에 나타난 모든 사물과 문제를 시어로 채택했다. 이는 사설시조의 시어의 확산과 상상력의 확대[10]로 이어진다. 사설시조는 현실 모순을 풍자하고, 비속한 표현을 사용하며 화자가 약점을 숨기기 위해 해학적인 표현 등을 사용하고 있다. 그리고 시적 화자는 표현 기법에 있어 산문화의 원리, 대화의 사용, 엮음의 원리 등[11]을 사용하여 시적 대상물

---

9) 이노형, 「장시조의 장르적 성향과 그 한계」, 『관악어문연구』 12, 1987, pp.155~177.
10) 임종찬, 「장시조의 문예학적 연구」, 부산대학교 대학원 박사학위논문, 1983, pp.31~50.
11) 신은경, 「사설시조의 시학 연구」, 서강대학교 박사학위논문, 1986, p.197.

의 다양한 특징을 드러낸다.

이러한 표현은 사설시조가 어느 정도 열린 장르이므로 시대정신인 평시조를 수용하여 현실생활의 다양성을 표현하고 있는 증거이다. 사설시조와 평시조는 대립되거나 또는 별개의 이질적인 장르가 아니라 병행하며 함께 존속하여 왔다는 것이다. 이러한 표현 때문에 사설시조는 서정 영역을 확대하여 다양한 삶의 양상을 표현하는 열린 서정의 장르라는 것이다. 사설시조는 연희의 현장에서 평시조와 동시에 노래될 수 있었다는 사실[12]을 주목해야 한다.

시는 원초적인 문화 창조의 원천이며 문화는 놀이에서 나오는데 그 놀이는 분명히 신성하지만, 신성함에도 불구하고 탐닉·환락·흥겨움과 서로 접해 있다. 사설시조에 나타난 시적 화자는 의식지향의 측면에서 관념인식적 화자, 유희지향적 화자, 현실경험적 화자로 나누어진다. 연희와 놀이의 현장에서 처음은 점잖은 내용을 노래하지만 나중에 취흥이 돋고 분위기가 질탕해지면 아무리 근엄한 사대부층이라도 그러한 분위기에 걸맞은 사설을 엮어 나간다.

사설시조는 두 가지 창법이 있는데 하나는 장중하게 시작하여, 중간에 흥얼거리며 자지러지다가 다시 장중하게 돌아가고, 다른 하나는 장중하게 시작하여 부르다가 흥얼거리며 자지러짐이 계속하여 끝에 이른다. 이들 사설시조는 주로 연회석과 놀이의 공간에서 가창되었으므로 흥얼거림과 자지러짐 속에는 해학과 외설 등의 사실적이고 저속한 표현이 많이 나타난다. 이러하니 사대부 계층에 속하는 지은이의 이름이 쉽게 붙여질 수 없게 되었고 실명失名씨의 작품으로 많이

---

12) 장사훈, 『시조음악론』, 서울대학교 출판부, 1986, p.197.

남게 되었다.[13)]

위와 같은 상황으로 말미암아 사설시조의 주된 향유층은 상층계급인 양반사대부와 전문인 가객의 집단이라고 볼 수 있다. 사설시조에 나타난 화자는 상층계층의 의식을 지니고 있던 사람이 연희의 공간이나 놀이의 장소에서 지어서 가객과 아이들 그리고 기녀들에게 부르게 했음으로 인해서 사대부의 의식세계를 많이 담고 있다. 그러나 장르간의 교섭 현상이 뚜렷한 19세기 말에 변모한 사설시조의 장르와 작가층의 변화는 다음 기회에 논의하기로 하겠다.

인간의 정신현상은 기본적인 면에서 신분지위를 막론하고 거의 비슷하다. 시인이 시적 대상물을 노래할 때 일어난 사물인식의 갈등은 시인의 정신현상으로 해결할 수 있다. 여기에는 다소간의 경험은 작용할 수 있지만 계급간의 차이는 거의 없다고 생각한다. 사설시조에 나타난 화자가 어느 계층에 속하는가 하는 것은 큰 문제가 되지 않는다. 사설시조에 나타난 문화현상을 하층서민의 취향이나 상층양반의 취향 등의 용어로 수정했으면 한다. 사설시조의 많은 작품이 작자 미상으로 되어 있지만 작자층은 대부분 사대부와 가객들 그리고 기녀들로 판단된다.[14)] 이들 작자층은 근엄한 노래로 시작해서 사설시조를 부르다가 나중에는 다분히 오락적이고 쾌락적인 노래를 지었을 것이다.[15)]

관념인식적 화자는 시인이 화자를 통해 자신이 경험한 과거사를 전달하는 차원을 뛰어넘어 선험적인 사실, 고사성어, 과거의 역사적

---

13) 최동국, 「사설시조 형성기에 대한 단견」, 백민 전재호박사 회갑기념논문집, 1985, p.6.

14) 김대행, 앞의 책, p.304.

15) 김학성, 「사설시조의 장르형성 재론」, 『국문학의 탐구』, 성균관대학교 출판부, 1987, p.101.

인물을 작품에 원용한다. 즉 관념인식적 화자는 현실세계에서 일어
난 문제를 과거의 사실을 통해서 주로 해결하려고 한다. 이 화자의
경우는 그 작품의 작가가 사대부이든 가객이든 작품을 통해 지향하는
의식의 세계는 유교적이거나 아니면 도가적, 불교적인 교훈의식을
많이 지니고 있다.

유희지향적 화자는 연희의 장소에서 청중들에게 웃음을 주기 위해
혹은 흥미를 주기위해서 애정 문제를 주된 소재와 주제로 취급한다.
이 유형의 화자는 작가의 계층에 구애되지 않고 인간본연의 감정인
즐거움이나 놀이, 그리고 성적인 관심사 등을 묘사해서 해학적인 표
현을 드러낸다.

현실경험적 화자는 자신의 경험과 현실세계를 묘사하여 시적 대상
물에 현실체험의 특징을 구체적으로 드러내고 있다. 이 화자는 작자
층의 계층을 불문하고 현실의 다양한 모습을 생활인을 통해 표현하여
생생한 삶의 현장체험을 보여준다.

사설시조의 문법은 단순한 것이 아니므로 한 작품에서도 시적 화
자의 의식지향이 상층이냐 하층이냐 등으로 서로 상충되게 나타날 수
있다. 이때는 사설시조에서 화자가 지향하는 주된 동기와 창작 목적
으로 화자의 유형을 분류했다. 즉 한 사설시조에 인간의 다양한 관념
과 경험이 들어있을 때, 시문법에 의해 한 유형에 고정시키기는 것은
힘들지만, 시적 화자가 담화 속에서 주된 내용을 표현하는 의식을 기
준으로 나누었다.

그리고 화자의 목소리를 기준으로 해서 그 목소리가 독자에게 전
달되는 과정을 중심으로 시적 화자의 형태를 하위로 분류해 보았다.
여기서는 사설시조의 많은 부분이 자신의 감정을 전달하려는 욕구가

많음을 알았다. 함축적 청자를 지향한 화자는 자신에 관심을 두고 자신의 삶의 태도와 생활양식을 작품에 반영하여 성찰하고 있다. 이 화자는 특별한 인물에게 이야기하지 않고 화제에 대한 자신의 태도를 표현할 뿐이어서 정서적 기능에 더 큰 의미를 둔다.

현상적 청자를 설정한 화자는 시적 화자가 겉으로 드러나든지 함축적으로 드러나든지 간에 작품의 표면에 자신의 말을 들어줄 청자를 현상적으로 설정한다. 화자는 청자에게 일방적으로 말을 건넨다. 청자는 화자의 언술을 듣기만 한다. 이는 언어행위에 있어 명령적 기능이 강하다. 대화체를 지향한 이중화자는 화자들 상호간에 교차되고 상반되는 화제를 서술하여 갈등과 융합을 일으키고 있다. 이러한 사설시조는 서정적인 감각으로 진술하고 있으면서도 어느 정도 극적인 효과가 나타난다.

4. 양반사대부의 의식

지금까지 사설시조에 나타난 시적 화자의 유형을 분류하고 그 의미를 살펴보았다. 작품의 대부분이 지은이가 밝혀져 있지 않으므로 작자층의 의식을 밝히기가 상당히 곤란하다고 할 수 있다. 하지만 여기서는 시적 화자의 의식지향을 통해서 사설시조의 작가와 그 특징을 분석하려고 했다. 그래서 19세기 이후에 장르의 교섭 현상이 뚜렷해지기 시작한 시기의 작자층과 향유층의 의식은 다음의 기회에 충분히 검토되어야 할 것이다.

본고에서는 사설시조에 나타난 시적 화자를 관념인식적 화자, 유희지향적 화자, 현실경험적인 화자 등 세 가지로 나누었다. 이런 분류는 한 개인이 지닐 수 있는 정신현상의 일반적인 상황에 의해 분류한 것이다. 한 작자가 어떤 때에는 관념인식적인 화자를 등장시켜 사설시조를 지을 수 있고, 또 어떤 때에는 유희지향적인 화자를 등장시켜 작품을 짓고, 다른 때에는 현실경험적인 화자를 등장시켜 작품을 지을 수 있다는 것이다. 사설시조의 전반에 흐르는 느낌은 비유적인 수단, 시어 선택, 표현 기법 등은 현대 자유시의 수준에 이르고 있다. 이는 화자가 상당히 상층 지향적이며 양반사대부적인 성격을 지니고 있다는 의미와 상통한다.

그 이유는 평시조와 사설시조가 서로 대립된 양식이 아니라 함께 병존해서 존재했기 때문이라 할 수 있다. 관념인식적 화자가 사설시조의 작품에 가장 많이 등장하고 있는데 이 화자는 평시조의 화자로도 가장 많이 채택되고 있다. 이러한 사실은 간접적으로 사설시조와 평시조의 작가가 같은 양반사대부 계층이라는 사실을 의미한다.

우리의 사설시조는 인간사의 다양한 소재를 시화하고 있다. 표현론의 측면에서 보았을 때 상당히 많은 작품이 소재의 나열과 병렬을 취하고 있으며, 이 기법은 환유의 원리나 은유의 원리 등으로 설명될 수 있다. 하지만 시적 화자는 대화의 사용, 이야기의 수법, 산문화의 원리 등을 사용하여 사설시조가 상당히 열려진 장르적 성향을 지니도록 한다. 이는 서정장르의 확대와도 관련되어 있으며, 사설시조의 작가층이 서구적인 서정 장르의 의식이 철저하지 않았기 때문인 것이기도 하다.

이 글에서는 시적 화자가 지닌 의식지향의 측면을 주로 논의하고 있어 화자의 다양한 양상을 부차적으로 살펴보았다. 앞으로 사설시조에 나타난 시적 화자의 의식, 세계관, 그리고 가치관을 분석하는 작업이 남아있다. 또 가능하다면 사설시조가 지닌 연희 공간의 현장 연구를 병행했으면 한다. 연행현장의 연구가 뒷받침되면 시대적 변화에 따른 화자와 청자의 변화 추적이 가능하다. 이는 사설시조의 실체를 파악하는 연구에 기초가 될 수 있다.

대화체를 수용한 사설시조와
그 실현양상

1. 대화체와 사설시조

　사설시조가 창작된 시기는 주로 조선 후기라 할 수 있다. 임병양란 이후 성장하기 시작한 현실 비판 의식은 사설시조를 왕성하게 창작하는 촉매제 역할을 했다. 시조문학에 나타난 대화체와 이야기시의 수용은 조선 후기 시문학의 특성을 잘 드러내는 현상이라고 할 수 있다.

　본고에서는 조선 후기 대화체를 수용한 사설시조의 작품과 그 실현양상을 주목하여 그 특성을 살펴보고자 한다. 대화체를 수용한 사설시조란 작가가 작품 속에 두 명 이상의 화자를 설정해놓고 문답이나 대화체로 담론을 이끌어가는 경우를 의미한다. 사설시조에는 대화나 문답을 주된 표현방식으로 수용하여 그 작가의식을 선명하게 표출하고 있는 일련의 작품들이 있다. 사설시조의 담론에 등장한 화자가 둘 이상이면 자연히 대화체를 수용한 담화가 성립된다고 할 수 있다.

　사설시조의 담론에 관한 연구는 80년대[1]부터 90년대[2]를 거쳐 2000년대인 현재[3])까지도 꾸준히 연구되고 있다. 이처럼 사설시조의 담론이나 대화체에 대한 연구는 80년대 초창기부터 몇몇의 연구자에 의해 사설시조의 주요한 특징의 하나로 많은 관심을 받아왔다. 하지만 담론의 형식과 담당층의 의식을 직접 연결하여 향유층의 의식을 규명하는 작업은 지지부진하다고 해도 과언이 아니라 할 수 있다.

여기서는 대화체를 수용한 사설시조에 나타난 화자의 유형을 분류하고 사설시조에 진술된 의식지향을 중심으로 사설시조에 나타난 담론의 특성을 논의하고자 한다. 사설시조의 담론에 나타난 화자의 의식지향을 살피는 작업은 작가가 사설시조의 담론에서 화자를 등장시켜 그 화자로 하여금 어떠한 목적과 방향으로 의식을 부여해가는 상황과 그 세계를 살피는 것이라 할 수 있다. 현실 경험을 중시하는 화자는 현실 경험의 입장에서 작품세계를 노래할 것이고, 관념인식을 중요하게 여기는 화자는 작품세계를 관념이나 선험을 바탕으로 노래할 것이며, 쾌락이나 유희를 중요하게 생각하는 화자는 작품세계에서 연희공간을 중요하게 생각하면서 유희지향의 세계로 노래를 할 것이다.[4])

---

1) 김대행, 「시조의 화자와 청자」, 『시조유형론』, 이화여자대학교 출판부, 1986, pp.283~297; 신은경, 「사설시조의 시학연구」, 서강대학교 박사학위논문, 1988.
2) 류해춘, 「사설시조에 나타난 시적 화자의 유형과 그 특성」, 『어문학』 52집, 1991, pp.311~332; 박기호, 「대화체 장시조 연구」, 『시조학논총』 7집, 1991, pp.23~50; 강명혜, 「사설시조의 언술 연구」, 『시조학논총』 10집, 1994, pp.205~231.
3) 이형대, 「사설시조와 여성주의 독법」, 『시조학논총』 16집, 2000, pp.401~426; 박애경, 「사설시조의 여성화자와 여성 섹슈얼리티」, 『여성문학연구』 3집, 2000, pp.93~115; 박상영, 「사설시조 웃음의 미학적 연구」, 경북대학교 박사학위논문, 2009.
4) 류해춘, 「사설시조에 나타난 시적 화자의 유형과 그 특성」, 『어문학』 52집, 1991, pp.311~332.

　이제부터 다양한 가면을 쓰고 우리에게 다가오는 대화체 사설시조의 의식세계와 그 실현양상을 살펴보기로 한다.

2. 관념인식의 화자와 상황설명

　대화체를 수용한 이중화자란 관념인식의 화자가 사설시조의 담론 속에서 발화자를 둘 이상 설정해 놓고 대화체로 작품을 이끌어가는 화자를 의미한다. 사설시조에서 발화자가 둘 이상이면 자연스럽게 대화체로 담화를 구성하는 경우라 할 수 있다. 이러한 상황에서 작품에 등장하는 화자가 어디에 존재하느냐에 또는 어떠한 역할을 하느냐에 따라 작품의 경향은 달라진다. 현상적인 화자가 작품에 둘 이상 직접 등장하게 되면 직접화법을 통한 대화체가 되고, 작품의 표면에 등장한 화자가 문맥에 하나 이하로 등장하게 되면 간접화법을 통한 대화체가 된다. 간접화법을 통한 대화체는 작품 속의 화자가 주로 일인칭 화자로 설정되는 경우가 많고, 직접화법을 사용하는 대화체는 화자의 다양한 체험을 반영하여 연극의 요소를 지니는 경우가 많다. 평시조에도 이와 같이 대화체를 수용한 작품이 존재한다.

> ① 옥황상제玉皇上帝게 울며 발괄ᄒᆞ되 벼락상제 나리오ᄉ
> 　 벽력霹靂이 진동振動ᄒᆞ며 ᄭᅵᆫ치과ᄌᆞ 이별離別 두 ᄌᆞ
> 　 그졔야 그리던 님을 만나 백년동락百年同樂 ᄒᆞ리라
>
> 　　　　　　　　　　　　　　　　　　　　　　　<심 2121>[5]

---

5) 심재완, 『역대시조전서』, 세종문화사, 1972. 이 논문에서 이 책의 작품인용은 각주를 달지 않고 (심 000) 등으로 작품번호를 표시하는 것으로 대신하도록 한다.

①의 담론에 나타난 화자들은 자신의 말을 간접화법으로 표현하고 있다. 이 작품에는 한 사람의 화자가 초장, 중장, 종장을 연이어 발화한 내용이라기보다는, 여러 명의 화자가 각 장을 간접화법을 시용하여 발화하고 있는 담화로 보고자 한다. 초장에서는 옥황상제에게 말하는 주체가 누구인지는 쉽게 확인되지 않지만 함축적 작가인 화자라 할 수 있다. 초장에서는 작품 밖의 다른 함축적 작가가 하늘에게 비는 모습을 간접적으로 제시하여 보여주고 있다. 중장에서도 화자인 옥황상제가 벼락상제를 시켜서 이별이라는 두 글자를 깨뜨리고자 한다. 그리고 중장과 종장의 화자는 이별의 아픔을 깨뜨릴 때가 되어야 참사랑의 의미를 이해한다고 말한다. 이러한 시세계는 대화체를 통하여 시에 표현된 내용을 객관화시키면서 평시조의 시문법을 확대하고 있다. 이 유형에 속하는 평시조는 극히 적으며 간혹 발견되고 있다.[6]

사설시조에서 관념인식의 화자가 유교의 이념과 초경험의 세계에 집중하면서 노래하고 있는 화자의 의식지향은 당시의 지배층인 양반 사대부의 의식에 초점이 맞추어져 있다. 사설시조에 나타난 관념인식의 화자란 화자가 작품에 제기된 문제를 선행한 이념이나 사상을 적용함으로써 해결될 것이라고 믿는 경우이다. 예를 들면 이런 유형의 화자는 종교나 경전의 내용이나 그 사상을 빌려오거나 아니면 관습이나 선험으로 내용을 통해서 작품세계에 나타난 문제점을 해결하려고 한다. 평시조에 등장한 이러한 간접화법의 표현이 사설시조에 오면 더욱 다양하게 변하여 간접화법뿐만 아니라 직접화법을 함께 쓰는 작품으로 변모하여 등장한다.

6) 김대행, 『한국시의 전통연구』, 개문사, 1980, p.78.

② 쇼상강으로 비타고 져 불고 가는 두 동즈 말무러 보즈
　　너희 션싱은 뉘시라 ᄒ며 너희 향ᄒᆞᆫ 곳 어듸메 두 동즈 듸답ᄒ
　　되
　　져희 션싱은 남히룡왕하에 젹송즈라 ᄒ옵시며
　　우리 가는 길은 영쥬봉ᄂᆡ방장 슴신산으로 취약ᄒ려 가ᄂᆞ이다
　　쳥상에 지샹션 못낫더니 너희 두 동즈 쑨이로다

<심 1661>

　　위 담화의 내용은 제1화자의 목소리와 두 동자의 목소리가 함께 이
끌어가고 있으니 대화체를 수용하고 있는 이중화자라고 할 수 있다.
이 때 제1화자는 자신의 의견을 작품에 표현할 뿐만 아니라 제2화자
인 동자의 의견도 독자에게 전달하고 연결하며 중개하는 매개자로서
의 역할을 한다. 제2화자인 동자의 말은 제1화자를 통해 독자에게 전
달된다.[7] 이러한 현상은 서사문학에 주로 등장하는 현상인데, 사설시
조가 이와 같은 관점을 채택하고 있다는 사실은 이 장르가 시점의 이
중성을 통해서 이야기와 대화를 수용하고 있다는 증거라 할 수 있다.
　　위 작품의 초장에서 화자는 청자가 되는 동자들에게 동자의 선생
이 어떤 사람이며 어디로 가고 있는 가를 묻고 있다. 화자는 청자인
동자들에게 말을 건넴으로써 청자를 작품 속의 제2화자로 유도하고
있다. 이에 중장에서는 제2화자인 동자가 등장하여 제1화자의 묻는
말에 대답을 하고 있다. 대답의 내용은 자신이 스스로 적송자라는 신
선이며, 자신들은 불로초를 캐러 삼신산으로 가고 있다는 것이다. 이
대답은 동자들의 정체성을 밝혀주는 것으로 화자가 종장에서 서술할

---

　7) 신은경, 『사설시조의 시학연구』, 서강대학교 박사학위논문, 1988, p.151.

내용을 암암리에 제시하고 있다. 종장에서 제1화자는 동자들을 지상 선으로 치켜 올리며 작품을 마무리하고 있다. 종장의 담화는 전체문 맥을 지배하는 내용으로 동자들을 지상의 신선이라고 하고 있다. 여 기서 화자들은 아무런 갈등을 경험하지 않고 신선세계로 향하는 수양 의 과정을 찬양하는 관념인식의 화자로 존재하여 신선의 세계를 우아 한 미의식으로 설명하고 있다.

이러한 유형의 사설시조는 서사성은 물론이고 연극이 지닌 갈래의 성향도 함께 수용하고 있음을 보여준다. 연극의 특징은 행위나 사건 을 인물 쌍방적인 시점으로 재현하는 것이다. 다음의 사설시조를 통 해서 대화체를 수용하면서 관념인식을 표현하는 화자가 설명하는 주 제의 구현양상을 자세하게 살펴보기로 한다.

> ③ 쇰은 고향故鄕 가건마은 나는 어이 못가는고
> 쇰아 너는 어느 쇠이 고향故鄕 갓다 왓누
> 당상堂上 학발쌍친鶴髮雙親 일향만강一向萬康ᄒᆞ옵시며
> 규리閨裡에 홍안紅顔 처자妻子와 어린 동생同生과
> 각댁各宅 제절諸節리 다 태평泰平턴야
> 태평泰平키는 태평泰平터라만 너 아니 온다고 수심愁心일네
> <김 9>[8]

> ④ 물 알의 그리마 지니 돌의 우의 즁놈 셋 가는 즁의
> 민 말재 즁아 게 잇거라 말 물어 보자
> 인간이별 만사중萬事中에 독수공방獨宿空房 삼겨 주시던 부쳐

---

8) 김흥규 역주, 『사설시조』, 고려대학교 민족문화연구소, 1993. 이 논문에서 이 책의 작품인용은 각주를 달지 않고 (김 000)으로 작품번호를 표시하도록 한다.

어느 절 어느 법당法堂 탁자卓子 우희 감중연坎中連 ᄒ고
두 눈이 감ᄒ게 안즈ᄊᆞ냐 닐너라 보쟈
그 중이 막대를 놉피 드러 백운白雲을 ᄀᄅ치며
닐러 속졀업다 ᄒ더라

<김 40>

③과 ④의 사설시조는 화자가 서로 대화를 나누고 있는 상황으로 설정되어 있다. 이 작품의 화자들은 각각 서로의 대화를 수용하여 꿈을 의인화하기도 하고 평시조를 패러디하는 내용으로 작품세계를 구성하고 있다. 두 작품에 등장한 관념인식의 화자는 서로 대화를 주고 받으면서 이야기의 구성에 효과를 발휘하고 있다. ③의 사설시조는 무정물인 꿈을 청자로 등장시키고 이들에게 말을 건네게 하는 이중화자의 대화체로 이루어져 있고, ④의 사설시조는 화자가 불교의 스님과 대화를 나누는 이중화자의 대화체로 구성되어 있다.

③의 담화에서 꿈은 청자이고 또 화자로 존재하고 있으며, 나와 고향 소식을 연결하는 중간자로서 매개체의 역할을 하고 있다. 꿈은 사람이 잠재의식이나 무의식이 심리적으로 억압을 할 때 나타나는 현상이다.[9] 꿈은 인간의 간절한 소망을 대리만족으로 해소할 수 있는 매개물의 역할을 한다.

초장에서 작가에 근접한 화자는 고향에 못가는 현실과 꿈에 고향을 가는 이상을 대조하고 있다. 화자의 이상은 꿈에서처럼 고향에 가는 것이고, 화자의 현실은 고향에 가지 못하는 고달픈 신세로 현실과 이상 사이에서 서로 갈등이 일어나는 것이다. 작가에 근접한 화자는

---

9) 욜란디 야코비(이태동 역), 『칼 융의 심리학』, 1978, pp.115~117.

몸소 고향에 찾아가는 것이 희망이다. 고향에 가고자하는 화자의 이상은 현실의 벽에 의해서 좌절되어서 화자는 꿈이라는 대체물을 찾아 고향에 다녀오게 된다. 중장에서 화자는 고향을 다녀온 꿈에게 원망과 시샘을 나타내며 고향소식을 묻는다. 고향소식은 부모님, 처자, 동생, 일가친척 등의 안부를 물으며 꿈에게 시샘을 표시하고 있다. 화자가 시샘을 표시하는 이유는 절박한 고향소식을 직접 알고자하는데 꿈이 혼자서 고향을 다녀왔기 때문이다.

종장에서 꿈은 제1화자에게 고향이 모두 태평하다고 서술하고 있다. 하지만 제2화자인 꿈은 제1화자의 간절한 소망을 생각해서 고향사람들이 '너 아니 온다고 수심愁心일네'라고 대화체를 수용하며 부연하고 있다. 이렇게 제2화자인 꿈은 제1화자에게 고향에 가지 못하게 하는 대상물과의 사이에서 미묘한 긴장관계를 이끌어낸다. 이러한 긴장관계는 제1화자가 고향에 가고자하는 마음을 제2화자가 읽으면서 거리를 두고 냉정하게 묘사하는 분위기에서 일어난다. 현실에서 제1화자가 고향에 가지 못하는 부족함을 채워주기 위해서 제2화자로 나선 의인화된 꿈은 제1화자의 불만을 작품에서 해결하는 장치로 등장하고 있다.

꿈에 생명을 부여하는 것은 꿈을 의인화하는 한 수법이라 할 수 있다. 꿈은 잠재의식의 발로라고 하지만 현실적인 실재와는 무관한 상상의 세계라고 할 수 있다. 상상의 세계인 꿈을 통해서 문제를 해결하는 화자의 의식은 초월의 세계를 노래하는 관념인식의 화자이다. 이러한 화자는 담론 속에서 화자의 상황을 설명하고 부연하는 역할을 수행하고 있다.

④의 사설시조는 화자가 표현한 시어를 통해 살펴볼 때 평시조[10]

를 패러디하였으며 표면적으로는 불교에 상당히 부정적이라 할 수 있다. 예를 들면 '중놈', '말 물어 보자', '닐너라 보자' 등의 반말적인 표현 등이 그것이다. 이들 용어는 평시조보다 사설시조에 많이 등장하는 관습적인 표현이라고 이해하는 것이 무난하다고 할 수 있다.

초장에서 제1화자는 시의 배경이 되는 장소를 베껴내듯이 표현하여 속세와 산수를 연결하는 공간을 묘사하고 있다. 초장의 구체적인 배경은 다리 위에 중이 셋 지나가고 그 그림자가 다리 아래로 흘러가는 물에 비치어 있는 모습이다. 이러한 배경의 설정은 동양의 산수화 한 편을 감상하는 것과 같으며 초탈한 인간세계를 표현하고 있다고 하여도 과언이 아니다. 중장에서 제1화자는 제2화자인 중에게 인생의 문제를 질문하고 있다. 제1화자가 질문한 내용은 인간사의 외로움을 해결하는 문제이다. 불교의 진리는 혼자서 깨우쳐 도에 이르는 것인데 제1화자는 외로움을 부처에게 해결해달라고 한다.

감괘坎卦는 부처가 앉은 위치를 알려주는 것도 되지만 제1화자가 존재하는 위치를 알려주는 역할도 한다. 감괘는 주역에 의하면 위와 아래로 모두 물이 흐르는 모습을 하고 있다.[11) 여기서 제1화자는 부처에게 위협을 하여 중장에서 자신의 현실문제인 외로움을 해결하려고 하고 있다. 하지만 종장에서 스님은 막대를 높이 들어 흰 구름을 가리키며 속절없다고 하면서 그 해결책을 제시하고 있다. 중이 흰 구름을 가리킨 것은 언젠가 구름이 사라지듯이 인생의 외로움도 사라짐을 의미한다. 그리하여 제1화자에게 불교의 인생관인 인생의 덧없음

---

10) "믈아래 그림재 드이우히 듕이 간다 / 뎌 즁아 게 잇거라 너 가는듸 무러 보쟈 / 막대로 흰 구름 ᄀᆞᆯ치고 도라 아니 보고 가노매라" (심 1083)

11) 『주역周易』에 감괘坎卦의 첫 구절은 "習坎, 有孚, 維心亨, 行, 有尙"이다.

을 차용하여 깨우치고 있다. 이 사설시조는 제1화자가 비판의 시각으로 불교를 보다가 불교의 진리를 이해하고 동화되는 과정으로 그 내용이 요약된다고 할 수 있다.

대화체의 이야기를 수용하고 있는 사설시조는 논리의 전개가 비슷한 경우가 많다. 대화체의 담화는 초장과 중장에서 화자와 청자 혹은 제2화자를 설정하여 작품의 내용을 표현하고 주제를 종장에서 유도하는 경우가 자주 나타난다.12) 이 사설시조는 제1화자와 제2화자인 스님과의 대화를 통하여 담론을 이끌어가고 있다. 처음에 등장하는 화자의 불교에 대한 비판의 시각은 시간이 흘러감에 따라 점점 긍정의 형태로 바뀌기 시작하여, 종장에 오면 완전히 반전되어 불교의 세계관을 긍정하는 형태로 바뀐다. 불교의 세계관을 긍정하는 화자의 태도는 '세상의 모든 일은 뜬구름과 같다生也一片浮雲起'는 한 구절로 압축하여 불교의 세계관이 세상의 갈등을 해소하는 원동력이라고 인식하는 것이다.

사설시조에서 관념인식의 화자가 대화체를 수용한 이중화자로 설정된 경우 작품의 전개는 초장에서 화자가 청자에게 말을 건네고, 중장에서 화자가 청자에게 질문을 하고, 종장에서 청자가 대답을 하는 구성으로 되어 있다. 문제의 해결은 주로 관념이나 종교의 교리를 빌려오는 이야기로 이루어져 있으며, 이로 인해 대화체를 지향한 이중화자가 지닌 연극의 효과는 반감되지만 명확하게 주제를 전달하기 위해 상황을 명확하게 설명하는 특성을 지니고 있다.

---

12) 임종찬, 『시조문학의 본질』, 대방출판사, 1986, pp.26~27.

3. 현실경험의 화자와 생활체험

조선 후기에는 서민의식이 급격하게 성장하여 사설시조의 작품에도 현실생활을 묘사하거나 현실체험의 상황과 그 내용을 표현하는 경우가 많아졌다. 여기서 대화체를 수용한 현실경험의 화자란 작품 속에 발화자를 둘 이상 설정해놓고 대화를 통해서 작품세계를 사실주의 예술의 기법으로 이끌어가는 경우를 의미한다. 현실경험의 화자는 사설시조의 작품세계에서 화자가 현실세계를 표현할 때 사실주의 관점에서 있는 그대로의 개성을 중시하여 현실에서 체험한 경험을 구체성을 바탕으로 표출해내는 경우를 의미한다고 할 수 있다. 이러한 현실경험의 화자를 통해서 사설시조의 담당층은 실제생활과 현장의 경험을 중요시여기는 사실주의 예술의 미학과도 밀접하게 관련되어 있다는 사실을 간파할 수 있다.

이런 경우에는 작품에 등장하는 화자가 어떻게 등장하느냐에 따라서 작품의 경향이 달라진다고 할 수 있다. 작품에 등장하는 화자가 두 명 이상으로 직접 등장하면 직접화법을 통한 대화체가 되고, 작품에 등장하는 화자가 작품세계에 한 명 이하로 등장하여 대화체를 이끌어간다면 간접화법을 통한 대화체가 된다. 간접화법을 통한 대화체는 작품 속에 화자가 일인칭 화자로 설정되는 경우가 많이 등장하고, 직접화법을 수용한 대화체는 화자의 다원화된 관점을 반영하는 희곡의 요소를 많이 지니고 있다.

대화체를 직접화법으로 수용하든 간접화법으로 수용하든 현실경험의 화자는 삶의 현장에서 체험한 현실경험을 서술하여 사설시조의 문맥을 풍성하게 한다고 할 수 있다.

⑤ 되들에 연지臙脂라 분粉들 사오
  져 중소야 네 연지분臙脂粉 곱거든 사쟈
  곱든 비록 안이되 불음연 네 업든
  교태嬌態 절로 나는 연지분臙脂粉이외
  진실로 글어ᄒ량이면 헌 속쎄슬 풀만졍 대엿 말이나 사리라
  <김 138>

'댁들에~사오'로 시작되는 사설시조의 유형은 5가지[13]로 나누어
지지만, 대부분의 유형이 물건에 대한 거래를 통해 장사꾼과 고객 사
이의 흥정 과정을 바탕으로 한 사실적인 상행위의 현장을 묘사하고
있다. 이런 유형 이외에도 상행위의 현장에는 '더위', '이별 나는 구
멍', '사랑' 등의 추상적이고 비유적인 대상의 거래행위가 사설시조를
통해서 연행되고 있다. 이들 작품은 유교사상을 바탕으로 한 사설시
조의 내용과는 다르게 현장에 경험한 애정행위와 상행위를 직접 표현
하고 있다. 이런 상행위와 성행위를 사설시조의 연행현장에서 자유
롭게 묘사했다는 것은 조선 후기의 경제관과 애정관의 변화를 알리는
증거가 된다.
  평시조에는 거의 등장하지 않는 장사치와 애정에 대한 흥정이나
대화가 사설시조에 와서 등장하고 있다. 사설시조에 등장하는 상행
위와 장사치에 대한 설명과 묘사는 조선 후기 근대 자본주의 경제체
제가 시작됨을 알리는 증거가 된다고 할 수 있다. 조선시대 농업경제
밖에 모르던 시민들이 봉건적 생업체계에서 일탈하여 초기의 시장경
제 체제를 인식하고 있다는 증거로 받아들일 수 있다.[14]

---

13) 김흥규 역주, 『사설시조』, 고려대학교 민족문화연구소, 1993.
14) 류해춘, 「상행위를 매개로 한 사설시조의 성담론」, 『우리문학연구』 22집, 2007,

위에 제시한 시조의 초장에서 제1화자인 장사치는 고객인 여성 화자에게 연지와 분을 사라고 담화를 건네고 있다. 연지와 분은 여성들이 얼굴을 치장할 때 쓰는 도구이다. 여기서 제1화자인 장사치는 여성인 청자에게 자신의 물건을 사줄 것을 광고하고 있다.

중장에서는 고객과 장사치가 대화를 나누고 있다. 제2화자인 여성 고객은 장사를 불러 세워두고 연지와 분의 상태에 대해서 흥정을 하고 있다. 이에 장사치는 자신의 물건을 여성화자가 사주기를 바라면서 연지와 분이 곱지는 않지만 바르면 교태가 난다고 고객인 제2화자에게 설명하고 있다. 장사치는 물건의 품질을 합리적으로 설명하기보다는 심리적으로 여자의 마음을 움직여 상행위를 하고자 한다. 이런 측면에서 중장의 구성은 장사와 고객이 1:1로 대화를 나누는 대화시의 구성15)을 갖추고 있다.

종장에서 제2화자인 여성고객은 장사의 말이 사실이라면 연지분을 많이 사겠다고 한다. 이러한 표현은 장사치와 고객 사이의 논쟁이 확대되면서 여성화자가 영리한 고객으로 돌아서면서 장사치의 상행위를 은근히 비꼬면서 달려드는 역설과 반어법을 사용하고 있다. 이 유형의 시조는 잡화를 파는 방물장사와 장사를 불러 물건 값을 흥정하는 직접대화를 작품에 드러내어 상행위를 하는 현장생활을 표현하여 사실성을 획득하고 있다.

이러한 직접 대화체는 사소하고도 자질구레한 소재를 직접 표현하여 서민들의 일상적인 삶의 모습을 드러내고 있다. 서민들의 일상생활을 표현하는 사설시조는 일상과 실제생활의 삶을 중요시여기는 화

---

pp.95~115.
15) 조동일, 『한국문학통사』, 3권, 지식산업사, 1984, p.77.

자의 의식을 잘 드러내고 있다. 두 화자의 현실적인 상행위의 한 단면을 보여주고 있는 이 담화는 상행위를 대화로 재현하는 과정을 통해 인물들의 개성을 작품에 보여주고 있다는 측면에서 희곡의 요소를 지니고 있다. 사설시조의 이러한 의식은 평시조의 상황중심의 현실인식에서 개인의 구체적인 현실생활에 대한 시각으로 문제의 초점을 변화시킨다는 의미가 된다.

다음으로는 사설시조가 현실경험의 대화체를 수용하며 구체적인 생활의 현장을 표현하고 있는 작품을 살펴보기로 한다.

⑥ 살구꽃 봉실봉실 핀 밧머리에 이랴이랴 하는 저 농부農夫야
　그 무슨 곡식을 시무랴고 봄 밧을 가오
　예주리 천자강이 홀아비콩 눗금적이 팟 녹두 기장 청경 차조
　새코 씨르기 참깨 들깨 동부 쥐눈이 찰 수수를 갈랴 함나
　그 무엇을 스무랴 하노 그것도 저것도 다 아니오
　구곡 장진 신곡 미등할 째에 제일 농량에 긴한 봄보리 가오
　　　　　　　　　　　　　　　　　　　　　　　　　<김 297>

⑦ 논 밧 가라 기음 미고 뵈잠방이 다임쳐 신들메고
　낫 가라 허리에 츠고 도쯰 벼려 두러메고
　무림산중茂林山中 드러가서 삭다리 마른 섭흘 뷔거니 버히거니
　지게에 질머 집팡이 밧쳐 노코 식음을 츠즈 가셔
　점심點心 도슭 부시이고 곰방디를 톡톡 쩌러
　닙담빅 퓌여 물고 코노릐 조오다가
　석양夕陽이 지너머 갈졔 엇씌룰 추이즈며
　긴 소릭 져른 소릭 ᄒ며 어이 갈고 ᄒ더라
　　　　　　　　　　　　　　　　　　　　　　　　　<김 281>

위의 사설시조들은 산과 들에서 농부와 나무꾼이 씨를 뿌리고 일을 하는 농촌과 산촌의 모습을 구체적으로 표현하고 있다. 농부들의 삶과 생활을 표현하고 있는 이런 유형의 노래는 가사문학에도 자주 나타나는데 〈농부가〉란 제목으로 20여 편의 작품이 있다.16) 이들 가사문학도 사설시조와 마찬가지로 농촌의 실제생활을 사실적으로 노래하고 있다.

⑥의 담화는 실제로 농촌의 밭에서 일하는 농부의 모습을 사실성을 바탕으로 표현하고 있다. 이 담화의 제1화자는 농촌의 현실생활을 관찰하는 인물이고, 제2화자는 농사를 직접 짓는 농부이다.

초장에서 제1화자는 작품 속에 등장하는 청자인 농부를 설정하여 연행현장에서 청자인 농부에게 대화를 건넨다. 이 장은 부지런하게 일을 하는 농부의 모습과 농촌의 경치가 서로 어울려 있어 전원시의 성격을 지니고 있다. 전원시의 특징은 중장에서 어느 정도 파괴된다. 중장에서 농촌의 현실을 관찰하는 현실경험의 화자가 심는 곡식의 종류를 나열한 후 농부에게 무슨 곡식을 심는지 의문법으로 대화를 건네면서 생활시의 성격을 지니게 된다. 종장에서 청자인 제2화자는 종장에서 지금까지 제1화자가 나열한 곡식의 이름을 부정하고 '봄보리'라고 너스레를 떤다. 농부의 '봄보리'라는 대답으로 제1화자인 관찰자의 다양한 곡식에 대한 지식은 공연한 잘난 체가 되고 만다. 작품의 수용자들은 제1화자와 제2화자의 이러한 직접적인 대화를 통해서 봄에 밭을 가는 곡식이 봄보리라는 사실을 천천히 알게 되어 제1화자의 성급한 판단에 아이러니한 웃음을 머금을 수 있다.

---

16) 최강현, 『기행문학연구』, 일지사, 1982, p.369.

⑦의 담화는 농촌에서의 하루 생활을 아침-점심-저녁의 시간의 흐름에 따라 서술하고 있다. 간접화법으로 농촌의 삶을 묘사하고 있으며, 조선 후기 농촌 삶의 현장을 낭만적으로 묘사하고 있어, 21세기 오늘날의 농촌과 비교해 보았을 때 조선 후기의 안정성이 있고 낭만성이 있는 농촌의 모습을 묘사하고 있다.

초장에서 현실경험의 화자는 아침의 일인 논과 밭을 갈고 김을 매고 농부가 간편한 옷을 입고 산으로 나무하러 가는 모습을 묘사하고 있다. 중장에서 현실경험의 화자는 관찰자로서 낫과 도끼를 갈아 나무를 하러 산중에 들어가서 나무를 하는 나무꾼의 모습을 묘사하고 있다. 낮에 나무꾼이 하는 활동은 삭정이 혹은 삭다리의 마른 잎을 모아서 지게에 짊어지고 우물가로 가서 점심 도시락을 먹고 난 후에 잎담배를 피우면서 노래를 부르고 있다. 종장에서 관찰자인 현실경험의 화자는 간접화법으로 해가 지고 나서 나무꾼이 어떻게 집으로 돌아갈까 하는 걱정스런 마음을 표출하고 있다. 이처럼 간접화법을 통해 대화체를 수용하는 현실경험의 화자는 희곡의 요소보다는 서사의 이야기를 구성하기에 적합하다고 할 수 있다. 이러한 사설시조의 특성은 평시조보다 환유의 수법과 산문화의 원리 등을 통해 더욱 구체적으로 현실생활과 그 체험을 감상하는 전문가 가객이나 양반사대부 지식인의 현실을 구체적으로 드러내고 있다.

사설시조에서 현실경험의 화자가 대화체를 지향하고 있는 경우에는 화자 사이에 서로 교차하는 언술을 주장하여 작품 속의 갈등을 일으킨다. 이러한 사설시조의 작품 전개는 대부분 초장에서 제1화자가 제2화자인 청자에게 말을 건네고, 중장에서 제1화자가 질문을 하거나 청자의 모습을 묘사하고, 종장에서 제2화자가 대답을 하거나 청자의

모습을 설명하는 구성으로 되어 있다. 대화체를 수용한 사설시조가
지닌 연극의 효과는 희곡 갈래보다 결여되어 있지만, 현실경험의 화자
가 현실생활의 삶의 모습을 사실성과 구체성을 갖추어 표현하고 있다.

4. 유희지향의 화자와 연행현장

조선 후기의 사설시조에는 현대의 대중예술과 비슷하게 오락성과
해학성을 미학으로 하는 일련의 작품들이 있다. 사설시조에 나타난
유희지향의 화자는 시의 대상물인 작품세계를 흥미와 쾌락의 대상으
로 표현하고 있다. 현대인들이 노래방에서 유행가를 부르면서 즐거
움을 느끼듯이 우리의 선현들은 연행현장에서 사설시조를 부르면서
즐거움과 쾌락을 함께 즐겼다.

1755년 장복소는 〈해동가요〉의 발문에서 시조가 '사람들의 귀를 즐
겁게 함으로써 그 마음을 화평하게 하고 풍속을 교화하는데 크게 관련
이 있다'[17]고 하였다. 여기서 사람의 귀를 즐겁게 한다는 것은 인간이
지닌 쾌락과 유희를 지향하는 성격을 의미한다고 할 수 있다. 이외에
도 이현보(1467~1555)는 〈어부가〉의 발문에서 이를 노복에게 가르치며
'때로는 분강 위의 작은 배에서 이 노래를 듣는 즐거움이 더욱 진실하
다'[18]고 했다. 여기서 노래를 듣는 즐거움이란 작가가 시조를 유희와
쾌락의 도구로서 여겼음을 의미하는 것이다. 또 이황(1501~1570)은
〈도산십이곡〉에서 '우리 동방의 가곡은 대체로 음란한 소리가 많아

---

17) 장복소張福紹, 「해동가요海東歌謠 발跋」, 悅人耳 和人心 其亦風敎之一大關也.
18) 이현보李賢輔, 「어부가漁父歌 발跋」, 使詠於汾江小艇之上, 興味尤眞.

말할 만한 것이 못 된다'[19]라고 하고 있다. 이 내용은 우리의 가곡이 너무 쾌락과 유희에 치우쳐 있음을 애석해하고 있는 것이다.

사설시조는 이러한 우리 노래에 대한 쾌락과 유희에 관한 견해를 계승하고 있다. 이를 계승하여 연행현장에서 즐거움과 쾌락의 창작 동기를 보여주는 사설시조의 화자를 유희지향의 화자라고 부르고자 한다. 유희지향의 화자는 연행현장에서 사설시조가 지닌 대중예술의 미학인 유흥성과 해학성을 함께 보여주고 있다. 평시조에는 유희지향의 화자가 대화체를 수용한 경우가 매우 드물다고 할 수 있다. 대화체는 크게 문답의 형식의 작품 전개의 방식을 포함하는 개념이다. 사설시조에서 작품에 등장한 화자가 둘 이상 직접 등장하게 되면 직접화법을 통한 대화체가 되고, 작품에 등장하는 현상적 화자가 한 명 이하가 되면 간접화법을 통한 대화체라 할 수 있다. 간접화법을 통한 대화체는 작품 속의 화자가 주로 일인칭 화자로 설정되는 경우가 많고, 직접화법을 통한 대화체는 두 명 이상의 화자가 현실의 다양한 모습을 반영하여 연극의 요소를 지니는 경우가 많다.

여기서는 유희지향의 화자가 사설시조의 연행현장에서 대화체를 수용하여 작품을 전개하는 경우를 살펴보기로 한다.

> ⑧ 각시님 믈너 눕소 내품의 안기리
>   이 아희놈 쾌심ㅎ니 네 날을 안을 소냐
>   각시님 그말 마소 됴고만 닷져고리
>   크나큰 고양남긔 쎙쎙 도라가며
>   제 혼자 다 안거든 내 자니 못안을가

---

19) 이황李滉, 「도산십이곡陶山十二曲 발跋」, 吾東方歌曲 大抵多淫哇不足言.

이 아히놈 괘심ᄒ니 네 날을 휘올소냐
각시님 그말 마소 됴고만 도샤공이 크나큰 대듕션을
제 혼자 다 휘우거든 내 자녀 못휘울가
이 아히놈 괘심ᄒ니 네 날을 붓홀소냐
각시님 그말 마소 됴고만 벼록블이 니러곳 나게 되면
청계라 관악산을 졔 혼자 다 붓거든 늬 자녀 못 붓홀가
이 아히놈 괘심ᄒ니 네 날을 그늘을 소냐
각시님 그말 마소 됴고만 빅지댱이 관동 팔면을
제 혼자 다 그늘오거든 내 자녀 못 그늘올가
진실노 네 말 ᄀᆺ특쟉시면 빅년동쥬 하리라.

<김 395>

⑧의 시조는 제1화자인 아이가 제2화자인 각시를 유혹하는 장면을 연행의 현장에서 재현하듯이 설명하고 있다. 유혹하는 장면은 각시와 아이의 사이에서 일어나는 성담론을 통해서 구체화된다.

초장에서는 조그만 아이가 각시를 품고자하는 우스운 상황의 성담론으로 연행의 현장을 긴장하게 한다. 아이가 각시를 품고자하는 것은 쾌락과 유희를 지향하는 성담론으로 성행위를 연상하게 한다. 중장에서는 아이와 각시의 성담론이 더욱 깊어지고 있다. 각시는 주로 묻는 자의 입장에 서고 아이는 각시의 성행위에 관한 질문을 능청스럽게 대답을 하는 입장에 서 있다. 질문의 내용은 각시의 성행위에 대한 욕망을 아이가 어떻게 충족시켜 주겠느냐는 것인데, 아이는 자신감을 가지고 온갖 비유를 동원하여 그 질문에 아주 만족스럽게 희화화시키면서 해학적으로 답변을 한다. 종장에서 제2화자인 각시는 아이와 백 년이라도 함께 살 수 있다고 너스레를 떨면서 아이와의 애

정갈등을 해소하는 입장이 된다.

이와 같은 대화를 통해서 두 사람의 갈등은 해소되지만 갈등의 해소가 현실에 기반을 둔 해소이기보다는 사설시조가 연행되는 현장에서 언어의 유희로 긴장감이 해소되었다고 할 수 있다. 직접화법으로 화자들 간의 애정갈등을 표현하고 있는 이 작품은 연행현장에서 청중들을 긴장시키며 주목하도록 하는 효과를 유발하고 있다.

다음에는 남녀 사이의 성욕을 노래하며 대화체를 지향하고 있는 유희지향의 화자를 살펴보기로 한다.

> ⑨ 기름에 지진 쑬 약과藥果도 아니 먹는 나를
> 　냉수冷水에 살믄 돌 만두饅頭를 먹으라 지근
> 　절대가인絶代佳人도 아니 ᄒ는 나를 각시님이 ᄒ라고 지근지근
> 　아무리 지근지근ᄒᄒᆫᆯ 품어 잘 줄 이스랴
> <김 132>

> ⑩ 니르랴 보쟈 니르랴 보쟈 내 아니 니르랴
> 　네 남진 ᄃ려 거즛 거스로 물깃ᄂ 체 ᄒ고
> 　통으란 나리와 우물전에 노코 쏘아리 버셔 통조지에 걸고
> 　건넌 집 쟈근 김서방金書房을 눈기야 불너늬여
> 　두 손목 마조 덥셕 쥐고 슈근슈근 말ᄒ다가
> 　삼밧트로 드러가셔 므스일 ᄒ던지 즌 삼은 쓰러지고
> 　굴근 삼대 ᄉᆺ만 나마 우즑우즑 ᄒ더라 ᄒ고
> 　늬 아니 니르랴 네 남진 ᄃ려
> 　져 아희 입이 보도라와 거즛말 마라스라
> 　우리는 ᄆᆞ을 지서미라 실삼죠곰 키더니라
> <김 165>

⑨와 ⑩의 사설시조는 조선 후기 사설시조가 연행되는 현장에서 화자의 유희본능을 대화체로 잘 표현하고 있는 작품이다. 대화체를 지향하고 있는 유희지향의 화자 중에서 ⑨는 간접화법을 사용하고 있으며, ⑩은 직접화법을 사용하고 있다. 간접화법의 표현은 제1화자의 의도에 제2화자의 담론이 지닌 의미를 함께 포함하여 전달하고 있으며, 직접화법의 표현은 작품의 담론에 등장한 이중화자가 서로 갈등을 일으키면서 대등하게 의사를 표현하고 있다.

⑨의 담화에서 제1화자는 약과와 만두를 미인과 각시에 비유한다. 제1화자는 누군가를 사랑하고 싶어 한다. 가깝게 있으면서 쉽게 품어 잘 수 있는 있는 사람은 만두에 비유된 각시이다. 하지만 화자는 더 아름다운 미인을 품어 자고자 하는 욕망을 지니고 있다. 초장과 중장에서 제1화자는 절대가인을 품어 자고 싶은 욕망을 해소하지 못하고, 허망한 마음으로 각시와 성생활을 하는 대리충족을 언어의 유희로 표현하고 있다. 종장에서 제1화자의 행위는 더욱 희극화되어 웃음을 유발하고 있다. 제1화자는 제2화자인 각시가 자신을 품어서 자고자하는 모습을 '지근지근함'이라는 의태어를 통해 표현하고 있다.

여기서 연행현장의 분위기는 반전이 되고 제1화자인 남성은 새로운 이상형인 미인을 그리워하고 제2화자인 여성은 제1화자와 애정행위에 몰두하고 있는 모습을 보여준다. 남녀 간의 애정행위의 현장을 사실적으로 묘사하는 이 장면은 연행의 현장과 그 분위기를 반영하여 현장의 청중들에게 많은 재미와 쾌락을 제공하고 있다.

⑩의 담화에서는 제1화자인 아이를 통해서 유부녀와 유부남이 불륜을 저지르고 있음을 알 수 있다. 아이는 불륜의 현장을 사실적으로 묘사하여 유부녀의 문란한 성생활과 비도덕성을 고발하고 있다. 유

부녀가 옆집의 김 서방을 꾀어내어서 부정행위를 저지르는 모습을 은 근히 비꼬면서 달려들고 있는데 제2화자인 유부녀가 능청스럽게 그 연행의 현장을 역설과 아이러니로 희화화시키고 있어 웃음을 유발하 게 한다.

초장에서 제1화자는 불륜의 관계를 남편에게 이르겠다고 으름장을 놓고 있다. 중장에서 제1화자는 제2화자인 유부녀의 행위를 시간의 흐름에 따라 나열하고 있다. 화소의 연결은 제2화자인 유부녀가 거짓 으로 물을 긷는 체하고 우물가에 가서 물동이를 내려놓음, 김 서방을 눈짓으로 불러냄, 삼밭으로 들어가서 부정행위를 하는 모습, 잔 삼은 넘어지고 굵은 삼은 끝이 춤을 추는 모습 등으로 서술하고 있다. 이처 럼 제1화자인 아이는 유부녀의 부정을 구체성과 체계성을 가지고 서 술하고 있다. 삼밭에서 일어나는 성행위의 대담한 묘사는 쾌락과 유 흥을 지향하는 불륜의 행위라고 할 수 있다. 종장에서는 다급해진 제 2화자가 아이를 타이르며 부정한 행위를 한 것이 아니라 함께 실삼을 캐러갔다고 자신의 입장을 설명한다. 이러한 해명은 반어적인 표현 으로 연행현장의 상황에서 청자들에게 재치 있는 웃음과 냉소를 함께 유발하는 경우가 된다.

이처럼 대화체를 수용한 유희지향의 화자는 화자들 상호간에 상반 되고 교차하는 욕망을 서술하여 갈등과 성욕에 대한 긴장감을 조성하 고 있다. 이와 같은 노래는 남녀 사이의 건전한 애정관계를 진술하기 보다는 인간이 지닌 애정의 욕구를 자유로이 발산할 수 있는 쾌락과 유흥의 현장에서 표출할 수 있는 성담론을 노래하여 사설시조가 연행 현장에서의 흥행할 수 있는 갈래가 되도록 유도하고 있다.

5. 대화체와 사설시조의 담당층

지금까지 대화체를 수용한 사설시조의 존재양상과 그 실현양상을 분석하여 보았다. 대화체를 지향한 사설시조의 화자는 그 의식의 지향에 따라 관념인식의 화자, 현실경험의 화자, 유희지향의 화자 등으로 나누어질 수 있다. 이러한 분류는 인간이 지닌 정신현상의 일반적인 상황을 고려하여 분류한 것이라고 할 수 있다. 이러한 시각을 바탕으로 하였을 때 사설시조의 주된 담당층은 조선 후기 예술의 향유층이며 그 당시의 예술을 흥행시킨 전문인 가객층과 양반사대부라고 할 수 있다.

사설시조의 작품에서 관념인식의 화자가 대화체를 지향한 이중화자로 설정된 경우에는 초장에서 화자가 화제를 진술하고, 중장에서 제1화자의 질문이 다른 화자에게 이루어지고, 종장에서 제2화자가 대답하는 구조의 특성을 지니고 있다. 화자에게 제시된 문제의 해결은 주로 선험의 관념이나 도덕의 이야기를 통해서 주제를 강조하고 있어 화자들 사이의 갈등의 효과는 다른 유형의 화자보다도 약하다고 할 수 있다. 대화체를 지향한 사설시조에 나타난 관념인식의 화자는 모든 독자에게 진리로 여겨질 수 있는 보편타당한 객관성과 교훈성을 표출하고 있다. 관념인식의 화자가 교훈성과 선험의 관념을 노래하는 경우에는 갈등의 상황을 유교의 관념이나 종교의 교리로 설명하여 갈등을 해소하고 있다고 할 수 있다.

사설시조의 작품에서 현실경험의 화자가 대화체를 수용한 경우에는 제1화자와 제2화자가 서로 대립하거나 갈등의 요소가 있는 담론을 진술하여 갈등을 일으키는 경우가 많다. 이 유형의 작품 전개는 대부분 초장에서 제1화자가 제2화자인 청자에게 말을 건네고, 중장에서 제1화자의 질문이 이루어지고, 종장에서 제2화자가 대답을 하는 대화체로 구성된 경우가 많다. 대화체를 수용한 사설시조의 연극의 효과는 크지 않고 긴장감이 결여되어 있지만 현실생활에서 체험하고 경험한 내용을 사실성과 현실성을 바탕으로 묘사하는 특성을 지니고 있다. 이처럼 현실경험의 화자가 주축이 되는 대화체를 수용한 사설시조는 백성들이 생활하는 삶의 모습과 진실한 애정, 무생물의 의인화 등의 다양한 현실체험을 관찰자로서 표현하는 경우가 많다고 할 수 있다.

　사설시조에서 유희지향의 화자가 대화체를 수용한 경우에는 사설시조가 남녀사이의 성담론이나 애정행위를 재미있게 표현하여 연행현장에서 청자를 즐겁게 하는 연행현장의 흥행을 중시하고 있다. 대화체를 수용한 사설시조에 나타난 유희지향의 화자는 화자들 상호간에 상반되고 교차되는 내용을 진술함으로써 성욕에 대한 긴장감을 불러일으키고 있다. 이러한 유형의 화자는 남녀사이의 건전한 사랑과 애정을 노래하기보다는 성욕의 자유로운 발산을 주장하는 쾌락과 유흥의 성을 해학과 골계로 전달하는 경우가 많다. 인간은 동물과는 다르게 자신의 생명보존과 종족보존의 본능을 유지하고 나면 남는 정력을 쾌락과 즐거움을 추구하는데 사용한다고 한다. 대화체를 수용한 유희지향의 화자는 사설시조가 놀이판에서 연행될 때 많은 청자와 수용자들에게 관심을 집중시키기 위해 연행현장에서 웃음을 제공하여 주어서 성행했다고 할 수 있다.

　결국 대화체를 수용한 사설시조에는 관념인식의 화자, 현실경험의 화자, 그리고 유희지향의 화자 등이 작품에 등장하여 작품세계에 나

타난 다양한 주제를 소화하고 있다. 관념인식의 화자는 사설시조의
작품세계에 제기된 문제가 선험이나 관념을 인식함으로써 해결될 것
이라고 생각하여 화자 사이의 대화에서 교훈주의가 지닌 예술의 특성
을 잘 드러내고 있다. 현실경험의 화자는 사설시조의 작품세계에 제
기된 현실의 문제를 생활의 현장에서 체험하는 내용을 진술하여 해결
하고 있으며 화자 사이의 대화에서 현실비판이나 현실체험을 강조하
는 사실주의 문학의 특성을 나타내고 있다. 유희지향의 화자는 사설
시조의 작품세계에 제기된 애정의 문제를 쾌락이나 유흥의 시각으로
노래하여 화자 사이의 대화에서 대중예술의 미학인 통속성을 잘 드러
내고 있다.

　앞으로의 이 분야에 대한 연구는 사설시조에 등장하는 화자의 모
습을 다양한 수사학에 입각하여 분석하고 관찰하여 화자의 태도와 청
자의 반응이 연행현장과는 어떤 상관성을 지니고 있는 지를 살펴보는
작업이 계속해서 필요하다고 할 수 있다.

현상적 청자를 설정한
사설시조의 유형과 존재양상

1. 현상적 청자와 사설시조

17세기부터 성장하기 시작한 민중의식은 사설시조를 왕성하게 창
작하도록 하였다. 사설시조에서도 현대시와 마찬가지로 작품에 현상
적 청자를 설정하여 그 표현의도를 선명하게 드러내고 있는 일련의
작품들이 있다. 현상적 청자를 설정한 사설시조란 화자가 작품의 문
맥이나 외연에 '아이야', '사람들아', '재상아' 등의 청자를 등장시키고
있는 경우를 의미한다.[1] 여기서는 현상적 청자를 설정한 사설시조의
작품과 그 실현양상을 주목하고자 한다.

사설시조의 담론에 나타난 의사소통이 화자, 메시지, 청자의 상관
성 속에서 이루어진다고 할 때 청자의 유형과 그 위치에 따라 메시지
표현의 어조와 그 기법이 달라진다고 할 수 있다.[2] 사설시조가 담론

---

[1] 김대행, 「시조의 화자와 청자」, 『시조유형론』, 이화여자대학교 출판부, 1986, pp.283~297; 신은경, 「사설시조의 시학연구」, 서강대학교 박사학위논문, 1988.
[2] 류해춘, 「사설시조에 나타난 시적 화자의 유형과 그 특성」, 『어문학』52집, 1991,

의 양식이라고 할 때 발언자인 화자는 작품의 전달대상인 청자를 어디에 어떻게 설정하느냐에 따라 표현하는 의미가 달라진다고 할 수 있다. 사설시조에서 화자는 청자에 대한 태도와 목소리에 의해서 구별되는 진술의 방법, 어조 등으로 수용자를 반응시켜 메시지를 전달하는 방법을 모색하게 된다.

여기서는 작품의 표면에 나타나는 청자를 현상적 청자라고 부르고, 사설시조에 나타나는 현상적 청자와 화자가 공유하는 의식세계의 특성을 살펴보고자 한다. 사설시조의 담론에 나타난 현상적 청자는 사설시조의 화자와 호응하여 사설시조의 시문법을 다양하게 표현하고 있어 학계에 주목을 받아 왔으나 그 연구가 거의 없었다고 할 수 있다.

여기서는 현상적 청자를 설정한 사설시조에 나타난 화자의 유형을 찾아내고 사설시조에 진술한 의식을 중심으로 향유층의 특성을 논의하고자 한다.3) 사설시조에 등장하는 화자의 의식세계는 관념인식의 화자, 현실경험의 화자, 유희지향의 화자 등으로 나누어진다.

이처럼 다양한 가면을 쓰고 우리에게 다가오는 사설시조의 화자는 작품에 현상적 청자를 설정하여 화자의 의식세계와 연행현장을 독자와 수용자에게 전달하고 있다.

---

pp.311~332; 박기호, 「대화체 장시조 연구」, 『시조학논총』 7집, 1991, pp.23~50; 강명혜, 「사설시조의 언술 연구」, 『시조학논총』 10집, 1994, pp.205~231.

3) 사설시조의 담론에 등장하는 청자들의 유형은 현상적 청자, 함축적 청자 등으로 나누어지며 각각의 유형에 따라 작가의 의도는 다양하게 나타날 수 있다. 사설시조에 나타난 함축적 청자에 관련된 연구는 독자를 포함하는 문학의 수용론이나 사회학으로 접근해야 그 효과가 명확하게 나타날 수 있어 문학연구의 한계를 벗어날 수가 있어 접근하는데 많은 자료를 필요로 한다. 이 글에서는 사설시조에 등장하는 현상적 청자를 주목하여 분석하고 사설시조의 시문법과 그 의미의 실현양상을 찾아보고자 한다.

2. 관념인식의 화자가 청자에게 전달하는 주제의식

사설시조의 담론에서 화자가 작품의 행간에 '아희야', '재상아', '사람아' 등의 청자를 설정하면 자연히 현상적 청자를 설정한 담화가 된다고 할 수 있다. 이때에 작품에 등장한 화자가 어디에 존재하느냐에 따라 작품의 경향은 달라진다고 할 수 있다. 함축적 화자와 청자란 작품의 이면에 숨어 있는 화자와 청자를 말하며, 현상적 화자와 청자란 작품의 표면에 나타난 화자와 청자를 의미한다.[4] 현상적 청자가 등장하는 사설시조는 담론의 의사소통을 화자, 메시지, 청자 등으로 3분류했을 때, 작품의 진술이 청자를 지향하는 경우에 많이 등장한다고 할 수 있다.

이 유형에서 흥미를 끄는 것은 작품의 표면에 존재하는 청자의 위치라고 할 수 있다. 현상적 청자가 같은 부류의 사람이면 화자의 생각을 청자에게 권유하거나 부탁을 하는 경우가 흔하고, 현상적 청자가 손아래 사람이면 화자의 생각을 청자에게 명령하거나 지시하는 경향이 강하다. 이처럼 화자는 현상적 청자의 신분에 따라 자신의 생각을 표현한다고 할 수 있다. 관념인식의 화자가 작품의 표면에 현상적 청자를 설정해 놓고 상황을 설명하기 위해 담론을 전개하는 사설시조를 살펴보기로 한다.

① 백두산석白頭山石은 마도진磨刀盡이요
   두만강수斗滿江水난 마음무馬飮無라
   남아이십男兒二十 미평국未平國인듸

---

4) 김준오, 『시론, 문장사』, 1982, pp.207~209.

후세수위後世誰謂 대장부大丈夫랴
아희야 마개馬槪의 마馬닉여 셰우고
갑주甲冑 창검槍劍 닉여노와 천여수시天與授時가 분명分明코나
<김 372>5)

이 담화의 초장과 중장은 남이(1441~1468) 장군이 지은 한시漢詩를
차용하고 있다. 차용된 한시를 번역하면 "백두산의 돌은 칼을 갈아서
없애고, 두만강의 물은 말을 먹여 마르게 하리라, 남아로 태어나 20
세에 이르도록 나라를 평정하지 못한다면, 후세에 어느 누가 대장부
라고 하리오."라는 내용이다. 초장과 중장을 남이 장군의 한시를 차
용한 화자는 사설시조의 시문법에 맞추어 종장에 주제에 가까운 내용
을 담아야 했다. 그래서 화자는 종장에서 현상적인 청자인 '아희야'를
내세워 하늘이 준 시기라고 하며 전투준비를 하게 한다. 현상적 청자
인 아이는 마구간에 있는 말을 앞세우고 갑옷과 투구, 창과 칼을 준비
하여 시적 화자에게 제공하여야 한다. 이러한 내용은 평시조에서 등
장하는 현상적 청자인 아이가 심부름꾼이나 동행인의 통칭으로 아이
를 설정한 것과 비슷하다고 할 수 있다. 현상적인 청자를 어리석은
자로 규정하는 논의가 있다.6) 시조에 등장하는 현상적인 청자를 모
두 어리석은 자로 규정하기보다는 동행인이나 심부름꾼으로 정의하
는 것이 바람직하다고 할 수 있다.

② 이바 아히 돌아 새히 온다 즐겨마라

5) 김흥규 역주, 『사설시조』, 고려대학교 민족문화연구소, 1993. 이 논문에서 이
   책의 작품인용은 각주를 달지 않고 (김 000)으로 작품번호를 표시한다.
6) 송종관, 『시조의 문예적 탐색』, 중문출판사, 2000, pp.128~146.

헌서흔 세월歲月이 소년少年아사 가느니라
우리도 새히 즐겨ᄒ다가 이 백발白髮이 되얏노라

신계영<심 1819>[7]

이 평시조에 등장한 청자인 아이는 화자가 수행해야 할 것을 대신
하며 동행인의 의미를 지닌다. 앞의 사설시조에서 논의한 청자의 모
습과 거의 같은 수법으로 사용된 것이다. 현상적 청자가 아이로 설정
된 경우는 평시조와 사설시조를 막론하고 관습적 청자의 유형이라고
할 수 있다. 아이의 존재가 이러하기 때문에 아이는 진술된 문맥에
단순히 동참하는 관계로 불러들인 것이 아니고 자신의 정서나 상황
또는 의도를 투사하기 위해 불러들여진 존재로 보아야 할 것이다. 여
기서 투사란 자신의 내부에서 생기는 욕망, 감정, 결정, 이상 등을 대
상으로 옮겨 드러낸다는 뜻으로 사용했다.[8]

이러한 장치는 시조 전달의 다층구조를 살필 때 큰 역할을 하며 시
조가 지닌 입체구조에 많은 기여를 한다. 현상적 청자인 아이들의 등
장은 시조가 단순하게 화자의 독백으로 빠지는 것을 막고 시적 대상
물인 작품을 객관화시킨다. 즉, 시적 화자가 구체적으로 말을 건네는
현상적인 관습의 청자를 마련함으로써 시조의 의미전달을 객관화하
는 역할을 하면서 그 내용을 다양하게 전개하는데 도움을 주고 있다.

③ 천지만물天地萬物이 엇디ᄒ야 삼긴게고
    시저리 쓰시면 태창太倉에 녹미祿米를 씌 누키고 머그리라

---

7) 심재완, 『역대시조전서』, 세종문화사, 1972. 이 논문에서 이 책의 작품인용은 각
   주를 달지 않고 (심 000)으로 작품 번호를 표시한다.
8) 김대행, 「시적 표현의 문법」, 『고전문학연구』 제3집, 한국고전문학연구회, 1986.

시저리 ᄇ리시면 녹수청산祿水靑山이 어듸가 업스리오
위천어부渭川漁夫도 낫대 흔나 ᄲ우니오 신야경수莘野耕叟도 두어
고랑 바티로 다 ᄒ믈며 엄자룽嚴子陵도 제복帝腹에 발 연즈니
구믈기도 몯ᄒ거든 셩식글 내실러냐
어릴샤 뎌 재상宰相아 제 지브로 오라ᄒ샤

고응척<심 2805>

④ 이졔는 못보게도 ᄒ애 못 볼시는 적실的實커다
만리萬里 가는 길에 해구海口 절식絶息ᄒ고
은하수銀河水 건너 뛰여 북해北海 ᄀ리지고
풍토風土ㅣ 절심切甚ᄒ듸 심의산深意山 굴가마귀
태백산太白山 기슭으로 골각골각 우닐며
ᄎ돌도 바히 못 어더 먹고 굶어 죽는 사희
내 어듸 가셔 님 ᄎ자 보리
아ᄒ야 님이 오셔든 주려 죽단 말 싱심도 말고
ᄲᆞᆯ쌀이 그리다가 거어즐 병病 어더서 갓고
쎠만 나마 달바조 밋트로 아장밧삭 건니다가
쟈근 쇼마 보신 후後에 니마 우희 손을 언ᄶ고
흔 가레 추혀들고 잣바져 죽다 ᄒ여라

<김 73>

③과 ④의 사설시조는 시적 화자가 담화 속에 현상적 청자인 '재상'과 '아이'를 각각 설정하고 있다. 여기서 우리는 평시조의 일반적인 현상적 청자가 '아이'인 것을 고려하면서 사설시조의 현상적 청자에 '재상'이 등장한 것을 주목해서 살펴보아야 한다. 이러한 현상은 사설시조에 와서 작품 속에 등장한 현상적 청자가 다양해지고 있는 상황을 보여준다.

③은 두곡杜谷 고응척高應陟(1531~1605)의 〈호호가浩浩歌〉이고, ④는 작가 미상의 작품이다. ③의 작품은 초장에서 천지만물이 생긴 배경에 대해서 시적 화자가 관심을 표명하고 있다. 화자의 이러한 관심은 작품에 등장한 현상적 청자에게 보편적인 상황을 인식시키기 위해서 설정된 장치로 보인다. 이러한 화자의 의도는 초장에서 제기된 보편적인 상황을 중장에서 구체적으로 제시할 기회를 제공하고 있다. 그리고 화자는 중장에서 시절과 인간의 출세관계를 대비적으로 보여주고, 성인들의 처세관을 나열하여 현상적 청자에게 따르도록 권유하고 있다. 시적 화자가 청자에게 제시하는 처세관은 위천어부渭川漁夫, 신야경수莘野耕叟, 엄자릉嚴子陵 등의 고사故事를 통해서 안빈낙도하며 유유자적한 삶을 살아가자는 것이라 할 수 있다. 즉 중장에 나타난 화자의 의도는 시절의 좋고 나쁨을 가려서 삶을 살아가려는 여러 가지의 소재를 병렬하여 나열하고 있다고 볼 수 있다. 종장에서 화자는 현상적 청자에게 현재의 시절이 나쁘니까 자기의 고향으로 돌아가 한가롭게 전원 생활하기를 권하고 있다.

여기서 주목해 보아야 할 것은 종장의 서술어 어미 형태에 관심을 표명할 필요가 있다. 현상적 청자가 재상으로 등장함으로써 서술형 어미가 '오라', '하노라' 등의 명령어가 아닌 '오라홀샤'의 청유형 내지는 권유형으로 되어 있다. 이러한 현상은 청자의 신분과 지위 고하에 따라 달라지는 사설시조의 시문법을 보여주는 예라고 할 수 있다.

결국 위의 작품은 관념인식의 화자가 초장에서 삶의 문제를 환기시키고, 중장에서 그 문제를 부연하여 구체적으로 설명하고, 종장에서 그 해결책을 제시하고 있다. 그 해결책은 화자가 현상적 청자인 재상에게 현실의 어려움을 극복하기 위해 노력하지 말고 집으로 돌아가 전원생활하기를 주장하고 있다. 이러한 화자는 성현들이 체험했던 귀거래의 삶의 태도를 배우고 익히므로 현재의 어려움이 극복될 것이라는 의식을 지니고 있다.

④의 사설시조는 일상의 현실과는 격리된 세계를 구축하고 있다. 화자는 임과 헤어진 후 일상의 현실에서는 체험할 수 없는 천상세계를 설정하고 있다. 이 작품 속에 설정된 상상의 세계는 도가적인 천상의 세계라고 할 수 있다. 초장에서 화자는 다른 외부의 상황에 의해 피동적으로 임을 만나지 못함을 서술하고 있다. 외부의 상황은 작품에 표현되어 있지 않으므로 독자들은 상상에 의해서 '임의 부재'라는 외부의 상황을 짐작해야 한다. 하지만 중장에 오면 화자는 자신이 처한 현실의 상황을 사실적이고 구체적으로 표현하고 있다. 여기서 화자는 마니산의 까마귀에 비유되어 있다. 화자는 까마귀가 먼 길을 가고자 하는데, 바다에서 먹이를 얻지 못하고 굶주리다가 육지인 태백산으로 올라와 서럽게 울다가 불쌍하게 죽는다고 묘사하고 있다. 이 작품의 화자인 '나'는 까마귀의 모습에 투사되어 자신도 까마귀와 같이 굶어 죽을 위치에 처해 있는 상황을 제시하고 있다. 이와 같이 굶어 죽을 위치에 처해있는 비참한 현실에서 화자인 '나'도 까마귀처럼 임을 찾을 수 없다고 한다. 그러자 중장에서 화자는 현상적인 청자인 '아이'를 설정하고 임과 나의 인연을 연결할 고리를 찾고자 한다. 하지만 화자는 구경꾼이며 현상적 청자인 '아이'에게 화자인 '나'가 굶어 죽었다는 말을 하지 말고, 현상적 청자인 '아이'가 임을 만나면 화자인 '나'는 임을 그리다가 죽었다라고 전달해 주기를 간절하게 부탁하며 해학적으로 표현하고 있다.

결국, 이 사설시조는 초장에서 화자인 '나'의 이별로 인한 외로움을

표현하고 있고, 중장에서는 임과 나의 이별을 해소하는 방법으로 현
실세계보다 천상세계에서 만날 수 있는 가능성을 설정하고 있다. 종
장에서 화자는 천상세계에서 임과 나의 사이에 존재하는 매개자인
'아이'를 설정하여 임과 내가 가난 때문에 현실의 사랑을 이루지 못함
을 표현하고 있다.

이 담화에서 임과 나를 분리시키는 현실적인 소재는 가난이며, 화
자가 굶어 죽는 모습이 마니산摩尼山의 까마귀에 비유되어 있다. 죽은
후 천상세계에서 이루어지는 사랑은 미래지향과 내세지향을 함께 하
고 있지만 현실에서 못다 이룬 사랑을 천상세계에서 이루겠다는 화자
의 의식은 현실을 초월하고자 하는 관념인식의 세계관이라고 할 수
있다.

이 작품에서 화자는 현상적 청자로 등장한 '아이'에게 작품의 거의
반이나 되는 담화의 양을 서술하게 하고 있다. 청자인 '아이'는 화자
의 임이 오기라도 하면 화자가 죽어간 사건의 전말을 전하고 천상세
계의 보랏빛 사랑을 임에게 설명해야 한다. 이 때 청자는 화자의 명령
을 전달하는 위치이기 보다는 사건의 전말을 보도하는 전달자의 위치
로 그리고 설명자의 상태라고 할 수 있다. 이 때 사용된 서술어 '하더
라'는 지금까지 전개된 논의에 관계없이 독자적이고 본질적인 영역이
나 미래에 대한 신뢰감 내지는 기약을 현상적 청자를 통해 표현하고
있는 수사법의 종결어미로 보아야 한다.9) 이러한 현상은 평시조에
나타난 막연하고 관습적인 청자로 현상적인 청자를 이해하기보다는
전달자와 설명자의 위치로 현상적 청자를 설명할 수 있게 해준다. 이

---

9) 김대행, 『시조유형론』, 이화여자대학교 출판부, 1986, p.125.

런 점에서 평시조의 청자보다도 사설시조의 청자는 그 역할을 확대하여 다양한 모습을 드러내고 있다.

③의 작품에서 화자는 성현들의 처세관을 모범으로 화자의 유가적인 처세관을 청자에게 전달하여 인식시키려는 관념인식의 세계관을 지니고 있고, ④의 작품에서 화자는 현실에서 이루지 못한 사랑을 죽어서 천상세계에서 이루고자하는 도가의 세계관을 담고 있어 관념인식의 화자라 할 수 있다. 결국 이 두 작품의 화자는 청자에게 유교와 도교의 세계관이 현실에서 제기된 문제를 해결할 것이라는 관념인식의 내용을 작품에서 서술하고 있다.

이상에서 살펴본 것처럼 사설시조에서 관념인식의 화자가 현상적 청자를 설정하고 작품을 이끌어나가는 경우 현상적 청자는 작품 구조 내에서 상당히 중요한 역할을 하고 있다는 사실을 알았다. 즉, 평시조에 등장한 현상적 청자가 주로 관습적인 청자라면 사설시조에 등장한 현상적 청자는 설명자 또는 전달자로 화자와 대등한 관계를 유지하면서 독립적인 역할을 한다고 할 수 있다.

사설시조에서 관념인식의 화자가 현상적 청자를 설정하고 유교적 이념과 초경험적인 세계를 집중적으로 노래하고 있는 사설시조에 나타난 화자의 정신세계는 양반사대부의 의식에 초점이 맞추어져 있다. 이 유형의 사설시조에 나타난 관념인식의 화자는 화자가 작품에 제기된 문제를 선행된 이념이나 사상을 적용함으로써 해결될 것이라고 믿는다. 예를 들면 이런 유형의 화자는 종교적인 경전의 내용이나 사상을 빌려오거나 아니면 관습을 통해서 추상적으로 현실의 문제점을 해결하려고 한다. 문제의 해결은 주로 관념이나 종교의 교리를 빌려오는 이야기로 이루어져 있으며, 이로 인해 현상적 청자를 설정한 의도

는 반감되지만 명확하게 주제를 전달하기 위해 상황을 정확하게 설명
하는 특성을 지니고 있다.

3. 현실경험의 화자가 청자에게 보여주는 생활체험

조선 후기에는 서민의식이 급격하게 성장하여 사설시조의 작품에
도 현실을 비판하거나 체험하는 내용의 작품이 많아졌다. 현실경험
의 화자는 사설시조의 대상물을 표현론의 관점에서 있는 그대로의 개
성을 중시하여 체험한 경험을 사실적으로 표출해내는 경우를 의미한
다고 할 수 있다. 현실경험의 화자는 사설시조의 담당층이 사실성과
현장의 경험을 중요시여기는 현실의식과 밀접하게 연관되어 있다는
사실을 간파할 수 있다.

먼저, 현실경험의 화자가 현상적 청자를 설정해 놓고 담화를 전개
하는 평시조의 작품을 살펴보기로 한다. 사설시조의 담론에서 화자
가 작품의 행간에 '아희야', '사람아', '한숨아' 등의 청자를 설정하면
자연히 현상적 청자를 설정한 담화가 된다고 할 수 있다. 이런 경우에
도 현상적인 청자가 어떻게 등장하느냐에 따라서 작품의 경향이 달라
진다. 화자는 현상적 청자의 신분에 따라 다양하게 사신의 현실경험
의 의식을 표현한다고 할 수 있다.

⑤ 초당草堂에 깁히 든 줌을 새소리에 놀나 끼니
　매화우梅花雨 긴가지의 석양이 거의로다
　아희야 낙듸 닉여라 고기잡이 져무럿다

　　　　　　　　　　　　　　　　　　　　　　<심 2924>

이 시조는 시부詩賦에 능했으며 평생을 애민정신과 굳은 절개로 생활한 이화진(1626~1696)의 작품으로 알려져 있다. 여기에 등장하는 현상적 청자인 '아이'는 관습의 장치로 등장한 청자라기보다는 작품의 전개에 입체화와 다양화에 일정한 영향을 미치고 있는 화자라고 할 수 있다. 청자인 '아이'는 화자의 상대방이 되는 위치에서 화자의 의견을 받아서 심부름을 하면서 화자와 함께 낚시놀이라는 여가활동에 참여하게 되는 것이다. 여기서 화자는 청자인 '아이'를 설정하여 이 담화가 단순히 독백으로 빠지는 것을 방지하고 있다. 현상적 청자인 '아이'의 존재가 이러하기 때문에 진술된 문맥에 대화의 상대자로 불러들인 것이 아니고 자신의 정서나 상황 또는 의도를 투사하기 위해 설정한 청자로 보아야 한다. 투사란 자신의 내부에서 생기는 욕망, 감정, 결정, 이상 등을 옮겨 드러내는 대상이라고 할 수 있다.

사설시조에 등장하는 현상적 청자는 평시조에 등장하는 현상적 청자보다 그 역할이 훨씬 확대되는 특징을 지니고 있다.

⑥ 눈아 눈아 머르칠 눈아
　　두 손 장가락으로 꼭 질너 머르칠 눈아
　　남의 님 볼지라도 본동만동 ᄒ라 ᄒ고
　　늬 언제부터 정 다슬나터니
　　아마도 이 눈의 지휘에 말 만홀가 ᄒ노라
　　　　　　　　　　　　　　　　　　　　　　　＜김 28＞

이 사설시조는 화자가 현상적 청자인 '눈'을 등장시켜 놓고 자문자답의 형식으로 '눈'의 잘못된 비리를 노래하고 있다. 사람의 몸에 딸린 눈을 현상적 청자로 등장시켜 독자를 긴장시키고 있다. 이 작품에 등장한 신체의 일부분인 눈은 다른 사람의 임을 훔쳐보는 부정적이며 비난 받아야 할 청자로 설정되어 있다. 비난받아야 할 청자로 설정된 눈을 화자는 비난하는 화법으로 그 눈으로 말미암아 앞으로도 말이 많을까 한다고 설파하고 있다.

현상적 청자인 눈이 문제아로 등장하는 내용은 중장에서 구체적으로 드러난다. 화자는 현상적 청자인 눈에게 다른 사람의 임을 보아도 한 눈을 팔지 말라고 당부하였다. 하지만 청자인 눈은 자신의 욕정을 채우기 위해서 다른 임의 미색에 반했던 것이다. 화자는 이러한 현실에 대한 불만으로 현상적 청자인 눈을 응징함으로써 여색을 경계하고자 하고 있다.

종장에서 화자는 문제아이며 현상적 청자인 눈을 통해서 앞으로 일어날 복잡한 현실 문제를 '말 만흘가 하노라'라는 구절句節로 함축하고 있다. 이 담화는 현상적 청자인 눈과 현실 경험의 화자가 닥쳐오는 현실의 문제를 정확하게 파악하여 소문이나 말이 많은 것을 경계하고 있다. 이러한 표현의 어조는 화자가 현실의 문제를 현상적 청자에게 건네면서 반어적이고 아이러니한 수법을 선보이고 있다고 할 수 있다. 사설시조의 이러한 표현은 다음에 이어지는 창노래와 벽노래의 사설시조도 마찬가지라고 할 수 있다.

> ⑦ 혼숨아 세 한숨아 네 어닉 틈으로 드러온다
> 고모장ㅈ 셰살장ㅈ 가로다지 여다지 암돌져귀 수돌져귀
> 비목걸새 뚝닥 박고 龍용거북 자물쇠로 수기수기 추엿ᄂᆡ
> 병풍屛風이라 덜걱 져븐 족자簇子ㅣ라 딕틱글 만나
> 네 어닉 틈으로 드러 온다

어인지 너 온 날이면 줌 못 드러 ᄒ노라

<김 102>

⑧ 벌의 줄 잡은 갓슬 쓰고 헌 옷 닙은 뎌 백성百姓이
그 무슨 정원情原으로 주손의 소지所志 쥐고
공사문公事門 드리ᄃ라 안ᄂ고나
동헌東軒쓸의 쥐ᄌᄐ 형방刑房놈과 범ᄌᄐ 나졸羅卒들이
알외여라 흔 소리예 혼비백산魂飛魄散ᄒ여
ᄒ올말 다 못ᄒ니 올혼 송리訟理 굽어디ᄂᆡ
아마도 평이근민平易近民ᄒ여야 도달민정道達民情ᄒ리라

<심 1219>

⑦의 사설시조는 현상적 청자를 '한숨'으로 설정하고 있으며, ⑧의 사설시조는 청자를 '백성'으로 설정하고 있다. 위의 시조는 현상적 청자를 한숨과 백성으로 설정하고 일방적으로 화자가 청자에게 건네는 말을 전한다. ⑦의 담화는 인간의 생리적인 현상인 한숨을 청자로 등장시켜 독자를 긴장시키고 있으며, ⑧의 담화는 백성을 청자로 등장시켜 고통을 받는 백성들의 구체적인 현실을 표현하고 있다.

⑦의 사설시조는 인간의 한숨을 의인화하여 인간사의 걱정을 솔직하게 표현하고 있다. 한숨은 인간의 마음이 어지럽고 낙심될 때 오는 현상이라고 할 수 있다. 초장에서 화자는 한숨이 아무 연락도 없이 찾아온다고 표현하고 있다. 마음에 근심이라는 틈이 생기면 한숨은 찾아온다. 초장에 나타난 마음에 틈은 물리적 현상의 틈이 아니라 심리적 현상의 틈이라 할 수 있다.

하지만 중장에서 화자는 한숨이 들어오는 가슴을 물리적으로 막으려고 해서 심리적으로 갈등을 야기하고 있다. 한숨이 파고드는 현상

을 막기 위해서 화자는 고모장지, 세살장지, 들장지, 열장지, 암돌쩌
귀, 배목걸쇠, 자물쇠, 병풍, 족자 등을 동원하고 있다. 이러한 물건
들은 가슴에 난 한숨의 틈을 막아 화자의 한숨을 없애는 역할을 할
수 있는 방패막이인 매개물이라 할 수 있다. 여기서는 매개물을 그냥
나열하고 있지만, 한숨을 막고자하는 화자의 다급한 마음을 사실적
으로 표현하는 장치라고 할 수 있다. 이러한 화자의 노력에도 불구하
고 현상적인 청자인 한숨은 화자의 의도와는 다르게 가슴 깊이 파고
들어 와서 화자와 갈등을 일으키고 있다.

종장에서 화자는 현상적 청자인 '너', 즉 한숨이 들어온 밤이면 잠
을 못 이룬다고 한다. 여기에 오면 지금까지 한숨을 막기 위해 노력한
화자의 지혜는 수포로 돌아간다. 이러한 현상은 지극히 당연한 일이
지만 화자가 체념적으로 포기하는 반어적인 수법을 사용하고 있다.
이러한 현상은 화자가 현실의 슬픔을 극복하지 못하고 정서의 불안정
을 슬픈 해학으로 이끌어가는 현상과 유사하다고 할 수 있다.10) 이
작품에 나타난 화자의 정서불안정은 작품을 파탄으로 이끌어가지 않
고 화자가 경험한 삶의 모습을 현상적 청자에게 더욱 생생하고 역동
적으로 표현하는 구실을 한다.

⑧의 작가는 신헌조申獻朝(1752~1807)로 25편의 시조를 지었다. 이
작품의 화자는 조선 후기 양반층의 위선을 현상적 청자인 백성을 등장
시켜 풍자하고 있다. 이 작품에서 직접 비난하는 대상의 관리는 관아에
서 부정과 비리를 일삼는 아전과 현감이다. 부정을 일삼는 아전과 무능
한 현감은 조선 후기 문학에서 자주 풍자의 대상이 되는 존재들이다.

---

10) 조동일, 『서사민요연구』, 계명대학교 출판부, 1970, pp.117~123.

초장에서 화자는 힘없고 약한 백성인 현상적 청자가 동헌에 억울함을 호소하러 가는 모습을 묘사하고 있다. 이 때 청자의 가난하고 처량한 모습은 벌레가 줄친 갓과 헌 옷 등의 묘사를 통해서 표현된다. 이러한 묘사는 사실적이고 반어적인 표현으로 조선 후기 가난하고 억압받는 백성들의 전형적인 모습을 제시하는 표현이라 할 수 있다.

중장에서 화자는 동헌에 있는 아전의 호통으로 나약한 모습을 보이는 백성들의 모습을 사실적으로 표현하고 있다. 청자인 백성은 교활한 아전인 형방과 나졸들의 호통소리에 억압되어 혼이 빠지고 정신이 산만하여 자신이 해야 할 말을 제대로 하지 못한다. 여기서 화자는 청자의 모습과 재판하는 광경을 사실적으로 표현하여 재판의 불공정성을 고발하고 있다.

종장에서 화자는 정치의 파탄을 꼬집고 있다. 정치의 파탄은 관청의 문턱이 너무 높아서 야기된 것으로 권력자는 백성과 가까워야 좋은 정치가가 된다는 것을 충고하고 있다. 이 담화에서 화자는 구경꾼의 입장에서 당시 정치의 파탄을 묘사하고 전지자全知者의 입장에서 현실 정치에 대한 냉엄한 비판을 하고 있다. 이 작품의 내용은 상상이나 허구적인 이야기가 아니라 당시의 사회실정에 비추어볼 때 충분히 개연성이 있는 내용이라 사실성을 지니고 있다. 이러한 측면에서 사설시조는 사실성을 획득하게 되며 자연을 지향하는 평시조와는 다른 표현기법을 사용하게 되었다고 할 수 있다. 이러한 현실 비판의 사설시조는 현상적 청자의 지위가 낮고 현실의 고통이 심해지면 질수록 그 비난의 태도는 더욱 직접적이고 노골적으로 나타난다고 할 수 있다.

이상에서 현실경험의 화자가 현상적인 청자를 설정하고 있는 사설시조는 화자와 청자가 서로 지향하는 목표가 발화자와 수용자라는 관계의 상황에서 현실 비판의 상황을 묘사하고 있는 경우가 많다고 할 수 있다. 화자는 관찰자의 위치에 놓이게 되고 종장에서 수용자인 청자에게 메시지 전달이 마무리되는 구조라고 할 수 있다. 이러한 작품의 현상적 청자는 화자의 현실을 보는 시각을 객관화시키면서 작품의 중심된 내용을 서술하게 하는 경험자의 입장으로 독립성을 부여받는다고 할 수 있다. 이처럼 사설시조에 등장한 현상적 청자는 평시조에 등장한 현상적 청자와는 다르게 설명자 혹은 전달자로서 화자와 대등한 관계를 유지하여 독립성과 개별성이 강하다고 할 수 있다. 현실 경험의 화자는 시적 대상물에 제기된 현실의 문제를 생활의 현장에서 체험하는 내용을 진술하여 현실 비판이나 현실 경험을 강조하는 조선 후기 가객이나 서민의 비판의식을 지향하고 있다고 할 수 있다.

4. 유희지향의 화자가 청자에게 전달하는 연행현장

18세기 사설시조에는 오락성과 해학성을 미학으로 표현하는 현시대의 대중예술과 비슷한 일련의 작품들이 있다. 이를 계승하여 연행현장에서 즐거움과 쾌락의 창작동기를 보여주는 사설시조의 화자를 유희지향의 화자라고 부르고자 한다. 유희지향의 화자는 연행현장에서 사설시조가 지닌 대중예술의 미학인 유흥성과 해학성을 함께 보여주고 있다. 현대인들이 노래방에서 유행가를 부르면서 즐거움을 느끼듯이 우리의 선현들은 연행현장에서 사설시조를 부르면서 즐거움과 쾌락을 함께 즐겼다.

문헌에서는 16세기 초부터 시조가 오락성과 해학성을 지니고 있다고 설명하고 있다. 이현보(1467~1555)의 〈어부가〉[11], 1755년에 지은 장복소의 〈해동가요〉[12], 이황(1501~1570)의 〈도산십이곡〉[13] 등의 발문에서 자세하게 설명하고 있다. 심지어는 사설시조와 우리의 가곡이 너무 쾌락과 유희에 치우쳐 있음을 애석해하고 있는 내용도 있다.

사설시조에는 선인들의 우려처럼 쾌락과 유희에 관한 내용을 많이 노래하고 있다. 사설시조에 나타난 유희지향의 화자는 시의 대상물인 작품세계를 흥미와 쾌락의 대상으로 표현하고 있다. 사설시조의 담론에서 화자가 작품의 행간에 '아희야', '벗님ᄂᆡ야', '바람아', '한숨아' 등의 청자를 설정하면 자연히 현상적 청자를 설정한 담화가 된다고 할 수 있다.

평시조에도 놀이의 공간이나 애정의 담론을 노래하면서 유희지향의 화자가 현상적 청자를 설정하고 유희공간의 즐거움을 전달하는 경우가 있다.

> ⑨ 술을 취醉케 먹고 두렷이 안자시니
>   억만億萬 시름이 가노라 하직下直ᄒᆞᆫ다
>   아희야 잔盞 ᄀᆞ득 부어라 시름 전송餞送 ᄒᆞ리라
>
> <심 1740>

이 작품은 정태화鄭太和(1602~1673)가 지은 것으로 작품에 나타난 그대로 당대의 현실을 잊어버리려고 창작한 권주가이다.

초장에서 화자는 술을 취하게 먹고서 또렷하게 정신을 차리고 있

---

11) 이현보李賢輔, 「어부가漁父歌 발跋」, 使詠於汾江小艇之上, 興味尤眞.

12) 장복소張福紹, 「해동가요海東歌謠 발跋」, 悅人耳 和人心 其亦風敎之一大關也.

13) 이황李滉, 「도산십이곡陶山十二曲 발跋」, 吾東方歌曲 大抵多淫哇不足言.

어 술의 신선이 된 것 같다. 술의 병폐를 극복하고 있는 화자는 술의 단점보다 술의 장점을 서술하고 있다. 중장에서는 초장의 의미를 이어서 술을 먹은 후 온갖 시름이 달아나는 광경을 묘사하고 있다. 술을 마셔서 근심과 걱정을 잊어버리는 것은 화자의 쾌락과 유희지향의 성향이라고 할 수 있다. 종장에서 화자는 현상적 청자인 아이를 내세워 술잔을 채우라고 명령한다. 이러한 행위에는 술에 취해서 자신의 시름을 전송하여 보내고자 하는 화자의 의도가 함께 담겨져 있다. 이 시조에서 현상적 청자인 아이는 전달자의 기능이라기보다는 화자의 명령을 따르는 심부름꾼의 위치에 서게 된다.

하지만 사설시조에 오게 되면 평시조보다 현상적 청자의 역할이 확대되어 화자와 대립하거나 대등한 관계를 형성하게 된다.

⑩ 바람 광풍아 네 부지 마라 슝풍 락엽이 다 써러진다
　명스 십리 히당화야 닙히 진다 셜어 말며 곳이 진다 셜어 말라
　동삼 석 둘을 쏙 죽엇다가 명년 삼월 다시 오면
　뎐각에 싱미닝ᄒ고 훈풍이 ᄌ남니홀 졔
　류상 잉비는 편편금이요 화간 덥무는 분분셜홀졔
　온갓 화쵸라 ᄒ는 물건은 버들 밧헤도 밈이 도ᄂ듸
　인싱 흔 번 죽어지면 다시 올 길 만무로구나
　황쳔이라 ᄒ는 곳은 사름 사는 인품범졀이 졍 죠흔가 보더라
　긔공 불너서 노릭도 식히며 미동다려 다리도 치며
　미싴 불너 슐 부어 먹으며 로류장화가 막막흔 곳인지
　흔 번 가면 영결 무소식이로구나
　청춘지년을 허숭치 말고 ᄆ음듸로만 놉셰다

〈김 233〉

⑪ 노릐굿치 조코 조혼 거슬 벗님닉야 아돗던가
　　춘화류春花柳 하청풍夏淸風과 추명월秋月明 동설경冬雪景에
　　필운소격弼雲昭格 탕춘대蕩春臺와 남북한강南北漢江 절승처絶勝處에
　　주효난만酒肴爛漫 흔듸 조은 벗 가즌 혜적嵇笛
　　알리쏜온 아모 가이 제일명창第一名唱드리
　　ᄎ례로 안자 엇거러 불너 닉니
　　중대엽中大葉 삭대엽數大葉은 요순堯舜 우탕禹湯 문무文武굿고
　　후정화後庭花 낙희조樂戲調ᄂ 한당송漢唐宋이 되어잇고
　　소용騷聳이 편악編樂은 전국全國이 되어이셔
　　도창검술刀創劍術이 각자등양各自騰揚ᄒ야
　　관현성管絃聲에 어릭였다
　　공명功名과 부귀富貴도 닉몰닉라
　　남아男兒의 호기豪氣를 나ᄂ 됴하ᄒ노라
　　　　　　　　　　　　　　　　　　　　　　　<심 629>

⑩의 사설시조는 현상적 청자를 바람으로 설정하고 있으며, ⑪의
사설시조는 현상적 청자를 벗으로 설정하고 있다. 이들 작품의 화자
는 현상적 청자를 초장에 등장시켜서 평시조가 주로 종장에 현상적
청자를 등장시키는 현상과는 변별성을 지니고 있다. 이러한 변화는
현상적 청자가 화자의 진술을 작품의 처음부터 끝까지 청취하면서 주
요한 등장인물이 되는 것이라고 할 수 있다.

⑩의 담화는 초장에서 현상적 청자인 바람이 불어서 낙엽이 떨어
짐을 아쉬워한다. 바람이 불어 낙엽이 떨어지는 것을 아쉬워하는 화
자는 곧바로 세월의 무상함을 탄식하지 않고 현상적 청자인 바람을
통해 은유적인 수법으로 인생무상을 노래하고 있다. 중장에서 화자
는 화초와 생물의 순환론적인 생명을 은근히 부러워하고 있다. 꽃과

식물은 일년초이므로 서리가 내리면 곧바로 시들어 버리지만, 추운 겨울이 지나가고 새봄에 다시 피어나는 강인한 생명력을 지니고 있다. 하지만 인생은 한 번 가면 다시 오지 못하는 유한함을 한탄하고 있다. 화자는 인생의 짧음을 한탄하고 만물의 영장이라고 하는 인간 삶의 허무함을 노래하고 있다. 종장에서 화자는 청춘시절을 허송세월하지 말고 마음껏 놀아보자고 하는 의지를 표현하고 있다. 여기서 화자의 유희지향의 상황과 쾌락을 추구하는 태도가 선명하게 드러난다고 할 수 있다.

⑪의 담화는 18세기 가객인 김수장金壽長(1690~?)의 작품이라고 한다. 이 작품은 조선 후기 놀이터와 노래판의 모습을 담아내고 있다. 이 시기 놀이판의 주최는 사대부가 많았으나, 18세기 무렵부터 재산을 축적한 여항인들이 이러한 모임을 주도하고 가객들을 후원하기도 하였다.14) 이 작품에 나타난 조선 후기의 놀이들은 사대부와 여항인들이 함께 즐기던 놀이들이라고 할 수 있다. 이 작품의 화자는 놀이판의 즐거운 모습을 벗들에게 자랑하며 현상적 청자인 벗에게 놀이에 동참하도록 권유하고 있다.

초장에서 화자는 노래의 즐거움을 현상적 청자인 벗에게 아느냐고 묻는다. 놀이에 심취한 화자는 자신의 즐거운 노래를 '벗님너'인 청자에게 알리고자 한다. 연행현장의 즐거움을 알리는데 열중한 화자는 노래의 참된 의미를 설명하기 보다는 노래판에서 이루어지는 노래의 쾌락적인 요소를 주로 강조하고 있다. 중장에서 화자는 현상적 청자에게 노래판과 노래의 특성을 비교적 상세하게 설명하고 있다. 화자

14) 조동일, 『한국문학통사』 3권, 지식산업사, 1984, p.173.

는 봄, 여름, 가을, 겨울인 사계절에 친한 친구와 벗을 불러서 좋은 정자와 한강의 좋은 경치를 찾아가 술을 마시고 노래하며 질탕히 노는 모습을 흥겹고 즐겁게 묘사하고 있다. 이때 명창들이 노래의 곡조에 맞추어 한 곡 씩을 불러대니 놀이판이 즐거움으로 변하고 즐거움은 극에 달하게 된다. 화자의 이러한 태도는 인생을 즐겁고 재미있게 살아가려는 유희지향의 성향을 잘 드러내고 있다고 할 수 있다. 종장에서 화자는 부귀와 영화를 멀리하고 놀이를 좋아하며 남아의 즐거움과 기개를 좋아하는 모습을 호탕하게 표출하고 있다.

이처럼 현상적 청자를 설정한 유희지향의 화자는 인간의 놀이지향과 즐거움 추구의 욕망을 서술하여 쾌락과 즐거움에 대한 욕망을 추구하고 있다. 사설시조에 나타난 유희지향의 화자는 평시조에 나타난 현상적 청자의 명령이나 강압을 받아들이는 청자가 아니라 화자와 대등한 입장에서 자신의 견해를 표현하는 등장인물로 존재하고 있다. 관습적 청자를 벗어난 사설시조의 현상적 청자는 화자의 메시지를 받아들여도 되고 반대를 해도 된다. 사설시조에 등장한 현상적 청자는 화자와 서로 대등한 위치로 나아가게 되고 청자는 화자와 다정한 친구로도 설정이 되는 것이다. 이러한 노래는 인간이 지닌 놀이와 쾌락을 추구하는 욕구를 자유로이 발산할 수 있는 연행현장의 상황을 표출하면서 사설시조가 연행현장에서 중요한 역할을 하게 한다. 사설시조에 나타난 유희지향의 화자는 시적 대상물에 제기된 인생의 문제를 유흥의 시각으로 노래하여 현대의 대중예술의 미학인 통속성을 나타내고 있다.

5. 사설시조의 향유층

　지금까지 현상적 청자를 설정한 사설시조의 존재양상과 그 실현현
상을 분석하여 보았다. 현상적 청자를 설정한 사설시조의 화자는 지
향하는 의식세계에 따라 관념인식의 화자, 현실 경험의 화자, 유희지
향의 화자 등으로 나누어진다.

　사설시조의 작품에서 관념인식의 화자가 현상적 청자를 설정한 경
우에는 현상적 청자가 작품 구조 내에서 상당히 중요한 역할을 하고
있다는 사실을 알았다. 평시조에 등장한 현상적 청자가 주로 관습적인
청자라면 사설시조에 등장한 현상적 청자는 설명자 또는 전달자로 화
자와 대등한 관계를 유지하면서 독립적인 역할을 한다고 할 수 있다.

　사설시조에서 관념인식의 화자가 현상적 청자를 설정하고 유교적
이념과 초경험적인 세계를 집중적으로 노래하고 있는 사설시조에 나
타난 화자의 의식지향은 양반사대부의 의식에 초점이 맞추어져 있다.
사설시조에 나타난 관념인식의 화자란 화자가 작품에 제기된 문제를
선행된 이념이나 사상을 적용함으로써 해결될 것이라고 믿는다. 화
자에게 제시된 문제의 해결은 주로 선험의 관념이나 도덕의 이야기를
통해서 주제를 강조하고 있어 화자들 사이의 갈등의 효과는 다른 유
형의 화자보다도 약하다고 할 수 있다. 현상적 청자를 설정한 사설시
조에 나타난 화자는 청자와 모든 독자에게 진리로 여겨질 수 있는 보
편타당한 객관성과 교훈성을 표출하고 있다. 관념인식의 화자가 교
훈성과 선험의 관념을 노래하는 경우에는 갈등의 상황을 유교의 관념
이나 종교의 교리로 설명하여 비교적 손쉽게 갈등을 해소하고 있다고
할 수 있다.

　사설시조에서 현상적인 청자를 설정한 현실경험의 화자는 화자와 청자가 서로 지향하는 목표가 발화자와 수용자라는 관계의 상황에서 현실 비판의 상황을 묘사하고 있는 경우가 많다고 할 수 있다. 화자는 관찰자의 위치에 서게 되고, 종장에서 수용자인 청자에게 메시지 전달이 마무리되는 구조라고 할 수 있다. 이러한 작품의 현상적 청자는 화자의 현실을 보는 시각을 객관화시키면서 작품의 중심된 내용을 서술하게 하는 경험자의 입장으로 독립성을 부여받는다고 할 수 있다. 이처럼 사설시조에 등장한 현상적 청자는 평시조에 등장한 현상적 청자와는 다르게 설명자 혹은 전달자로서 화자와 대등한 관계를 유지하여 독립성과 개별성이 강하다고 할 수 있다. 현실경험의 화자가 현상적 청자를 설정한 사설시조는 현실갈등의 극적인 효과와 긴장감이 약간 결여되어 있지만 현실생활에서 체험하고 경험한 내용을 사실적이고 구체적으로 표현하는 특성을 지니고 있다.

　사설시조에서 현상적 청자를 설정한 유희지향의 화자는 인간의 놀이지향과 즐거움 추구의 욕망을 서술하여 쾌락과 즐거움에 대한 욕망을 추구하고 있다. 사설시조에 나타난 유희지향의 화자는 평시조에 나타난 현상적 청자의 명령이나 강압을 받아들이는 청자가 아니라 화자와 대등한 입장에서 자신의 견해를 표현하는 등장인물로 존재하고 있다. 관습적 청자를 벗어난 사설시조의 현상적 청자는 화자의 메시지를 받아들여도 되고 반대를 해도 된다. 그래서 사설시조에 등장한 현상적 청자는 화자와 서로 대등한 위치로 나아가게 되고 청자는 화자와 다정한 친구로도 설정이 되는 것이다. 이러한 노래는 인간이 지닌 놀이와 쾌락을 추구하는 욕구를 자유로이 발산할 수 있는 연행현장의 상황을 표출하면서 사설시조가 연행현장에서 중요한 역할을 하게 한다.

이러한 유형의 화자는 현실생활에서 일어나는 다양한 놀이를 표현하기보다는 쾌락과 유흥의 현장에서 이루어지는 놀이를 통속성에 맞추어 청자에게 상황을 전달하여 설명하는 경우가 많다고 할 수 있다.

지금까지 현상적 청자를 설정한 사설시조에는 관념인식의 화자, 현실경험의 화자, 그리고 유희지향의 화자 등이 작품에 등장하여 다양한 시문법으로 작품을 전개하고 있음을 살펴보았다. 관념인식의 화자는 시적 대상물에 제기된 세계의 문제가 선험이나 관념을 인식함으로써 해결될 것이라고 생각하여 청자에게 교훈과 교화를 앞세우고 있으며, 현실경험의 화자는 시적 대상물에 제기된 현실의 문제를 생활의 현장에서 경험하는 내용을 진술하여 현실의 비판이나 체험을 강조하고 있다. 유희지향의 화자는 시적 대상물에 제기된 인생의 문제를 유흥의 시각으로 노래하여 현대의 대중예술大衆藝術의 미학인 통속성通俗性을 잘 드러내고 있다. 이 글에서 논의한 시각을 바탕으로 조선 후기 사설시조의 향유층享有層은 양반사대부兩班士大夫와 전문인 가객歌客 등이 중심이 되었다고 할 수 있다.

함축적 청자를 지향한
사설시조의 화자와 실현양상

1. 사설시조와 함축적 청자

　조선 후기 임병양란 이후 성장하기 시작한 현실비판 의식은 사설
시조를 왕성하게 창작하는 촉매제 역할을 했다. 화자가 지닌 현실비
판의식의 성장은 함축적 청자를 설정한 사설시조의 작품과 그 실현양
상에 변화를 주고 있다. 이 글에서 다루고자하는 함축적 청자란 시적
화자가 청자를 작품의 이면에 감추어두고 작가와 동일시하거나 유사
한 청자를 의미한다. 정확하게 말하자면 함축적 청자를 지향한 시적
화자는 작가에 가까운 청자라고 할 수 있다.[1] 조선 후기 사설시조에
서도 현대시와 마찬가지로 작품에 함축적 청자를 설정하여 그 표현의
도를 선명하게 드러내고 있는 일련의 작품들이 있다.
　사설시조가 담론의 양식이라고 할 때 발언자인 화자는 작품의 전달
대상인 청자를 어떻게 설정하느냐에 따라 표현하는 의미가 달라진다

---

　1) 김대행, 「시조의 화자와 청자」, 『시조유형론』, 이화여자대학교 출판부, 1986, pp.283~
　　 297; 신은경, 「사설시조의 시학연구」, 서강대학교 박사학위논문, 1988.

고 할 수 있다. 사설시조에서 화자는 청자에 대한 태도와 목소리에
의해서 구별되는 진술의 방법, 어조 등으로 청자를 반응시켜 메시지를
전달하는 방법을 모색하게 된다. 이때 등장하는 청자들의 유형은 현상
적 청자, 함축적 청자 등으로 나누어지며 각각의 유형에 따라 작가의
의도는 다양하게 전달할 수 있다. 함축적 청자를 작품에 등장시키는
화자는 사설시조의 의사소통을 화자, 메시지, 청자 등으로 3분류했을
때 사설시조의 진술이 시적 화자나 작가를 지향하는 경우가 많다고
할 수 있다. 이러한 유형에 나타난 사설시조의 어조는 감탄이나 정조
등을 앞세우기도 하고 내면의식을 독백으로 표현하기도 한다.

　조선 후기에 지어진 사설시조의 작품은 실명失名씨[2]와 유명有名
씨[3]가 지은 550여 편의 작품이 있다. 여기서는 함축적 청자를 설정
한 사설시조에 나타난 화자의 유형을 찾아내고 사설시조에 진술된 의
식지향을 중심으로 향유층의 계층과 그 특성을 논의하고자 한다.

　사설시조에 나타난 작가의 의식지향은 3가지로 나누어진다. 현실
경험의 화자는 현실 비판과 그 체험의 입장에서 작품세계를 이끌어갈
것이고, 관념인식의 화자는 작품세계를 종교의 관념이나 윤리도덕으
로 이끌어갈 것이며, 유희지향의 화자는 쾌락이나 유희를 중요하게
생각하여 연희공간을 중요성을 생각하면서 오락이나 쾌락을 중심으
로 작품세계를 이끌어갈 것이다.[4]

　본고에서는 사설시조에 나타난 시적 화자의 다양한 의식이 이처럼

---

2) 김흥규 역주, 『사설시조』, 고려대학교 민족문화연구소, 1993 참조.
3) 최동원, 『고시조론』, 삼영사, 1980 참조.
4) 류해춘, 「사설시조에 나타난 시적 화자의 유형과 그 특성」, 『어문학』 52집, 1991,
　pp.311~332.

함축적 청자라는 가면을 쓰고 우리에게 보여주는 사설시조의 의식세계와 그 실현양상을 살펴보기로 한다.

2. 함축적 청자에게 보여주는 현실경험 화자의 생활체험

사설시조의 담론에서도 시적 화자가 청자에게 작품 속의 이야기를 들려주고 작품 속의 이야기를 수용하는 것은 시적 청자라 할 수 있다.5) 사설시조의 작품에 있어서 시적 화자와 청자는 작품의 밖에서만 존재하는 것이 아니라 작품의 속에서도 존재한다. 작품의 내부에 존재하는 청자는 화자가 작품의 행간에 '아희야', '재상아', '사람아' 등의 청자를 설정하면 자연히 현상적 청자를 설정한 담화가 된다고 할 수 있다. 함축적 화자와 청자란 작품의 이면에 숨어 있는 화자와 청자를 말하며, 현상적 화자와 청자란 작품의 표면에 나타난 화자와 청자를 의미한다. 함축적 청자가 등장하는 사설시조는 담론의 의사소통을 화자, 메시지, 청자 등으로 3분류했을 때, 작품의 진술이 화자나 작가를 지향하는 경우에 많이 등장한다고 할 수 있다.6)

사설시조에 등장한 현실경험의 화자는 작품세계인 시적 대상물을 시적 화자의 입장에서 사실적으로 그려내거나 화자의 현실을 비판하거나 고발하려는 경향이 강하다고 할 수 있다. 이 장에서는 현실경험의 화자가 함축적 청자를 지향한 작품을 중점적으로 살펴보고자 한다. 평시조에도 함축적 청자를 설정하고 화자가 작품세계를 통해서

---

5) 김남주, 『반응의 시론』, 형설출판사, 1990, pp.24~25.
6) 김준오, 『시론』, 문장사, 1982, pp.207~209.

현실을 비판하는 작품이 등장한다.

> 가마귀 츤가마귀 빗치나 기잣턴가
> 소양전昭陽殿 일영日影을 제 혼자 씌여온다
> 뉘라셔 강호江湖에 줌든 학鶴을 상림원上林苑에 늘닐고
>
> 이원익<심 28>[7]

이 시조는 조선시대 대궐에서 부패한 관리를 까마귀에 비유하여 비판하는 내용으로 작가에 가까운 함축적 청자가 부패한 관리를 비판하고 있다. 초장에서는 까마귀를 부패한 문신에 비유하고 있으며, 중장에서는 일영日影이라는 태양의 그림자를 임금님의 은혜에 비유하고 있으며, 종장에서는 학을 능력이 있고 청렴한 선비와 학자에 비유하고 있다. 종장에 나타난 상림원은 대궐을 의미한다고 할 수 있다. 위의 시조에 나타난 현실경험의 화자는 함축적 청자를 지향하면서 지조가 있는 선비와 부패한 간신을 서로 대비하여 현실정치의 무능과 부패를 비판하고 풍자하고 있다.

이제는 함축적 청자인 현실 경험의 화자를 통해서 사회의 부패경제를 비판하고 고발하는 모습을 사설시조를 통해서 살펴보기로 한다.

> 각도各道 각선各船이 다 올나 올제
> 상고商賈 사공이 다 올나 왓니
> 조강助江 석골 막창幕娼 드리 빈마다 츠즐제
> 싀닉놈의 먼정이와 용산龍山 삼포三浦 당도라며

---

7) 심재완, 『역대시조전서』, 세종문화사, 1972. 이 논문에서는 이 책의 작품 인용은 각주를 달지 않고 (심 000)으로 작품번호를 표시한다.

평안도平安道 독대선獨大船에 강진康津 해남海南 죽선竹船들과
영산靈山 삼가三嘉ㅣ 지토선地土船과 메욱실은 제주濟州비와
소금실은 옹진甕津빗드리 스르를 올나들 갈졔
어듸셔 각진各津놈의 나로빅야 쐬야나 볼 줄 이스랴

<심 119>

이 사설시조의 화자는 작품 속에서 독백체의 화법을 통하여 함축적 청자를 지향하고 있다. 이 작품에 등장한 현실경험의 화자는 조선시대 한강에서 벌어지는 각도의 상선들이 상행위를 하는 모습을 묘사하면서 당시의 불합리한 경제현상을 사실적으로 비판하고 있어 조선후기의 시대상을 반영하고 있는 작품이라 할 수 있다.

화자는 실제로 한강에 모여서 상행위를 하는 전국의 상인들이 타고 온 배를 설명하고 묘사하고 있다. 사실적이고 객관적인 시각으로 각도에서 올라온 배들의 모습을 조망하다가 화자는 종장에서 큰 배들이 독점하는 상행위를 비판하며 독백체의 화법으로 함축적 청자를 지향하고 있다.

초장에서 화자는 전국 각도의 상선들이 한강에 모여들 때 전국의 상인들이 한강에 다 모여서 상행위를 한다고 제시한다. 초장에서 화자는 각도에서 모여든 상선의 정보를 제공하여 앞으로 논의할 내용을 한정하고 있다.

중장에서 화자는 각도와 각선의 구체적인 내용을 나열하면서 표현하여 은유적인 수법을 취하고 있다. 각도라는 의미영역에 포함되는 지명은 신천[싀닉], 용산, 삼포, 평안도, 전라도, 경상도, 제주도, 황해도 등이다. 이처럼 전국에서 배들이 한강으로 모여들어 상행위를

하고 있음을 보여주고 있다. 각선에 해당되는 배이름은 먼정이, 당도
라, 독대선, 죽선, 지토선, 미역을 실은 배, 소금을 실은 배 등이다.
이러한 표현은 실제로 화자가 눈앞에 펼쳐지는 사실을 사진을 찍듯이
표현하고 있어 의미의 전이가 구체적이고 체계적이라 할 수 있지만
큰 의미에서 보면 비슷한 내용의 나열이라는 점에서 환유의 표현이라
기보다는 은유의 표현이라 할 수 있다.8) 이러한 은유의 표현은 환유
의 표현처럼 새로운 의미의 확장의 길을 열어주지 않지만 친숙한 표
현의 길을 취함으로써 이미 제공된 정보에 대한 이해를 편리하게 한
다. 알려진 사물을 더욱 구체적으로 표현하는 은유의 기법은 이질적
인 사물을 동질화하거나 확대하여 해석하는 것보다는 사물 그 자체에
내포된 본질을 반복하여 부각시키고 강조하고 있다.9)

종장에서 화자는 각진各津의 작은 나룻배가 큰 배들의 상행위에 장
사를 하지 못함을 묘사하여 비판하고 있다. 나룻배에 물건을 싣고 온
작은 배들은 거선들과 함께 공정한 경쟁을 해서 상행위를 진행하기
어려움을 토로하고 있다. 그래서 화자는 함축적 청자를 지향하여 주
제를 드러내며 한강의 상행위가 공정하지 못함을 비판하고 있다.

사설시조에는 현실경험의 화자가 함축적 청자를 지향하며 서민들
의 세금이나 현실생활의 고통을 묘사하고 표현하는 작품이 있다.

일신一身이 사즈ᄒ니 물것계위 못 살니로다
피皮ㅅ 겨ᄀ튼 갈랑니 보리알ᄀ튼 슈통이
잔벼룩 굵은벼룩 왜벼룩 쒸는놈 긔ᄂ놈의

8) 신은경, 「사설시조의 시학 연구」, 서강대학교 박사학위논문, 1988, p.87.
9) 류해춘, 「고려시대 정치민요의 유형과 수사학」, 『어문학』 65집, 1998.

비파琵琶궃튼 빈딕세기 사령使令궃튼 등에어이
갈따귀 사몌여기 셴박휘 누른박휘 바금이 거져리
부리 샾족흔 모긔 다라 기다흔 모긔
살진 모긔 야윈 모긔 그리마 샾오록이
주야晝夜로 뷘틈 업시 물거니 쏘거니 샐거니 쯧거니
심흔 당버리에 어려이왜라
그 듕에 춤아 못견딜슨 오뉴월五六月 복伏더위에
쉬파리인가 ᄒ노라

이정보<심 2437>

위의 시조는 서민들이 체험한 현실생활의 어려움을 사실적으로 표
현하는 사설시조의 대표적인 작품이다. 이 작품의 작가는 문헌마다
조그만 편차를 보이며 작가가 서로 다르게 표기되어 있다.[10] 이러한
현상은 사설시조의 담당층이 작가의 자료를 자신의 기억이나 주관으
로 판단하여 작가의 고증을 거치지 않았고 연행현장을 중요하게 생각
하는 경향의 반영이라고 할 수 있다.

초장에서 화자는 사람이 생활하는데 '무는 것'이 많아 견디지 못하
겠다고 한다. '무는 것'의 의미가 구체적으로 드러나 있지는 않지만
풍자나 비유의 의미로 지나친 조세나 세금으로 해석할 수 있다. '무는
것'에 대한 해석은 대립되는 두 가지의 견해가 있다. 하나의 견해는
언어의 유희를 노래하는 작품으로 보자는 주장[11]이고, 다른 견해는
중장에 등장한 이, 벼룩, 빈대, 모기, 등에 등의 의미를 각종 수탈과

---

10) 『병와가곡집』, 『해동가요』 등의 책에서는 작가가 이정보로 되어 있고, 『청구영언』
    이나 다른 시조집에서는 무명씨로 되어 있다.
11) 박기호, 「장시조의 시적 화자에 관한 연구」, 한양대학교 대학원 석사학위논문,
    1988, p.29.

억압에 시달리는 민중의 실상을 비유적으로 표현했다는 주장[12]이라 할 수 있다. 이 담화의 중장에 등장하는 물것의 의미를 무엇으로 보느냐에 따라 그 지향하는 의미가 달라진다고 할 수 있다. 이 글에서는 물것을 서민들이 살아가는 데 괴롭히는 조세나 세금 등의 다양한 사회문제의 비유로 이해하고자 한다.

중장에서 화자는 초장의 물것에 대하여 부연하고 구체화시키는 은유의 수사학을 사용하고 있다. 사람을 무는 벌레로 구체화된 것은 이, 벼룩, 빈대, 모기, 뽀오록이, 당버리, 쉬파리 등이 등장하고 있다. 서민들이 사회생활을 하는 데에 해독을 끼치는 일을 '무는 것'으로 해석하면, 이 작품의 독자들은 수탈의 방도를 교모하게 강구하는 아전들의 모습을 하나씩 대응시켜보는 쾌감을 자연스럽게 누렸을 것이다.

종장에서 화자는 가장 심하게 '무는 것'으로 쉬파리를 제시하고 있다. 쉬파리로 비유되는 아전이나 관리가 세금으로 서민들의 삶과 생활을 가장 심하게 수탈하는 원망의 대상으로 제시하고 있다. 평시조에는 까마귀나 소리개 등이 부패한 관리나 간신배로 비유되고 있는 것에 비해, 사설시조에는 맹꽁이, 두껍이, 벌레 등을 아전이나 세리에 비유하며 사회의 부조리를 고발하고 있다. 이러한 측면에서 사설시조의 시어 선택은 평시조보다 구체적이고 일상적이며 다양하다고 할 수 있다.[13] 이러한 시어의 선택에서 사설시조의 독자층은 평시조보다 폭이 넓어져 국민 전체의 문학으로 성장할 배경을 마련했다고 할 수 있다.

사설시조의 작품에서 현실경험의 화자가 함축적 청자를 지향한 경

---

12) 조동일, 『한국문학통사』 제3권, 1994, p.332.
13) 임종찬, 『시조문학의 본질』, 대방출판사, 1986, pp.141~148.

우에는 현실생활을 사실적으로 표현하면서 매섭게 현실의 부조리를
비판하면서 자신의 의지를 고백하고 다짐하는 어조를 보이기도 한다.
여기서 화자는 자신의 경험을 다양한 수사법으로 표현하면서 현실을
비판하기도 하고 자신의 경험을 내면화시켜서 자신의 경험을 객관화
시키기도 한다.

3. 함축적 청자에게 전달하는 관념인식 화자의 상황설명

　문학 작품에 있어서 화자는 작품의 밖에서만 존재하는 것이 아니
라 작품 속에서도 존재한다. 작품의 외부에 존재하는 화자는 작가와
가깝다고 할 수 있고, 작품 내에 존재하는 화자는 텍스트의 발화자에
더욱 밀접하다고 할 수 있다.[14]

　사설시조에 등장한 화자와 청자도 다른 작품과 마찬가지로 함축적
청자와 현상적 청자, 그리고 함축적 화자와 현상적 화자로 나누어 질
수 있다. 함축적 화자와 청자란 작품의 이면에 숨어있는 화자와 청자
를 말하며, 현상적 화자와 청자란 작품의 표면에 나타난 화자와 청자
를 의미한다.[15]

　함축적 청자를 지향하는 화자는 사설시조의 의사소통을 화자, 메
시지, 청자 등으로 3분류했을 때, 사설시조의 진술이 시적 화자인 자
신을 지향하는 경우에 많이 등장한다고 할 수 있다. 1755년 장복소는
〈해동가요〉의 발문에서 시조가 '사람들의 귀를 즐겁게 함으로써 그

14) 김남주, 『반응의 시론』, 형설출판사, 1990. pp.24~25.
15) 김준오, 『시론』, 문장사, 1982.

마음을 화평하게 하고 풍속을 교화하는데 크게 관련이 있다[16]'고 하
였다. 풍속을 교화하거나 마음을 화평하게 하는 사설시조에는 관념
인식의 화자가 주제를 전달하고 설명하는 내용이 많다고 할 수 있다.
이러한 작품의 어조는 감탄이나 정조 등을 앞세우기도 하며 내면의
사상이나 감정을 독백으로 표현하고 있다. 관념인식의 내용을 담고
있는 사설시조의 경우 이런 화자는 당시 사회가 내세우는 규범성에
대한 추종을 선언하거나 화자가 처해있는 상황을 관념이나 교훈을 통
해 설득하고 설명하려는 경향이 강하다고 할 수 있다.

① 공부자孔夫子 ㅣ 사람이시로되 의연依然흔 하늘이시라
　　의리義理를 프러닉여 오륜五倫을 볼키시니
　　지우至愚한 민맹民氓이 절로셔 어질거다
　　국태평國太平 민안락民安樂이 오로다 성덕聖德이로다
　　천재후千載後 이 ᄀᆞ튼 대인군자大仁君子ㅣ 또 업슬신 ᄒᆞ노라
　　　　　　　　　　　　　　　　　　김수장<심 258>

② 천하명산天下名山 오악지중五嶽之中에 형산衡山이 죠토던지
　　육관대사六觀大師ㅣ 설법제중說法濟衆홀 졔
　　샹지 중中 영통자靈通者로 용궁龍宮에 봉명奉命홀졔
　　석교상石橋上에 팔선녀八仙女 만나 희롱戱弄흔 죄罪로
　　환생인간幻生人間ᄒᆞ여 용문龍門에 놉피 올라
　　출장입상出將入相ᄐᆞ가 태사당太師堂 도라들졔
　　요조窈窕 절대絶代들이 좌우에 버러시니
　　난양공주蘭陽公主 정경패鄭瓊貝며 가춘운賈春雲 진채봉秦彩鳳과
　　계섬월桂蟾月 적경홍狄驚鴻 심요연沈裊煙 백능파白菱波로

---

16) 장복소張福紹, 「해동가요海東歌謠 발跋」, 悅人耳 和人心 其亦風敎之一大關也.

주야畫夜에 노니다가
산종山鐘 일성一聲에 자던 꿈을 다 기거다

<심 2814>

①과 ②의 사설시조에 나타난 관념인식의 화자는 작품의 표면에 얼굴을 드러내지 않고 있어 함축적 청자를 지향한다고 할 수 있다. 이 두 편의 시적 화자는 분명히 공자(B.C. 552~479)와 김만중(1637~1692)은 아니다. ①은 당대의 유명한 가객인 김수장(1690~?)이 지은 것이고, ②는 작가가 미상이지만 〈구운몽〉을 읽은 독자가 쓴 작품임을 알 수 있다. 결국 이 두 작품은 공자의 덕목과 사상, 그리고 고소설인 〈구운몽〉을 선행담화로 하여 패러디한 작품이라 할 수 있다.

①의 초장은 공자를 하늘에 비유하고 있다. 여기서 하늘의 이미지는 평범한 일반인 위에 존재하는 절대자라는 개념으로 나타나고 있다. 이 작품에서 성인인 공자는 하늘과 대등한 절대자로 표현되어 그 업적이 시적 화자에 의해 구체화되고 있다. 중장에서는 공자의 업적을 의리義理와 오륜五倫이라며 그 덕목을 교훈적으로 설명하고 있다. 교훈과 유교의 덕목을 주장하는 화자는 의리와 오륜이라는 단어를 나열하고 그 덕목을 설명하며 그 내용을 따라야 나라가 태평하고 백성이 편하게 된다는 것을 나타낸다. 중장에서 화자는 공자의 덕목과 업적을 칭송하는데 많은 표현을 할애하고 있다. 그리고 종장에서는 초장과 중장에서 설명한 공자의 업적을 요약하여 공자를 성인인 대인군자로 비유하여 마무리한다. 이처럼 시적 화자는 공자가 대인군자라고 요약하면서 이 시조의 의미를 종장에 집중시키고 있다.

이러한 구성은 종장에 교훈을 지향하는 관념인식의 주제를 나타내는 작품의 경우에 종종 등장한다. 이 작품에서 화자는 함축적 청자를 지향하며 조선시대의 선비와 학자들이 한마음으로 공자를 성인으로 평가하고 있다는 것을 대변하고 있다. 이처럼 화자는 선험적인 덕목인 유교 윤리를 바탕으로 생활하고 살아가야 백성과 나라가 편안해지게 된다고 주장하고 있다. 화자는 성인인 공자의 훌륭한 행적을 본받아 그 실천의 결과 오늘날 우리의 미래와 행복이 가능하다고 설명한다. 이러한 측면에서 화자는 공자의 윤리와 학문을 받아들여 자신들의 현실 생활을 반성하며 공자를 따르기를 바라는 함축적 청자를 지향하고 있다고 할 수 있다.

결국 이 담화는 성인인 공자에 대한 찬양을 위주로 하고 있으며, 시적 화자는 공자가 내세운 덕목을 시적 대상물이 되는 현실세계를 통해 관념적이고 추상적으로 인식하고 있다고 할 수 있다.

②의 담화는 작가가 미상이지만 〈구운몽〉이라는 선행담화를 바탕으로 하여 사설시조로 개작하였다고 볼 수 있다. 사설시조가 산문적이고 자유시의 경향을 지니고 있으므로 서사문학인 소설을 변용하고 수용하는 패러디의 기법을 손쉽게 활용하고 있다. 고전소설을 패러디한 사설시조에는 〈천군연의〉, 〈숙향전〉, 〈삼국지연의〉 등으로 약 20여 편의 작품이 있다.[17] 이 중에서 〈삼국지연의〉를 선행담화로 채택하고 있는 것이 대부분으로 16편이나 된다. 이로 보았을 때 사설시조의 담당층들은 〈삼국지연의〉와 그에 파생된 소재를 자주 사설시조로 많이 변용시켰다고 볼 수 있다. 이러한 점에서 사설시조의 수용자들이 재미를 가지고 흥미 있게 읽은 고전소설은 〈삼국지연의〉라고

---

17) 서원섭, 『시조문학연구』, 형설출판사, 1977, pp.347~351; 신은경, 『사설시조의 시학연구』, 서강대학교 박사학위논문, 1988, pp.105~113.

할 수 있다. 그렇지만 사설시조에 나타난 관념인식의 화자의 특성을 가장 잘 보여주는 작품으로는 〈구운몽〉을 선행 작품으로 하고 있는 ②의 담화라고 할 수 있다.

　〈구운몽〉을 선행 담화로 하고 있는 이 작품의 초장은 소설 〈구운몽〉의 서두부분을 요약하여 제시하고 있다. 이러한 표현기법은 〈구운몽〉이라는 소설의 배경을 모방하여 사설시조의 시문법인 3장과 4음보에 맞추어 서술한 패러디의 기법이라 할 수 있다. 중장에서는 소설의 흐름을 시간적으로 요약하여 중요한 화소를 배열하여 소설을 요약하고 있다. 요약한 내용을 살펴보면 육관대사가 불교의 교리를 설파할 때 용왕이 사람으로 변하여 참석했고, 그 후에 육관대사가 용왕의 뜻을 감사히 여겨 제자 성진을 용궁에 보냈다고 한다. 다음으로는 성진이가 위부인衛夫人이 육관대사에게 보낸 팔선녀를 석교 위에서 만나 희롱하다가 대사의 노여움으로 인간세계에 내려왔다는 것을 표현하고 있다. 그 후에 인간으로 환생한 양소유는 팔선녀의 후신인 여자들을 차례로 만나 옛정을 나누고 회포를 즐기며 장원급제하여 부귀영화를 한껏 누리다가 마지막으로 산의 종소리에 놀라 꿈을 깬다는 것이다.

　이 사설시조의 담화에서는 함축적 청자인 화자가 입몽入夢의 과정을 생략하고 각몽覺夢의 과정을 간략하게 서술하고 있어 소설과 차이를 보이고 있다. 이러한 현상은 소설에 나타난 입몽의 과정을 화자가 과감하게 생략하는 표현을 사용하여 사설시조의 시문법에 충실하였다고 할 수 있다. 입몽의 모티프는 생략되었지만 위의 사설시조는 초장과 중장에서 소설의 중요 대목을 대부분 요약하여 나열하고 있으며, 종장에서 시적 화자가 인간세상의 부귀영화와 즐거움이 한바탕의 꿈이라고 표현하고 있다. 이런 내용은 소설의 중요한 부분을 그대로 요약하여 보여주고 있다고 하여도 과언이 아니다. 시적 화자는 〈구운몽〉이라는 소설을 독서하고 난 다음에 자신의 독서체험에서 얻은 지식을 독자에게 전달하고 있으며 자신도 함축적인 청자의 일원으로서 독서체험에서 얻은 지식을 공감하고 있다고 할 수 있다. 이러한 감동으로 시적 화자는 자신의 독서체험을 인간의 부귀영화가 한바탕의 꿈이라는 소설 〈구운몽〉의 주제와 일치하게 되는 사설시조의 작품으로 변용하여 창작하고 있다.

　이와 같이 사설시조에 나타난 함축적 청자를 지향하는 관념인식의 화자는 선험적인 경험과 독서대상물 등을 사설시조의 시작법과 구조문법으로 다시 형상화하여 화자의 자아성찰을 통해 상황을 설명하거나 교훈을 강조하는 주제의식을 강하게 표현하고 있다.

4. 함축적 청자에게 권장하는 유희지향 화자의 놀이문화

　조선 후기의 사설시조에는 현대의 대중예술과 비슷하게 오락성과 해학성을 미학으로 하는 일련의 작품들이 있다. 이를 계승하여 연행현장에서 즐거움과 쾌락의 창작동기를 보여주는 사설시조의 화자를 유희지향의 화자라고 부르고자 한다. 유희지향의 화자는 연행현장에서 사설시조가 지닌 대중예술의 미학인 유흥성과 해학성을 함께 보여주고 있다. 현대인들이 노래방에서 유행가를 부르면서 즐거움을 느끼듯이 우리의 선현들은 연행현장에서 사설시조를 부르면서 즐거움과 쾌락을 함께 즐겼다.

여기서 사람의 귀를 즐겁게 한다는 것은 인간이 지닌 쾌락과 유희를 지향하는 성격을 의미한다고 할 수 있다. 이외에도 이현보(1467~1555)는 〈어부가〉의 발문에서 이를 노복에게 가르치며 '때로는 분강 위의 작은 배에서 이 노래를 듣는 즐거움이 더욱 진실하다[18]'고 했다. 여기서 노래를 듣는 즐거움이란 작가가 시조를 재미와 쾌락의 도구로서 여겼음을 의미하는 것이다. 또 이황(1501~1570)은 〈도산십이곡〉에서 '우리 동방의 가곡은 대체로 음란한 소리가 많아 말할 만한 것이 못 된다[19]'라고 하고 있다. 이 내용은 우리의 가곡이 너무 쾌락과 유희에 치우쳐 있음을 애석해하고 있는 것이다.

우리의 가곡과 노래가 너무 쾌락과 유희에 치우쳐 있음을 입증하는 내용의 평시조를 살펴보기로 한다. 평시조에 등장한 유희지향의 화자는 놀이의 공간이나 인생의 쾌락을 추구하는 담론을 서술하는 내용에 자주 등장한다.

> 술 먹고 노난 일을 나도 왼줄 알건마는
> 신릉군信陵君 무덤우희 밧가는 줄 못보신가
> 백년이 역초초亦草草 ᄒ니 아니 놀고 엇지ᄒ리
>
> 신흠<심 1719>

위의 작품의 작가는 16세기의 상촌 신흠(1566~1628)으로 조선시대 한문학의 대가이다. 시조의 화자는 초장에서 인생의 향락이 잘못이라는 것을 알고 있다고 한다. 하지만 중장에서 인생의 허무를 서술하

---

18) 이현보李賢輔, 「어부가漁父歌 발跋」, 使詠於汾江小艇之上, 興味尤眞.
19) 이황李滉, 「도산십이곡陶山十二曲 발跋」, 吾東方歌曲 大抵多淫哇不足言.

고 표현하여 초장과 대비가 되는 진술을 하고 있다. 신릉군의 고사를 인용한 이 장에서 초장의 의미를 반전시키고 있다. 신릉군은 3,000여 명의 식객을 두고 주색에 잠겨서 사치한 생활을 한 사람인데 죽은 후에 세월이 흘러가니 후인들이 그의 무덤위에 밭을 갈고 있다는 이태백(701~762)의 문장[20]이 있다. 이처럼 신릉군의 고사를 인용하여 화자는 함축적 청자를 지향하면서 인생의 허무함을 토로하고 삶의 즐거움과 쾌락을 추구하고 있다.

사설시조에도 유희지향의 화자가 함축적 청자를 지향하는 유형의 노래가 있다. 사설시조에 나타난 유희지향의 화자는 시의 대상물인 작품세계를 흥미와 쾌락의 대상으로 표현하고 있다. 하지만 사설시조에 오게 되면 평시조보다 함축적 청자의 정보가 많아져 그 표현이 현재의 대중예술의 모습과 유사하다고 할 수 있다.

어젯 밤도 흔자 곱송글여 새오줌 즈고
진안 밤도 흔자 곱송글여 새오줌 잔이
어인 놈의 팔자八字ㅣ가 주야장상晝夜長常에
곱쏭글여서 새오줌만 잔다
오늘은 글이든 님 왓신이 발을 펴 볼이고
싀원이 잘까 흐노라

<김 63>[21]

---

20) 이백李白, 「양원음梁園吟」, 昔人豪賢信陵君 今人耕種信陵墳.

21) 김홍규 역주, 『사설시조』, 고려대학교 민족문화연구소, 1993. 이 논문에서 이 책의 작품인용은 각주를 달지 않고 (김 000) 등으로 작품번호를 표시하는 것으로 대신한다.

　위의 사설시조는 화자가 유희지향의 관점에서 인생의 흥취와 애정 행위를 노래하고 있다. 화자는 함축적 청자를 지향하며 독백에 가까운 내용으로 사랑하는 임을 만나서 잠자리를 함께하는 성의 쾌락을 노래하고 있다.

　유희지향의 화자는 임과의 쾌락적인 성생활을 그리워하는 애타는 마음을 시간의 인과관계로 설명하고 있다. 시간의 연결순서는 과거와 현재의 임이 부재한 상황에서 미래에 임을 만나 성생활을 즐기겠다는 의지를 표현하고 있다. 화자의 성생활은 인간의 순수한 정신의 사랑이기보다는 육체의 성욕을 표출하는 쾌락이라 할 수 있다. 화자는 이러한 육체적인 성생활을 노골적으로 표현함으로써 쾌락을 느낀다. 이에 함축적 청자를 포함한 독자들은 화자의 노골적인 애정행위의 표현에 긴장감을 가지고 즐거워하면서 작품의 지면에서 눈을 떼지 못한다.

　초장에서 화자는 혼자 잔 어제 밤의 외로운 모습을 새우잠으로 묘사하고 있다. 중장에서 화자는 오늘 밤에도 새우잠을 자고 매일 밤마다 새우잠을 자는 자신의 모습을 표현하고 있다. 하지만 종장에서 화자는 현실감 있는 애정행위를 묘사하고 있다. 화자는 임과의 애정행위를 시간의 측면에서는 과거와 현재를 대비시키고 있으며, 공간의 측면에서도 과거의 외로운 공간과 미래의 쾌락의 공간으로 대비시키고 있다. 과거에 화자가 잠자는 모습은 외로움에 가득한 새우잠이 되고 미래에 임과 함께 하는 잠은 정욕을 불태우는 즐거운 잠으로 대비가 된다. 사설시조에 나타난 노골적인 애정행위의 표현은 시적 소재의 확대에 많은 기여를 하고 있다. 고려가요의 〈쌍화점〉과 〈만전춘〉 등에 표현한 남녀의 애정표현이 상징의 수법을 취하고 있다면, 사설시조에서 표현한 남녀의 애정행위는 직접적이고 사실적이라 그 차이를 보인다고 할 수 있다.

　다음은 화자가 술을 벗하며 인생을 마음껏 즐기는 송강 정철(1536~1593)의 권주가인 〈장진주사將進酒辭〉를 살펴보기로 한다.

　　　　흔 잔蓋 먹새근여 쏘 흔 잔蓋 먹새근여
　　　　곳것거 산算노코 무진무진無盡無盡 먹새근여
　　　　이 몸 죽은 후後면 지게 우히 거적 덥혀 주리혀
　　　　민여 가나 유소보장流蘇寶帳의 만인萬人이 우러네나
　　　　어욱새 속새 덥가나모 백양白楊 속애 가기곳 가면
　　　　누론히 흰들 ᄀᆞ는 비 굴근 눈 쇼쇼리 ᄇᆞ람 불제
　　　　뉘 흔 잔蓋 먹쟈 흘고
　　　　흐믈며 무덤 우히 진납이 ᄑᆞ람불제야 뉘우춘들 엇디리

　　　　　　　　　　　　　　　　　　　　　　　정철<심 3189>

　16세기의 작품인 이 사설시조는 이백(701~762)의 〈장진주將進酒〉와 두보(712~770)의 〈시마백부행緦麻百夫行〉 등의 영향을 받아서 지은 작품이라고 한다. 이 작품은 권주가로 알려지면서 많은 독자들이 애송하게 되었으며 현재에도 자주 영상매체에 등장하고 있다.

　초장에서 화자는 술을 한 잔씩 먹으면서 꽃을 꺾어 술잔의 수를 헤아리면서 많이 무진장으로 먹자고 한다. 술의 역사는 인류의 역사와 그 궤를 같이 한다고 할 수 있다. 고금의 문사들은 술을 벗하며 인생사의 허무함을 달래고자 했다. 중장에서 화자는 인생의 허무함을 탄식하고 있다. 화자는 인생의 비유를 죽음으로 연결시켜 부자나 가난한 사람이나 죽음을 피할 수 없는 존재로 비유하고 하고 있다. 여기서 화자는 화려하게 살다가 죽으나 어렵게 살다가 죽으나 무덤으로 들어가면 권주할 사람이 없어진다는 진리를 설명하고 있다. 그래서 종장에서 화자는 함축적 청자인 자신과 다른 사람에게 죽은 후에 후회하지 말고 술이나 마시고 인생을 즐기자고 상대방에게 권주하는 내용을 표현하고 있다. 이처럼 〈장진주사〉에 등장한 유희지향의 화자는 함축적인 청자를 지향하면서 술이나 마시면서 인생을 즐기자고 한다.

지금까지 사설시조에 나타난 유희지향의 화자가 함축적 청자를 지향하고 있는 작품을 살펴보았다. 이러한 화자는 작품 속에서 작가와 분리하여 존재하며 자신의 내면에 담겨있는 쾌락의 정신을 표출하고 있다. 이 유형의 작품은 술, 놀이, 성욕 등에 관한 내용을 거침없이 노골적이고 쾌락적으로 표현하여 화자가 지향하는 유희지향의 세계를 드러내고 있다. 이처럼 함축적 청자를 설정한 유희지향의 화자는 인간의 놀이지향과 즐거움 추구의 욕망을 서술하여 쾌락과 즐거움에 대한 욕망을 추구하고 있다.

이러한 노래는 인간이 지닌 놀이와 쾌락을 추구하는 욕구를 자유로이 발산할 수 있는 놀이문화와 연행현장의 상황을 표출하면서 사설시조가 연행현장에서 중요한 역할을 하게 한다. 유희지향의 화자는 시적 대상물에 제기된 인생의 문제를 유흥의 시각으로 노래하여 현대의 대중예술의 미학인 통속성을 함께 지니고 있다.

5. 사설시조의 세계관과 향유층

지금까지 함축적 청자를 설정한 사설시조의 표현양상과 그 정신세계를 분석하여 보았다. 함축적 청자를 설정한 사설시조의 화자는 그 의식의 지향에 따라 관념인식의 화자, 현실경험의 화자, 유희지향의 화자 등으로 나누어질 수 있다.

사설시조의 작품에서 현실경험의 화자가 함축적 청자를 지향한 경 우에는 현실생활을 사실적으로 표현하면서 매섭게 현실의 부조리를 비판하면서 자신의 의지를 고백하고 다짐하는 어조를 보이기도 한다. 이러한 화자는 자신의 경험을 다양한 수사법으로 표현하면서 현실을 비판하기도 하고 자신의 경험을 내면화시켜서 자신의 경험을 객관화 시키기도 한다. 사설시조에 등장한 현실경험의 화자는 작품세계인 시적 대상물을 시적 화자의 입장에서 사실적으로 그려내거나 부조리 한 현실세계를 비판하거나 고발하려는 작품에 많이 등장한다.

사설시조에 나타난 관념인식의 화자란 화자가 작품에 제기된 문제 를 선행된 이념이나 사상을 적용함으로써 해결될 것이라고 믿는다. 화자에게 제시된 문제의 해결은 주로 선험의 관념이나 도덕의 이야기 를 통해서 주제를 강조하고 있어 화자들 사이의 갈등의 효과는 다른 유형의 화자보다도 약하다고 할 수 있다. 사설시조의 작품에서 관념인 식의 화자가 함축적 청자를 지향한 경우에는 사설시조에서 관념인식 의 화자가 함축적 청자를 지향하고 있는 경우 자아의 비판이나 고백체 로 현실에서 느낀 화자의 감정을 주관적으로 자신에게 고백하듯이 설 명하고 있다. 이러한 경우에 화자는 함축적 청자에게 자신의 체험을 바탕으로 현실을 비판하기도 하고 자신의 경험을 내면화시켜 자기반 성의 기회로 삼기도 한다. 사설시조에 나타난 함축적 청자를 지향하는 관념인식의 화자는 선험적인 경험과 독서대상물 등을 사설시조의 시 작법과 구조문법으로 다시 형상화하여 화자의 자아성찰을 통해 상황을 설명하거나 교훈을 강조하는 주제의식을 강하게 표현하고 있다.

유희지향의 화자는 연행현장에서 사설시조가 지닌 대중예술의 미학인 유흥성과 해학성을 함께 보여주고 있다. 현대인들이 노래방에서 유행가를 부르면서 즐거움을 느끼듯이 우리의 선현들은 연행현장에서 사설시조를 부르면서 즐거움과 쾌락을 함께 즐겼다. 화자는 작품 속에서 작가와 분리하여 존재하며 자신의 내면정신에 담겨있는 쾌락의 정신을 표출하고 있다. 이러한 유형의 작품은 술, 놀이, 성욕 등에 관한 내용을 거침없이 노골적이고 쾌락적으로 표현하여 화자가 지향하는 유희지향의 세계를 드러내고 있다. 이처럼 함축적 청자를 설정한 유희지향의 화자는 인간의 놀이지향과 즐거움 추구의 욕망을 서술하여 쾌락과 즐거움에 대한 욕망을 추구하고 있다. 이러한 노래는 인간이 지닌 놀이와 쾌락을 추구하는 욕구를 자유로이 발산할 수 있는 놀이문화와 연행현장의 상황을 표출하면서 사설시조가 연행현장에서 중요한 역할을 하게 한다. 이처럼 유희지향의 화자는 시적 대상물에 제기된 인생의 문제를 유흥의 시각으로 노래하여 현대의 대중예술의 미학인 통속성을 나타내고 있다.

사설시조에서 함축적 청자를 설정한 유희지향의 화자는 인간의 놀이지향과 즐거움 추구의 욕망을 서술하여 쾌락과 즐거움에 대한 욕망을 추구하고 있다. 이러한 노래는 인간이 지닌 놀이와 쾌락을 추구하는 욕구를 자유로이 발산할 수 있는 연행현장의 상황을 표출하면서 사설시조가 연행현장에서 중요한 역할을 하게 했다. 이러한 유형의 화자는 현실생활에서 일어나는 다양한 놀이를 표현하기보다는 쾌락과 유흥의 현장에서 이루어지는 놀이를 통속성에 맞추어 전달하는 경우가 많다.

결국 함축적 청자를 설정한 사설시조에서는 관념인식의 화자, 현실경험의 화자, 그리고 유희지향의 화자 등이 작품에 등장하여 작품에 나타난 다양한 주제를 소화하고 있다. 관념인식의 화자는 시적 대상물에 제기된 세계의 문제가 선험이나 관념을 인식함으로써 해결될 것이라고 생각하여 대화에서 교훈과 교화를 앞세우고 있다. 현실경험의 화자는 시적 대상물에 제기된 현실의 문제를 생활의 현장에서 체험하는 내용을 진술하여 현실 비판이나 현실 경험을 강조하고 있다. 유희지향의 화자는 시적 대상물에 제기된 인생의 문제를 유흥의 시각으로 노래하여 조선시대 놀이문화의 특성을 잘 드러내고 있다.

이러한 분석을 바탕으로 사설시조의 향유층은 조선후기 양반사대부와 예능전문인인 가객층이 중심이 되었다고 할 수 있다.

4장.
자연시가와 녹색담론

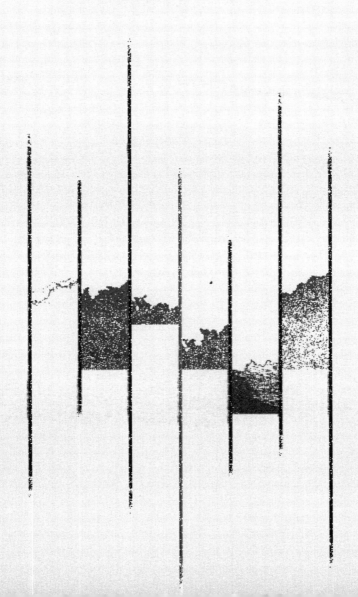

15세기 자연시가에 나타난 녹색담론

1. 자연시가와 녹색정신

　시가문학에서 15세기는 개혁과 변화의 시기였다. 이 시기에는 사대부들이 고려시대에 유행한 악장과 경기체가의 형식을 깨뜨리고 자신들의 시각으로 산수자연을 노래하기 시작한 시조와 가사에 더욱 많은 관심을 가지고 창작하였다. 이 시기부터 시조와 가사라는 시가문학이 우리의 문학사에 주요한 갈래로 자리를 잡기 시작하였다.

　15세기의 시가문학은 관인출신의 사대부들이 주도를 했다. 이 시기에는 관료출신의 작가들도 출처의식이 뚜렷하여 관계에 나아가서는 경세제민經世濟民하면서 나라와 백성을 편안하게 하고, 관료생활을 마치고 산수자연으로 돌아와서는 수신제가修身齊家하면서 유유자적悠悠自適하게 전원생활을 하였다. 한국의 문학사에서 중요한 위치를 차지하고 있는 15세기 자연시가의 작가로는 맹사성孟思誠(1360~1438), 황희黃喜(1363~1452), 정극인丁克仁(1401~1481) 등이 있으며, 이들은 시가문학의 변화와 개혁을 선도하였다.

　이 시기의 사대부들은 관인문학의 바탕이 되는 관료의식을 바탕으로 산수자연을 노래하면서, 산수자연에 파묻히어 독서를 하고 수양을 하는 처사處士인 선비의 시각에서도 산수자연을 함께 노래하고 있다. 14세기는 고려의 신흥사대부가 창작한 문학작품으로 정치현실에 많은 관심을 지니고 있는 관인문학을 지향하는 경기체가 등의 시가문학 작품이 많았다. 하지만 15세기에는 관료생활을 마치고 관인문학의 경향으로 기울어지는 작품과 관료생활을 했지만 처사문학의 경향으로 기울어지는 작품, 그리고 처사문학과 관인문학의 경향을 함께 지니고 있는 작품으로 나누어질 수 있다.

이어서 16세기는 처사문학 또는 사림문학이 본격적으로 등장하여 산수자연의 생활을 절대적으로 표현하는 사대부 작가들이 본격적으로 등장하는 시기이다. 이러한 측면에서 15세기의 문학은 산수자연에서 강호가도를 본격적으로 표현하는 16세기의 사림문학 또는 처사문학의 작가의식과는 변별된다고 할 수 있다. 관료생활을 경험한 양반 사대부라는 특정한 작가의 집단에 의하여 이루어진 15세기의 시가문학에는 관인문학과 처사문학의 의식을 함께 지향하는 특성을 지니고 있다. 선학들은 이러한 현상을 강호가도江湖歌道[1]와 그 정치현실政治現實[2]이라는 주제로 논의하여 뚜렷한 업적을 남기고 있다. 하지만 지금까지 15세기 시가문학에 나타난 작가의식을 함께 모아서 체계적으로 검토하는 작업은 이루어지지 않았다. 여기서는 세 작가의 주요한 국문시가인 시조와 가사를 자연시가라는 범위에 포함시켜 그 작품의 작가의식과 자연을 바라보는 시각을 녹색담론으로 분석하고자 한다.

---

1) 조윤제, 『한국문학사』, 동국문화사, 1963, pp.130~141; 최진원, 『국문학과 자연』, 성균관대학교 출판부, 1977, pp.7~115.

2) 김흥규, 「강호자연과 정치현실」, 『고전시가론』, 새문사, 1984, pp.389~410.

자연시가란 고려 후기부터 조선조를 거치면서 사대부라는 특정한 집단에 의해 이루어진 자연과 산수를 읊은 시조와 가사 등을 지칭하는 의미라고 할 수 있다. 따라서 녹색의 의미를 상징하고 있는 자연이라는 의미는 단지 전원생활의 조건이 되는 물리적 공간만을 가리키는 것이 아니라, 산수 혹은 우주와 같은 무한하고 영원한 절대 조건에 대한 작가의 정서 반응이 이루어지는 심리적 공간을 함께 가리키는 것이다.3)

15세기는 관료세계를 중심으로 한 악장의 문학이 아직 힘을 발휘하던 시기였지만, 사대부들이 관료생활을 마치고 향촌으로 돌아와서는 산수와 자연을 배경으로 한 자연시가를 가끔씩 창작하였다. 조선시대의 초기인 15세기는 산수자연을 배경으로 한 유명한 사대부 작가들인 이황이나 이이 등이 활약하기 이전의 상태로 「용비어천가」를 비롯한 궁중과 관인들의 삶을 배경으로 한 악장들이 시가문학의 중심을 이루던 시기라고 할 수 있다. 15세기 사대부 문인들은 관료생활을 정리하고 산수와 자연으로 돌아와 유유자적하게 향촌생활을 체험하면서 자연과의 교감을 시조와 가사로 노래하면서 자연에서의 감흥을 형상화하고 있다.

15세기의 자연시가에는 시조와 가사가 있는데, 시조에는 맹사성의 「강호사시가」와 황희의 「사시가」가 있고, 가사에는 정극인의 「상춘곡」 등이 있다. 이 시기 사대부들은 관인으로서 일반백성들에게 도덕을 고취할 때나, 관직을 사퇴하고 자연으로 돌아와 시가를 창작 할 때에는 산수자연을 바탕으로 유교정신에 나타난 환경윤리의 차원에

---

3) 조동일, 「산수시의 경치, 흥취, 이치」, 『한국시가의 역사의식』, 문예출판사, 1993.

서 인간과 자연의 관계를 노래하고 있다. 이러한 관점에서 15세기 사
대부가 지은 자연시가에 나타난 녹색에 대한 관점은 최근에 활발하게
논의되는 문학예술에 나타난 녹색담론[4]의 유형과 그 이론의 근거를
찾아내는 한 자료로 활용할 수 있다.

　이 논문은 자연시가에 나타난 녹색담론을 분석하는 작업으로 조선
시대의 산수자연을 노래한 시가문학을 연구하는 시각의 전환점을 마
련하는데 매우 중요한 과제를 수행하는 것이라고 할 수 있다. 이러한
시각으로 15세기 자연시가에 나타난 작가의식의 다양한 시각을 분석
하고 파악하여, 자연시가에 나타난 작가의식이 지니고 있는 녹색정
신의 의미와 그 차이를 살펴보고자 한다.

2. 맹사성의 「강호사시가」와 전원생활

　15세기 맹사성(1360~1438)의 「강호사시가」[5]는 자연시가로 산수자
연으로 돌아가 전원생활을 하는 즐거움을 노래하고 있다. 벼슬을 사
임한 사대부는 자연으로 돌아와 임금의 은혜로 행복한 전원생활을 하
면서 '자연으로 돌아가자.'라는 구호를 외치고 있다. 성인의 도道는
벼슬자리에 나아가서는 백성을 구하고, 벼슬자리에서 물러나서는 그
마음을 닦는 것이라 할 수 있다. 인간이 자연에서 태어나 자연으로
돌아간다는 의미는 인간이 근원적으로 자연과 한 몸이라는 인식의 표

---

　4) 손민달, 「한국 생태주의 문학담론 연구」, 고려대학교 박사학위논문, 2008.
　5) 김흥규, 앞의 논문, 1984; 이종주, 「맹사성론」, 『속고시조작가론』, 백산출판사,
　　1990; 이형대, 「강호사시사의 장르적 성격과 세계형상」, 『어문논집』 36, 안암어문
　　학회, 1997; 박규홍, 「15세기 시조문학연구」, 『영남어문학』 21집, 1992.

현이다. 하지만 오늘날 우리는 '자연에서 나고 자연으로 돌아간다.'는 명제를 의식하지 않고 살아가고 있다.

인간이 태어나서 자연으로 돌아간다고 할 때에는 자연과 더불어 서로 보호하며 건강하게 살아간다는 것을 전제로 하고 있다. 조선시대의 사대부는 벼슬을 할 때에는 경세제민經世濟民하고, 관료생활을 마쳤을 때는 자연으로 돌아가서 유유자적悠悠自適하면서 치사한객致仕閑客으로 살아가며 자연과 함께 생활했다. 맹사성의 「강호사시가」에서는 관료생활을 할 때와 마찬가지로 임금의 은혜로 자연에서의 행복한 전원생활이 가능하다고 주장한다. 이러한 시각은 임금의 은혜가 자연과 인간의 삶에 절대자처럼 골고루 미친다는 것으로 녹색낭만주의의 시각과 그 위상을 같이 한다고 할 수 있다.

여기서는 15세기의 시조문학인 「강호사시가」에 나타난 작가의식과 녹색담론의 시각을 구체적으로 살펴보고자 한다.

> 강호江湖에 봄이 드니 미친 흥興이 절로 난다
> 탁료濁醪 계변溪邊에 금린어錦鱗魚ㅣ 안주로다
> 이 몸이 한가閑暇히옴도 역군은亦君恩이샷다
>
> 강호江湖에 녀름이 드니 초당草堂에 일이 업다
> 유신有信흔 강파江波는 보내ᄂᆞ니 ᄇᆞ람이다
> 이 몸이 서늘히옴도 역군은亦君恩이샷다
>
> 강호江湖에 ᄀᆞ올이 드니 고기마다 슬져 잇다
> 소정小艇에 그믈 시러 흘리 ᄠᅴ여 더뎌 두고
> 이 몸이 소일消日히옴도 역군은亦君恩이샷다.

> 강호江湖에 겨울이 드니 눈 기픠 자히 남다
> 삿갓 빗기 쓰고 누역으로 오슬 삼아
> 이 몸이 칩지 아니히옴도 역군은亦君恩이샷다6)

위의 시조에 나타난 산수자연의 질서는 작가의 정서와 조화롭게 결합하여 자연에서 전원생활을 하는 작가가 계절의 변화에도 불구하고 의연하게 변하지 않도록 하는 절대적인 힘을 가지고 있다. 이 작품에서 시인과 자연은 자연의 순리인 사계절의 변화에 따라 운행하면서 절대적인 안정과 조화를 실현하고 있는데, 아마도 그 매개체는 '역군은亦君恩 이샷다'라는 구절이라 할 수 있다. 이 구절로 작가가 경험한 정치현실의 관료생활과 산수자연의 전원생활은 절대자인 임금의 은혜로 서로 조화롭게 절로절로 순환하며 일치하는 모습으로 다가온다.

이처럼 「강호사시가」는 1년 사계절의 변화를 노래하면서 계절마다 자연이 주는 한가롭고도 행복한 전원생활을 노래하고 있다. 이 작품은 각 연마다 사계절의 전원생활을 비슷한 구조로 노래하고 있다. 이 시조는 각 연마다 초장에서 봄에는 흥겨움이 일어남을 표출하고, 여름에는 한가로움을 표현하고, 가을에는 자연이 풍족하여 고기마다 살쪄있음을 묘사하고, 겨울에는 눈이 내려 아름다운 산수자연의 경치와 그 감상을 표현하고 있다. 이처럼 작가는 산수자연의 변화를 계절의 흐름에 따라서 그 경치와 감흥을 표현하고, 순환하는 자연의 모습에 따라 전원생활의 행복함과 조화로움을 묘사하고 있다. 각 연의 중장에서는 자연과 함께하는 화자의 전원생활을 표현하는데 봄에는 물고기를 안주삼아 막걸리를 마시고, 여름에는 강바람을 맞이하여

---

6) 정주동, 유창균 역주, 『진본청구영언』, 명문당, 1967.

거닐며, 가을에는 작은 배에 그물을 드리우고 어부가 되었다가, 겨울에는 눈 속의 자연과 함께 홀로 물아일체物我一體가 되는 모습을 묘사하고 있다.

그리고 각 연의 종장에서는 산수자연에서의 살아가는 모습을 봄철에는 한가로움, 여름철에는 서늘함, 가을철에는 소일하는 여유로움, 겨울철에는 차갑지 않음 등으로 이어져서 해마다 순환하는 산수자연과 화자는 물아일체가 되어 조화롭게 살아가는 전원생활의 모습을 표출하고 있다. 각 연의 끝에는 일정하게 '역군은亦君恩 이샷다'라는 구절을 반복하여 끝맺고 있다. 이 구절은 초장과 중장 등에서 표현한 산수자연의 질서와 인간의 전원생활이 모두 임금의 은혜로 귀결된다는 논리7)이다. 이렇게 산수자연을 대하는 작가의식은 조선시대 사대부들이 보여주는 관료생활을 바탕으로 정치현실과 산수자연의 물아일체를 노래하는 세계관을 보여준다고 할 수 있다.

「강호사시가」에 있어서 산수자연은 인세의 홍진이나 정치의 현실과 완전히 단절되었거나 별개의 차원에 존재하지 않으며 더욱이 서로 용납할 수 없는 적대적인 관계를 형성하지 않고 있다. 오히려 산수자연은 군주의 통치가 직접적으로 이어지는 세계에 연속되어 있다고 할 수 있다.8) 이 작품에 나타난 시간은 일직선의 시간관이라기보다는 순환론의 시간관에 의해서 작품이 전개된다고 할 수 있다. 예로부터 계절의 변화는 사람의 힘으로 바꿀 수도 없고 옮길 수도 없다. 계절의 변화는 자연과 우주의 놀라운 조화를 체험할 뿐이라고 할 수 있다. 이 작품의 작가는 사계절에 바람이 불고, 이슬이 내리고, 서리가 오

---

7) 김흥규, 앞의 논문, p.399.
8) 김흥규, 앞의 논문, p.394.

며, 눈이 오는 계절의 조화가 지속된다고 표현한다. 그리고 계절의
변화는 때를 잃지 않고 그 차례를 바꾸지 않으며 서로 순환하며 변화
하고 생성하여 소멸하는 관점을 지니고 있다고 주장한다.9) 이 작품
에서 작가는 순환론의 시간의식으로 봄, 여름, 가을, 겨울의 사시四時
에 변하는 산수자연의 질서를 즐기면서 현실에서 경험하는 전원생활
의 행복한 시간을 무한히 연장하고자 시각을 표출하고 있다.

작가는 산수자연에서 마음의 갈등을 일으키지 않고 있다. 산수자연
과 조화를 이루게 하는 매개체는 군주의 은혜로 표현되는 '역군은亦君
恩 이샷다'이다. 자연에는 태양이 에너지를 공급하듯이 국가에서는
임금이 태양의 역할을 하는 시각으로 어쨌든 자연에는 질서가 존재한
다고 믿는다. 생태계에서 경쟁과 협동이 어떻게 균형을 이루고 있든
지 이러한 질서는 평등하다고 본다. 자연에서 이루어지는 먹이사슬인
자연의 약육강식마저도 매우 만족해하며 자연이 지닌 질서의 한 측면
으로 찬양하는 신자유주의자의 자연을 바라보는 시각10)과 비슷하다
고 할 수 있다.

이처럼「강호사시가」는 임금의 은혜가 우리와 자연에게 골고루 미
치니 무조건 '자연으로 돌아가자.'라는 녹색의 철학으로 녹색낭만주
의의 시각에 가깝다고 할 수 있다. 녹색의 담론에서는 물질의 순환과
에너지의 흐름을 무엇보다도 가장 중요하게 생각한다. 에너지는 궁
극적으로 태양으로부터 나오고 물질은 주위의 환경으로부터 공급받
는다. 인간은 말할 것도 없고 인간이 아닌 다른 생물도 이러한 삶의
순환과정에 따라 삶을 영위한다. 이러한 녹색의 담론은 미래의 발전

---

9) 김신중, 「사시가형 시조의 강호인식」, 『시조학논총』 8, 1992, pp.42~43.
10) 존 S 드라이제크(정승진역), 『지구환경정치학담론』, 에코, 2005, p.288.

과 혁명에 대한 기대는 상대적으로 충분하지 않다고 할 수 있다. 작가는 임금의 은혜로 전원생활을 하는 사대부의 삶이 유유자적할 수 있다는 믿음을 가지고 있으며, 절대자인 임금의 은혜에 감사함을 표출하고 있다. 이 작품에 나타난 녹색담론의 시각은 자연이 절대자인 임금의 능력처럼 스스로 치유할 능력을 지니고 있으니 환경위기나 현실사회의 갈등은 자연적으로 절대자의 힘에 의해서 회복될 것이라는 녹색담론의 시각과 비슷하다고 할 수 있다.

이러한 시각의 녹색담론에 나타난 문제점은 자연 스스로가 시간의 순환을 통해서 태양과 같은 절대자에게 에너지를 공급받아 파괴된 자연이 회복과 치유를 한다는 것이다. 또한 인간과 자연의 생태계가 불균형을 이루어도 파괴된 의식과 생태계는 자연과 인간의 경쟁과 협동을 통해서 균형을 이루고 평등한 질서를 이루게 된다는 녹색낭만주의의 시각에서 전원생활을 표현하는 작품이라 할 수 있다.

15세기의 시가문학을 관인문학과 처사문학으로 나누었을 때 「강호사시가」의 작가의식은 산수자연에서 정치현실을 긍정적으로 수용하는 관인문학의 작가의식을 우세하게 표현한 것이라 할 수 있다. 15세기의 「강호사시가」는 강호가도의 미의식을 표출하는 작품으로 16세기 성리학을 바탕으로 한 사림파의 처사문학이 아직 형성되기 이전이지만 이러한 시각으로 산수자연을 노래한 작가의식은 16세기 이후에 형성된 사림파의 산수자연山水自然을 노래하는 문학에 많은 영향을 주었다고 할 수 있다.

3. 정극인의 「상춘곡」과 안빈낙도

　조선의 건국초기인 15세기의 시가는 경기체가, 시조, 가사 등의 작품이 함께 창작된 시기라 할 수 있다. 정극인(1401~1481)은 기존의 시가 형식인 경기체가를 이용하여 「불우헌곡不憂軒曲」을 지었고, 새로운 시가의 형식인 가사체를 활용하여 「상춘곡」이라는 가사를 창작했다. 작가는 경기체가가 지닌 시가 형식의 개조와 변화에 관심을 보여서 「불우헌곡」을 지었으며, 이 노래는 경기체가의 정형에서 상당히 벗어난 변형이라 할 수 있다.11) 이러한 흔적은 작가의 치열한 시가 개혁의 정신이 밑바탕이 된 것이라 할 수 있다.

　더욱이 중요한 것은 15세기의 사대부로서는 선구적으로 새로운 장시長詩의 형태인 「상춘곡」12)이라는 가사를 창작했다는 사실이다. 또 그의 문집에는 단가短歌 형식의 국문시가인 「불우헌가不憂軒歌」13)도 함께 존재하고 있다. 이처럼 15세기 시가문학의 개혁과 변혁의 시기에 그는 새로운 시가 형식을 찾아서 변화와 개혁을 주도한 개척자라고 할 수 있다. 정극인은 조선시대의 새로운 시대의 이념과 문화를 기존의 그릇에다 담는 것을 거부하고 새로운 그릇인 가사체를 활용하여 「상춘곡」이라는 불후의 명작을 창작하여 시대의 변화와 개혁을 준비하고 실천한 작가라고 할 수 있다.

　오늘날 우리가 경험하고 있는 인간세상과 생태계의 위기에는 인간

---

11) 정병욱, 『고전시가론』, 신구문화사, 2000, p.113.
12) 정극인의 「상춘곡」의 작가의 문제에 대해서는 논란이 있으나, 최웅이 발표한 「가사의 기원」(장덕순 외, 『한국문학사의 쟁점』, 1986, 집문당)이라는 논문에 잘 정리되어 있다.
13) 조윤제, 『한국시가사강』, 동광당서점, 1937, pp.224~225; 김사엽, 『국문학사』, 정음사, 1956. p.329.

중심주의가 자리를 잡고 있지만, 15세기 「상춘곡」에 나타난 녹색의
담론은 개체수와 수용능력을 생각하여 '자연과 함께 공생하자!'라는
녹색생존주의[14]의 시각과 그 위상이 비슷하다고 할 수 있다. 사람들
이 모여 사는 곳은 인간세상이다. 인간세상은 산수자연에서 동떨어
져 있는 것이 아니라, 산수자연 가운데서 인간세상이 만들어졌다. 조
정의 벼슬자리는 수용능력에 한계가 이르러서 서로 벼슬자리를 차지
하기 위해 경쟁과 각축을 하여야 한다. 인간세상에서는 각축角逐이
있기에 정치현실에서 홍진紅塵이 인다. 그로 인해서 무구無垢한 산수
자연과 세속정치의 인세홍진人世紅塵이 구분되었다.

여기서는 「상춘곡」에 나타난 정치현실에 대한 관심과 산수자연에
대한 녹색담론의 시각을 살펴보고자 한다.

> 홍진紅塵에 뭇친분네 이내 생애生涯 엇더ᄒᆞ고
> 녯ᄉᆞ름 풍류風流를 미츨가 못미츨가
> 천지간天地間 남자男子몸이 날만ᄒᆞ이 하건마ᄂᆞᆫ
> 산림山林에 뭇쳐이셔 지락至樂을 ᄆᆞ룰것가
> 수간모옥數間茅屋을 벽계수碧溪水 앏픠 두고
> 송죽울울리松竹鬱鬱裏예 풍월주인風月主人 되어서라
> …(중략)
> 공명功名도 날ᄭᅴ우고 부귀富貴도 날 ᄭᅴ우니
> 청풍명월외淸風明月外예 엇던벗이 잇ᄉᆞ올고
> 단표누항簞瓢陋巷에 훗튼혜음 아니ᄒᆞᄂᆡ
> 아모타 백년행락百年行樂이 이만ᄒᆞᆫ들 엇지ᄒᆞ리
>
> 「상춘곡」[15)

---

14) 죤 S, 드라이제크(정승진 역), 『지구환경정치학 담론』, 에코, 2005, pp.49~85.

「상춘곡」에 등장한 산수자연은 인간의 본성을 뒷받침하고 보증하기 때문에 인세홍진과 서로 대립하는 구조로 산수자연을 표출하지 않고 물아일체物我一體의 흥興을 표출하는 처사문학의 관점인 안빈낙도安貧樂道를 지향하며 산수자연을 속세와 자연의 관점에서 함께 노래하고 있다. 이 작품에서 작가는 산수자연과 함께 안빈낙도하면서 현실세계의 인세홍진과 부귀공명을 멀리하고 산수자연인 청풍명월을 마음껏 즐기려는 선비의 자긍심을 강하게 표출하고 있다.

조선의 사대부는 현실정치와 산수자연을 서로 분리하여 다른 활동의 장으로 생각했으며, 현실정치에 참여한 경우라도 산수자연에 대한 열망을 항상 지니고 있었다. 사대부들은 현실정치에 참여하여 경쟁하면서 입신양명立身揚名의 길을 걸어가야 했지만, 인세홍진人世紅塵이 심하면 정치현실을 떠나서 산수자연으로 돌아와서, 독서를 하면서 전원생활을 하는 일이 인간의 본성을 더 잘 지킬 수 있는 길이라고 믿었던 것이다. 「상춘곡」에서는 산수자연과 인세홍진이 서로 대립되어 있지만 그 내용의 전개는 산수자연을 즐기는 선비의 모습을 주로 묘사하고 있다. 그래서 작가는 인세홍진을 피해서 산수자연을 완상하며 유유자적하게 살아가며 안빈낙도하는 선비로서의 현실의식을 강하게 표현하고 있다.

원래 작가인 정극인은 관직을 기피하여 자연 속에 숨어서 생활한 사람은 아니었다. 오히려 관직에 나아가기 위해 젊은 시절 열심히 노력했으나 태학太學에 재학하던 시절에 불교를 심하게 배척하는 상소로 인해 낙향을 해야 했다. 하지만 작가는 항상 나라와 백성을 걱정하

15) 김성배 외, 『주해가사문학전집』, 정연사, 1961.

는 관료로서의 의식을 항상 지니고 있었다. 실제로 그는 관직생활을 한 것이 얼마 되지 않았는데도 경세제민經世濟民에 주력하는 현실의 정치인처럼 끊임없이 나라 일을 걱정했다.16)

「상춘곡」에 나타난 아름다운 자연과 화합하는 물아일체物我一體의 감성에서도 이러한 태도를 찾아낼 수가 있다. 이 작품의 물아일체는 인세홍진과 산수자연을 서로 비교하여 산수자연에서 수양하며 안빈낙도에 치우치는 마음을 표면적으로 노래하고 있다. 물아일체는 모든 것을 비우고 모든 감각에 의해 나타나는 감정과 욕심에서 나를 잊어버리고 인세홍진과 산수자연이 하나가 되는 경지에 이를 때 체득할 수 있는 것이다. 하지만 「상춘곡」에서는 산수자연과 인세홍진人世紅塵이 서로 다른 세계에 뚜렷하게 존재하고 있다.

이러한 그의 태도는 표면적으로 안빈낙도와 물아일체를 주장하지만 내면적으로는 유교의 이념에 의하여 나라를 다스리고 운영해야 한다는 관료생활에 대한 미련을 버리지 못하고 끊임없이 관료생활을 동경하는 현실의식의 발현에서 기인하는 것이라 할 수 있다. 「상춘곡」에서 작가는 인간세상의 정치현실과 관료생활을 인세홍진으로 비유해서 산수자연으로 물러나서 안빈낙도하는 사대부의 대의명분을 찾았다. 하지만 산수자연에 잘 적응하지 못하는 작가는 인세홍진人世紅塵이라는 정치현실에서 경세제민經世濟民하는 일을 꿈꾸면서 관료가 되어 입신양명立身揚名하고 치군택민致君澤民하는 모습을 소망하였다. 이러한 작가의식은 정치현실을 배척하고 꺼리지만 현실정치에 참여하여 관료생활을 지속하고 싶은 작가의 갈등을 표출하고 있는 모습이

---

16) 정극인丁克仁, 『불우헌집不憂軒集』 권2.

라고 할 수 있다.

산수자연은 풍류를 즐기고 안빈낙도하며 전원생활을 하는 편안한 장소이다. 그러나 벼슬을 버리고 산수자연에 돌아왔을 때에는 수신제가修身齊家하면서 안빈낙도安貧樂道하는 진리를 깨치는 공간이라 할 수 있다. 벼슬살이를 마치고 산수자연으로 돌아온 작가는 「상춘곡」에서 산수자연과 함께 하는 물아일체物我一體의 흥을 노래하고 있다. 이 작품의 작가인 사대부는 전원생활에서 유유자적悠悠自適하는 삶을 노래하면서 처사문학의 작가의식을 표출하지만 작가의 내면에는 현실정치에서 입신출세를 바라면서 관인문학을 지향하는 작가의식17)을 함께 포함하여 유교주의의 안빈낙도와 그 경지를 노래하고 있다고 할 수 있다.

이러한 관점으로 살펴보았을 때 정극인의 「상춘곡」에 나타난 녹색담론은 '자연과 함께 공생하자.'라는 녹색의 근원을 주장하는 생존주의의 구호로 집약될 수 있다. 사람들이 모여 사는 곳은 인간세상이다. 오늘날 우리가 경험하고 있는 생태계의 위기에는 인간이 생태계를 너무 지나치게 사용하여 환경오염을 일으키는 문제가 자리하고 있다. 「상춘곡」에서는 내면적으로 세속의 정치현실을 축약하여 인세홍진으로 표현하며 관료세계의 자긍심을 표현하는 마음이 자리를 잡고 있지만, 표면적으로는 산수자연과의 물아일체를 노래하여 산수자연과 함께 하며 안빈낙도하는 사대부의 전원생활을 노래하고 있다. 이런 점에서 「상춘곡」에는 관인문학의 작가의식과 처사문학의 작가의식이 함께 표출되어 있어 자연과 인간은 공생해야 한다는 의식을 표출

---

17) 박경주, 「정극인의 시가 작품이 지닌 15세기 사대부문학으로서의 위상 탐구」, 『고전문학과 교육』 29, 2015, pp.189~214.

하고 있다고 할 수 있다.

「상춘곡」에서 노래하는 이러한 녹색의 담론은 인세홍진을 자긍심으로 표현하는 관인문학의 작가의식과 산수자연과의 물아일체가 되어 안빈낙도를 표현하는 처사문학의 작가의식을 함께 표현하고 있는 것이다. 산수자연과 인세홍진을 함께 노래하는 「상춘곡」의 이러한 시각은 '인간이 자연과 함께 공생해야 한다.'는 녹색생존주의의 담론에 근거하여 전원생활을 표현하는 작품이라 할 수 있다.

4. 황희의 「사시가」와 여가생활

황희의 「사시가」는 15세기의 시조와 그 양상을 이해하는데 중요한 작품이라 할 수 있다. 이 작품이 연시조의 작품으로 문헌의 탐구[18]가 이루어진 이후에는 산수자연을 읊은 시조[19]로 사계절을 읊은 연시조의 주요한 자료가 되고 있다. 이 작품은 사계절인 봄, 여름, 가을, 겨울의 전원생활을 계절별로 노래하고 있다. 『시가詩歌(박씨본)』에는 「사시가四時歌」라는 제목까지 붙어 있다.[20] 이런 측면에서 15세기 초기

---

[18] 심재완, 『시조의 문헌적 연구』, 세종문화사, 1972, p.23, p.311, p.314. 가집에 따라서는 사시가를 연시조가 아닌 별개의 단시조로 게재하기도 하고, 작가도 황희가 아닌 맹사성이나 김광필로 표기한 경우가 있다. 하지만 이 작품이 전체적으로 춘하추동(春夏秋冬)의 짜임새가 있는 구성을 이루고 있고 작가의 표기에 있어서도 여기서는 이를 황희의 작품으로 처리하였다.

[19] 최동원, 「15세기 시조의 양상과 성격」, 『배달말』 7집, 배달말학회, 1982, pp.179~202; 윤영옥, 『시조의 이해』, 영남대학교 출판부, 1986; 김신중, 「한국사시가의 연구」, 전남대학교 대학원 박사학위논문, 1992; 조성래, 「전원사시가와 사시가의 구조문제」, 『동서어문학』 16집, 동서어문학회, 2001.

[20] 최동원, 앞의 논문, p.193.

에 맹사성의 작품인「강호사시가」와 황희가 지은「사시가」의 존재로
연시조가 이 시기에 벌써 형성되었다고 할 수 있다.「강호사시가」와
「사시가」에 표현된 작품의 주제와 그 내용으로 미루어보아 두 작품
은 모두 다 작가가 벼슬을 사임한 후에 산수자연으로 돌아와서 창작
한 만년의 작품이라 할 수 있다.

조선 초기인 15세기에 활동한 맹사성과 황희는 다 같이 오랜 관직
생활을 거쳐 만년에 치사致仕한 사람이며, 또 두 사람은 조선 초기인
15세기에 연시조를 지은 작가로 시조문학에 기여한 점이 크다고 할
수 있다. 하지만 관료의식을 많이 노출한 맹사성의「강호사시가」와
는 달리, 황희의「사시가」는 산수자연에서 사계절에 경험한 생활체
험을 바탕으로 여가생활의 모습을 표현하고 있어 관료의식을 버리고
선비로서의 산수자연을 노래하는 사림의 처사문학을 지향하는 작가
의식이 강하며 우세하다고 할 수 있다. 이 작품의 주제는 벼슬을 사임
하고 산수자연으로 돌아온 사대부가 전원생활에서 체험한 사계절의
여가생활을 표현하고 있는 것이라 주목할 수 있다.

15세기의 연시조인 황희의「사시가」는 산수자연을 노래하는 작품
으로 작가가 전원으로 돌아와서 여가생활을 하면서 자연을 함께 활용
하는 즐거움을 노래하고 있다. 요즈음 우리 사회에서 최대의 화두 중
에 하나는 지구의 환경과 생태계를 깨끗하게 하고 여가생활을 즐기는
것이다. 이 쟁점을 통한 최초의 관심사는 오염문제, 야생보호, 인구
증가, 자연자원의 고갈 등에 관한 문제이다. 우리가 치열한 생존경쟁
을 하는 이유도 어찌 보면 행복한 삶을 유지하기 위한 하나의 방편인
데 깨끗한 생태계가 조성되지 않는 한 우리의 행복한 삶도 결코 이루
어질 수 없다.「사시가」에서는 여가생활이나 전원생활을 통하여 자

연을 활용하고 휴식을 체험하는 생활의 현장으로서 녹색의 자연을 활용하는 자세를 긍정하고 있다. 이러한 녹색의 시각은 산수자연을 활용함으로써 지속가능한 성장이 이루어지고 경제와 환경의 가치 사이에서 일어나는 문제가 해결된다고 주장하는 녹색실용주의[21]의 담론과 비슷한 위상을 가지고 있다.

여기서는 15세기에 산수자연을 읊고 있는 「사시가」에 나타난 녹색의 양상과 그 의미에 대하여 검토하고자 한다.

> 강호에 봄이 드니 이 몸이 일이 하다
> 나는 그물 깁고 아히는 밧츨 가니
> 뒷 뫼헤 엄기는 약藥을 언제 키랴 ᄒᆞᄂᆞ니
>
> 삿갓세 되롱이 닙고 세우細雨 중中에 호믜메고
> 산전山田을 훗믹다가 녹음綠陰에 누어시니
> 목동牧童이 우양牛羊을 모라 잠든 날을 ᄭᆡ와다
>
> 대쵸볼 불근 골에 밤은 어이 뚝도르며
> 벼 뷘 그르헤 게는 어이 ᄂᆞ리는고
> 술 닉쟈 체장ᄉᆞ 도라가니 아니 먹고 어이리
>
> 뒷뫼히 새 다 긋고 압길의 갈 이 업다
> 외로온 빅에 삿갓 쓴 져 늙은이
> 낙시에 맛시 깁도다 눈ᄒᆞ진 줄 모른다[22]

21) 존 S. 드라이제크(정승진 역), 『지구환경정치학 담론』, 에코, 2005, pp.155~183.
22) 윤영옥, 『시조의 이해』, 영남대학교 출판부, 1986; 최동원, 「15세기 시조의 양상과 성격」, 『배달말』7집, 배달말학회, 1982, p.193.

이 작품은 작가가 만년에 향촌으로 돌아와 풍류를 즐기고 있는 모습을 사계절로 나누어 노래하고 있다. 황희의「사시가」에는 맹사성의「강호사시가」의 내용보다 산수자연에서 여가생활을 하는 사대부의 모습을 사실적으로 표현하고 있다. 15세기의 연시조를 관인문학과 처사문학이라는 관점에서 유형을 분류했을 때 맹사성의 작품이 관인문학의 관점에서 창작되었다면, 황희의 작품은 처사문학의 관점에서 창작되었다고 할 수 있다. 이처럼「사시가」에서는 산수자연을 즐기는 선비의 모습을 구체적이고 사실적으로 묘사하고 있어 산수자연에서 여가생활을 하면서 산수자연을 즐기는 사대부의 전원생활을 표현하고 있다.

사대부가 인세홍진의 정치현실을 추구하는 관료의식을 버리고 산수자연 속에서 유유자적하게 살아가며 안빈낙도하는 선비의 모습을 보여주는 것으로 처사문학이라 할 수 있다. 조선시대의 사대부들은 벼슬자리에서 물러나오면 향촌으로 돌아가서 자연을 벗하는 것이고, 관직에 나아가서는 현실정치를 잘하여 치군택민致君澤民과 경세제민經世濟民을 하는 것이 사대부의 의무라고 생각했다.「사시가」에서는 향촌으로 돌아와 전원에서 자연과 함께 안빈낙도하면서 여가생활을 하는 작가의 모습을 사실적으로 표현하고 있다.

「사시가」의 1연에서는 봄철의 여가생활을 노래하고 있다. 작가는 산수자연에서 제철에 생산되는 먹을거리와 약초를 찾기 위해서 일을 하며 여유로운 생활을 노래하고 있다. 작가는 산수자연에서 지내는 전원의 생활을 통하여 자연 속에서 물고기를 천렵하고, 산에서 생산되는 약초를 통해서 건강하고 행복한 삶을 살아가기 위해 자연과 함께 생활하는 모습을 보여주고 있다. 참다운 여가생활을 하려는 현대인들이 위의 시조처럼 자연과 함께하는 생활을 하면서 자연이 제공하는 천연식품을 섭취하는 전원에서의 여가생활을 가끔씩 체험한다면 정신과 육체가 건강해져서 삶을 재충전하며 즐겁고 행복한 생활을 하게 될 것이다.

제2연에서는 여름철의 여가생활을 노래하고 있다. 산이나 강과 같은 자연 속에는 엄청난 생명의 신비가 숨어 있다. 건강한 생활을 위해서 사대부들은 깊은 산속으로 돌아와 자신의 건강한 삶과 여가생활을 만끽했다. 작가는 산속에 있는 밭에서 노동을 하다가 비가오니 녹음 속에서 낮잠을 자다가 목동이 소와 양을 치는 소리에 잠을 깬다고 노래한다. 낮잠을 자며 쉬는 시간을 가지는 여가활동은 육체의 피로를 풀어주고 심신을 회복시켜서 신체의 건강을 회복하는데 기여한다고 할 수 있다.

제3연에서는 가을철의 여가생활을 노래하고 있다. 작가는 가을 농촌의 풍성하고 여유로운 정경을 담담하게 그려내고 있다. 가을이 되어 대추와 밤이 풍성하고, 벼를 벤 그루터기 사이로 게들이 다니며, 술이 익는 소리에 술을 체에 걸러서 먹는 모습을 묘사하고 있다. 이러한 모습은 작가가 가을철 산수자연을 배경으로 여가생활을 즐기는 모습을 표현하고 있는 정경이라 할 수 있다.

겨울철을 노래하는 4연에서는 중국의 시인 유종원(773~819)의 강설 江雪23)과 비슷한 내용이다. 한국의 겨울은 눈이 내려 온 세상을 하얗게 덮을 때가 가장 아름답다고 한다. 눈이 오는 소리에 맞추어 온 천

---

23) 유종원柳宗元, 「강설江雪」; 千山鳥飛絶, 萬徑人踪滅, 孤舟簑笠翁, 獨釣寒江雪.(온산에 새 한 마리 날지 않고, 모든 길엔 사람의 자취 끊어 졌네. 외로운 배엔 도롱이와 삿갓 쓴 늙은이가, 눈 내리는 추운 강에서 홀로 낚시한다.)

지는 은세계가 되어 조용해지고 사람들은 마음의 여유를 가지고 휴식을 하게 된다. 눈이 오는 강가에서 조용히 낚시를 하며 만년의 여가생활을 즐기는 늙은이의 모습은 산수자연에 은거隱居하며 미래를 꿈꾸는 선비의 모습을 묘사하고 있다.

「사시가」에 나타난 이러한 작가의식은 '자연을 활용하자.'라는 녹색실용주의와 비슷한 시각을 지닌다고 할 수 있다. 작가는 여가생활이나 전원생활을 통하여 자연을 활용하고 휴식을 체험하는 생활의 현장으로서 산수자연을 표현하고 있다. 이처럼 15세기 벼슬살이를 마치고 향촌으로 돌아온 사대부는 산수자연을 활용하여 여가생활을 마음껏 즐기고 있다. 이 작품에서 작가는 정치적인 입장과 대척적인 입장에서 산수자연을 노래하는 것이 아니라 현실생활 속에 풍요로움을 주는 여가생활의 공간으로서 산수자연을 노래하고 있다. 작가는 산수자연에서 전원생활을 입장에서 사계절에 즐기는 여가활동을 노래하고 있으며, 육체의 건강과 정신의 안정을 함께 주는 산수자연을 활용하여 은퇴 후인 만년의 전원생활을 즐기고 있다. 이러한 녹색의 담론은 여가생활을 실현할 수 있는 생활공간의 대상물로서 산수자연을 노래하여 관료로서의 산수자연을 보는 시각이기보다는 처사인 선비의 입장에서 산수자연을 노래하는 것이라고 할 수 있다.

지금까지 「사시가」에 나타난 녹색담론을 분석하였는데 작가는 현실의 생활을 사실적으로 표현하여 생활공간과 계절의 변화와 그 진리를 순차적으로 표현하고 있다. 이 시조는 작가가 벼슬을 사직하고 전원으로 돌아와 전원생활을 하면서 만년의 여가생활을 체험적으로 표현하는 여가생활의 노래라고 할 수 있다. 작가는 벼슬을 은퇴한 후 만년에 전원생활하면서 관리로서의 입장이라기보다는 전원에서 생활하는 선비의 입장에서 산수자연 속의 여가생활을 노래하고 있다.

「사시가」의 작가는 15세기 향촌에서 생활하는 선비의 입장을 지향하고 있어 처사문학의 작가의식을 견지하고 있다. 이러한 시각은 '자연을 활용하자!'는 작가의식을 표출하는 사대부의 입장으로 자연 속에서 건강하게 살아가자는 녹색실용주의의 시각을 견지하며 은퇴 후에 사대부의 여가생활과 전원생활을 표현하고 있는 것이다.

5. 산수자연과 녹색정신의 상관성

시가문학에서 15세기는 변화와 개혁의 시기이다. 이 시기 변화의 중심에 있는 시가문학에는 사대부가 창작한 시조와 가사가 주축이라 할 수 있다. 이 시기의 사대부는 관료생활에서의 자긍심을 산수와 자연에 덧입혀서 경세제민을 주장하는 관인의식을 작품에 표출하기도 하였고, 산수와 자연에서 안빈낙도하며 전원생활을 하는 사대부들의 처사의식을 작품에 노래하기도 하였다. 여기서는 15세기 자연시가에 나타난 작가의식을 관인문학과 처사문학의 두 가지 관점으로 논의하고 그 분석을 바탕으로 녹색담론의 양상과 그 특성을 분석하였다.

지금까지 논의한 자연시가에는 맹사성의 「강호사시가」, 정극인의 「상춘곡」, 황희의 「사시가」 등의 작품이 있다. 맹사성의 「강호사시가」에서 산수자연은 정치현실과 완전히 단절된 적대관계로 설정되어 있지 않다. 산수자연과 정치현실은 서로 연결된 것이다.

맹사성의 「강호사시가」에서는 작가가 전원생활을 긍정하며 자신의 기쁨과 즐거움을 흔쾌하게 임금의 은혜라고 거듭 강조하고 있다.

이러한 작가의식은 자연으로 돌아와 전원생활을 하면서 임금의 은혜가 자연과의 조화를 이루는 '자연으로 돌아가자.'라는 녹색의 담론과 위상을 같이 한다. 자연으로 돌아가서 안빈낙도安貧樂道하면서 살아가는 것도 「강호사시가」에서는 관료생활을 할 때와 마찬가지로 임금의 은혜로 인해서 가능하다고 하는 관인문학의 작가의식을 견지하고 있다. 이러한 「강호사시가」의 담론은 임금의 은혜가 우리와 자연에게 골고루 미치니 순수하게 '자연으로 돌아가자.'라는 녹색의 담론으로 녹색낭만주의의 사상에 가깝다고 할 수 있다.

정극인은 관직을 기피하여 자연 속에 숨어서 생활한 사람은 아니라 그와는 정반대였다. 그래서 그는 나라와 백성을 걱정하는 관인문학의 관점으로 「불우헌곡」을 창작했으며, 「상춘곡」에서는 표면적으로는 안빈낙도를 주장하지만 내면적으로는 정치현실을 그리워하고 있어 관인문학과 처사문학의 입장을 공유하는 시각을 노래하고 있다고 분석했다. 그래서 「상춘곡」은 관인문학과 처사문학의 두 가지의 속성을 함께 공유하는 작품이라 할 수 있다. 벼슬살이를 마치고 산수자연으로 돌아온 작가는 「상춘곡」에서 표면적으로는 산수자연을 노래하고, 이면적으로는 인세홍진의 세상을 노래하여 사대부로서 관인문학과 처사문학을 함께 공유하는 인생의 진정한 경지를 보여주고 있다. 이러한 점을 종합했을 때, 정극인(1401~1481)의 「상춘곡」에 나타난 녹색담론은 '자연과 함께 공생하자.'라는 구호로 집약될 수 있다.

사람들이 모여 사는 곳은 인간세상이다. 인간세상은 산수자연에서 동떨어져 있는 것이 아니라, 산수자연 가운데서 인간세상이 만들어졌다. 정극인의 「상춘곡」에 나타난 작가의식은 내면적으로 인세홍진과 정치현실의 경쟁을 자긍심으로 표현하는 관인문학을 지향하는 의식과 표면적으로는 산수자연에서 물아일체와 안빈낙도를 노래하는 처사문학을 지향하는 작가의식이 공존하고 있다고 할 수 있다. 이러한 「상춘곡」에 나타난 녹색의 담론은 '인간이 자연과 함께 공생해야 한다.'는 녹색생존주의의 시각으로 산수자연을 표현하는 작품이라 할 수 있다.

황희의 작품 「사시가」는 산수자연에서 여가생활을 즐기는 선비의 모습을 묘사하고 있어 처사문학의 작가의식이 우세하다고 할 수 있다. 「사시가」에 나타난 산수자연의 모습은 봄과 가을에는 자연에서 자란 건강식으로 신토불이身土不二의 먹을거리를 노래하고, 여름과 겨울에는 가벼운 운동과 취미생활로 정신의 건강을 추구하며 산수자연에서 생활하는 사대부의 여가생활을 사실적으로 표현하고 있다. 작가의 이러한 태도는 생활공간에서 계절의 변화에 맞추어서 '자연을 활용하자.'는 녹색실용주의의 의식으로 산수자연의 순차적인 변화를 표현하고 있는 것이다. 「사시가」의 작가는 벼슬에서 은퇴하고 전원생활을 하면서 관료로서의 입장이라기보다는 전원에서 생활하는 선비의 입장에서 자연 속에서 체험한 사계절의 여가생활과 그 활동을 노래하고 있다. 이러한 시각은 자연을 잘 활용하여 여가생활을 즐기자는 실용주의의 감각을 표출하고 있어 사대부로서 자연 속에서 건강하게 살아가자는 녹색실용주의의 시각과 위상을 같이한다고 할 수 있다.

지금까지 분석한 15세기 자연시가에 나타난 녹색담론을 다음과 같이 요약할 수 있다. 산수자연과 전원생활의 조화로움을 주장하면서 관인문학에 가까운 맹사성의 「강호사시가」는 '자연으로 돌아가자.'라는 녹색낭만주의의 시각을 담고 있으며, 산수자연과 물아일체가 되어 안빈낙도를 노래하여 관인문학과 처사문학의 의식을 공유하는 정극인의「상춘곡」은 자연과 인간이 공존해야 한다는 '자연과 함께 공생하자.'는 녹색생존주의의 시각을 지니고 있으며, 산수자연에서 여가생활과 체험활동의 조화를 처사문학의 입장으로 표현한 황희의「사시가」는 '자연을 활용하자.'라는 녹색실용주의의 시각을 지니고 있다.

여기서는 15세기 자연시가에 나타난 관인문학과 처사문학의 작가의식을 중심으로 녹색담론의 다양한 양상을 살펴보았다. 15세기 자연시가에 나타난 녹색담론을 연구하는 작업은 주제 자체가 환경과 인간, 인생과 예술, 성장과 분배, 소통과 공생, 그리고 지속성장이라는 화두를 내포하며 기초로 하고 있다. 앞으로는 15세기 예술과 문학에 표출되어 있는 녹색담론의 양상을 작품별로 구체적으로 살펴보고 논의하여 당시의 사대부들이 표출했던 현실정치와 산수자연의 의미에 나타난 녹색담론의 상관성과 그 변화를 사실적으로 추적하는 일이 과제로 남아 있다고 할 수 있다.

자연시조에 나타난 녹색담론

1. 시조와 녹색담론

요즈음 지구촌의 최대 화두는 환경과 관련한 문제이다. 녹색담론
에 관련된 최초의 관심사는 오염, 야생보호, 인구증가, 자연자원의
고갈이었다. 하지만 시간이 지나면서 에너지 공급, 동물계, 멸종, 기
후변화, 성층권에서 일어나는 오존층의 고갈, 유독성 폐기물, 생태계
전반의 보존, 환경정의에 대한 우려가 더해졌다.[1] 우리가 치열한 생
존경쟁을 하고 있는 이유도 어찌 보면 행복한 삶을 유지하기 위한 하
나의 방편인데, 깨끗한 생태계가 조성되지 않는 한 우리의 행복한 삶
도 결코 이루어질 수 없다. 인류가 과학기술을 기반으로 하는 테크노
피아를 향해 달려오는 동안 지구는 심각한 환경오염의 병을 앓게 되
었고 이로 인해 우리는 전무후무한 생태 파괴의 결과를 맞이하게 되
어 지금 에코토피아를 추구하고 있다.

이러한 현상은 환경과 관련한 기본 관점에 대한 우리들의 생각하

---

1) 존 S. 드라이제크(정승진 역), 『지구환경정치학 담론』, 에코, 2005, p.15.

는 방식이 시간의 흐름에 따라 급격하게 변할 수 있다는 상황을 내포하고 있다. 여기서는 조선시대 자연시조에 나타난 녹색담론의 변화에 초점을 맞추어 우리 선조들이 사고했던 자연관과 녹색담론의 양상과 그 사상에 대해서 고찰하고자 한다. 여기서는 조선시대 선비들이 자연과 함께 살아가면서 전원생활과 산수자연 그리고 생활현장에서 생태계의 자연을 주된 내용으로 노래한 일련의 시조를 자연시조라고 정의하고자 한다.

지금까지 자연시조에 대한 연구는 강호가도라는 용어의 정립[2]과 함께 산수시조에 대한 미의식의 연구[3]에도 집중했고, 강호시조를 정치현실에 따라 16세기와 17세기의 시조로 나누어 그 차이점을 규명[4]하려고 하였으며, 자연시조를 생활시[5]와 관련하여 분석한 연구까지 다양하게 이루어지고 있다. 하지만 자연시조에 대한 연구를 현재 우리 사회에서 이루어지고 있는 지구환경과 녹색담론의 이론을 중심으로 시조의 유형을 나누고 작가의 의식지향을 살펴보고 있는 논의는 거의 없다고 할 수 있다. 녹색담론이란 녹색의 세계를 이해하는 공동의 이야기 방식이라 할 수 있다. 여기서는 자연시조라는 언어 속에 감추어져 있는 녹색담론의 이야기 방식을 분류하여 시대의 흐름에 따라 주류를 형성한 조선시대 녹색의 정보뭉치를 설명하면서 분석하고자 한다.

---

2) 조윤제, 『조선시가사강』, 동광당서점, 1937.
3) 최진원, 『국문학과 자연』, 성균관대학교 출판부, 1977; 이민홍, 『조선 중기 시가의 이념과 미의식』, 형설출판사, 1985; 최동국, 「조선조 산수시가의 이념과 미의식」, 성균관대학교 박사학위논문, 1992; 손오규, 『산수문학연구』, 부산대학교 출판부, 1994.
4) 김흥규, 「강호자연과 정치현실」, 『고전시가론』, 새문사, 1984; 신영명, 「16세기 강호시조의 연구」, 고려대학교 박사학위논문, 1991.
5) 김석회, 「존재 위백규의 생활시에 관한 연구」, 서울대학교 박사학위논문, 1992.

녹색담론에 관한 주장은 녹색낭만주의, 녹색합리주의, 녹색경제주의 등으로 나누어진다. 녹색낭만주의는 채식주의자들처럼 정치운동에 적극성을 지니지 않고 녹색의 용품을 사용하는 행위에 국한되지 않고 그런 행위를 함으로써 전원과 자연을 사랑하는 녹색의 사람이 되는 것이다.6) 녹색합리주의는 계몽의 가치를 선택하고 받아들여서 생태계의 환경보호를 근본화한 것이다.7) 녹색경제주의는 공공의 목표를 달성하기 위해서 생산과 소비에 중점을 두는 경제활동에 관심을 가지는 것이다.8) 이 글에서는 지구환경과 관련된 녹색담론을 바탕으로 조선시대를 대표하는 자연시조를 유형분류하고 그 담론의 특성과 의식지향을 살펴보고자 한다.

여기서 논의하고자 하는 자연시조는 그 주제와 지구환경에 관련된 녹색담론의 의식지향에 따라서 크게 세 갈래로 나누어질 수 있다. 첫째, 녹색낭만주의의 시각으로 '자연으로 돌아가자!'라는 귀향이나 귀거래를 통해서 귀향의식의 주제를 설파하는 전원시조가 있고, 둘째는 녹색합리주의의 시각으로 '자연과 함께 공생하자!'라는 규범과 함께 강호가도와 자연의 흥취를 노래하는 산수시조가 있으며, 마지막으로 녹색경제주의의 시각으로 '자연을 이용하자!'라는 농촌현실과 생활현장을 묘사하고 전달하는 18세기의 생활시조가 있다. 이러한 자연시조들은 세속적인 가치를 부정하면서 자연과 함께 행복한 생활을 찾아내야 한다는 그 나름의 공통된 녹색담론을 지니고 있다. 자연시조에 나타난 녹색담론을 살펴보는 작업은 환경문제의 계몽과도 관

---

6) 존 S. 드라이제크(정승진 역), 앞의 책, 2005, pp.293~300.
7) 같은 책, 2005, pp.301~302.
8) 같은 책, 2005, p.186.

련된 것이다. 시간의 흐름에 따라 더욱 민감해지는 생태계의 파괴라는 명제는 잘못된 환경의 개념과 생태계 오염이라는 현상을 초래하게 했다. 이 글은 생태계 파괴라는 무지에서 탈출해나가려고 노력하는 현대인들에게 자연시조에 나타난 녹색담론을 살펴봄으로써 그 대안을 모색하는 작업이라고 할 수 있다.

최근 우리나라에서는 대형건설 사업이 있을 때마다 환경문제가 주요한 이슈로 떠올랐다. 최근 한국에서 일어난 생태문제와 환경문제는 고속철 건설, 4대강 건설, 경인운하 등 주로 건설문제와 관련되어 있다. 건설문제에 시민단체와 정치권과 관계하여 생태계 파괴문제를 쟁점화하면서 평행선을 달리며 투쟁하고 있는 현상이 특징이라 할 수 있다. 이처럼 복잡한 환경과 생태계의 문제를 두고 전통문화에 나타난 철학의 배경을 살펴보기 위해 여기서는 조선시대 자연시조에 나타난 녹색사상과 환경담론을 분석하여 그 의미가 시사하고 있는 바를 살펴보고자 한다. 이러한 관점은 현재 우리 사회에서 첨예하게 대립하고 있는 환경문제의 갈등에 대한 현실대응의 방향을 모색하는 철학의 근거를 제시할 수 있을 것이다.

환경의 문제는 복잡하다. 예를 들면 화석연료의 연소로 이산화탄소가 대기 중에 축적되어 발생하는 기후변화의 문제는 각 지역의 대기 오염과 관계가 있고 교통정책과도 관련이 있으며, 대기에서 이산화탄소를 흡수함으로써 탄소배출구 역할을 하는 생태계 파괴와도 관련이 있다. 그리고 화석 연료의 의존관계 및 고갈의 문제와도 관련이 있고 결국 원자력과 같은 대체 에너지 자원의 문제와도 관련이 있다. 따라서 환경의 문제는 상호 연결되어 있고, 다차원적인 형태로 연결되어 있는 현상이 보통이다. 한마디로 환경과 생태계의 문제는 복잡하다는 것이다. 복잡성은 어떤 의사결정 체계 속에 놓인 어떤 환경이 가지고 있는 요소들과 그 요소들의 상호 작용이 여러 가지이며 또한 다양하다는 것을 의미한다.

인간의 의사결정 체계가 환경 문제와 직면할 때는 두 차례의 복잡성과 마주치게 된다. 먼저는 복잡한 생태계를 이해하는 우리의 지식에 한계가 있다는 사실이고, 다음은 인간의 사회체계 또한 복잡하다는 것이다. 환경문제는 정의상 자연생태계와 인간의 사회체계가 교차하는 지점에 있으므로 그 복잡성이 기하급수적으로 증가할 것임을 예상할 수 있다. 1990년대 이후 한국의 문학에서도 생태주의나 녹색주의의 담론이 많이 늘어나고 있다.[9] 상황이 복잡할수록 그 상황을 바라보는 어떤 한 가지의 견해가 잘못임을 밝히기가 더욱 어려워지므로 그 상황에 대한 타당성 있는 견해의 수도 그만큼 늘어난다.

녹색에 관련된 담론은 인간과 생태계를 대등하게 평가하고 이해하려는 인간과 생태계의 공생에 관련된 이야기의 대화라고 할 수 있다. 시조문학에 나타난 녹색담론을 분석하는 작업은 자연시조라는 언어 속에 감추어져 있는 녹색담론의 정보뭉치들을 해석하고 분석하여 일관된 설명이나 이야기를 할 수 있도록 논리를 부여하는 작업이다. 자연시조에 나타난 녹색담론은 환경문제를 구성하고, 해석하고, 토론하고, 분석하는 방법으로 주제 그 자체가 매우 중요한 논쟁을 근거로 하고 있다. 이 글에서는 조선시대 자연시조에 나타난 생태의식을 파악하고 환경주의의 요소를 설명하는 대신에 자연시조가 지닌 녹색담

---

9) 도정일, 『시인은 숲으로 가지 못한다』, 민음사, 1994; 박희병, 『한국의 생태사상』, 돌베개, 1999; 김욱동, 『한국의 녹색문화』, 문예출판사, 2000; 김복근, 『생태주의 시조론』, 도서출판 경남, 2009.

론의 변화를 분석하고자 한다. 이러한 변화와 분석이 21세기에도 화두가 되고 있는 녹색담론이 체계성을 지니고 논리화되어 지속가능한 성장과 발전을 이룩하는데 조그마한 초석이 되었으면 한다.

2. 자연으로 회귀를 노래하는 전원시조

전원시조에 나타난 자연에 대한 작가의 의식지향은 '자연으로 돌아가자!'라는 구호로 집약될 수 있다. 동양에서 전원문학이라고 하면 도연명陶淵明(365~427)의 〈귀거래사歸去來辭〉나 〈도화원기桃花源記〉에서 그 유래를 찾는 것이 일반적인 현상이다. 우리나라의 경우에는 전원문학의 개념을 목가적 이념 내지 정신만으로써 논한다면 그 기원은 서정시의 시작과 함께 거슬러 올라 갈 수 있다. 귀거래歸去來는 관리생활을 그만두고 산수전원으로 돌아가는 것을 말한다. 하지만 한국에서 전원시조의 시작은 사대부가 관리생활을 그만 두고 자신의 고향이나 산수전원으로 돌아가기 시작한 조선 초기라고 할 수 있다.

맹사성(1360~1438)의 〈강호사시가〉10)는 향리로 돌아가는 전원생활의 즐거움을 지니고 있으며 전원 속에서 임금의 은혜에 감사하며 자연의 섭리에 따라 살아가겠다는 뜻을 나타내고 있다.

> 강호江湖에 봄이 드니 미친 흥興이 절로 난다
> 탁료계변濁醪溪邊에 금린어錦鱗魚ㅣ 안주로다
> 이 몸이 한가閑暇히옴도 역군은亦君恩이샷다

10) 정주동, 유창균 역주, 『진본 청구영언』, 명문당, 1957.

강호江湖에 녀름이 드니 초당草堂에 일이 업다
유신有信흔 강파江波는 보내느니 브람이다
이 몸이 서늘히옴도 역군은亦君恩이샷다

강호江湖에 ᄀᆞ올이 드니 고기마다 슬져 잇다
소정小艇에 그믈 시러 흘리 띄여 더뎌 두고
이 몸이 소일消日히옴도 역군은亦君恩이샷다

강호江湖에 겨울이 드니 눈 기픠 자히 남다
삿갓 빗기 쓰고 누역으로 오슬 삼아
이 몸이 칩지 아니히옴도 역군은亦君恩이샷다

위의 시조에 있어서 산수전원은 그 자체가 시의 대상이 되거나 시
인의 정서와 결합하여 향리에서 살아가는 자연과 인간의 조화로운 모
습을 표현하고 있다. 〈강호사시가〉는 1년 사계절이 순환하면서 계절
마다 자연이 주는 한가롭고도 행복한 생활을 노래하고 있다.

전통적으로 시간을 인식하려는 관점은 크게 두 가지로 나누어진
다. 하나는 시간을 순환하는 현상으로 보려는 태도이고, 다른 하나는
시간을 일직선의 현상으로 보려는 태도이다. 순환론의 시간관에서
시간은 낮과 밤이나 사계절의 변화처럼 끊임없이 돌고 돈다. 이러한
시간관에서는 역사를 움직이는 활발한 발전이나 진보를 기대하지도
않지만 그렇다고 삶을 크게 좌절하거나 절망하지도 않는다. 한편 일
직선의 현상으로 시간을 파악하는 태도는 시간을 마치 화살처럼 오직
앞을 향하여 날아가는 것으로 인식한다. 목적론의 세계관을 내세우
는 신앙이나 이론은 하나같이 이 시간관을 받아들인다.

〈강호사시가〉는 일직선의 시간관보다는 오히려 순환론의 시간관을 받아들이고 있다. 예로부터 계절의 변화는 사람의 힘으로 옮길 수도 없고 바꾸어놓을 수도 없다. 그 변화에서 자연과 통치자의 놀라운 조화의 자취를 표현하고 있을 따름이다. 이 작품의 작가는 사시성쇠四時盛衰와 풍로상설風露霜雪이 때를 잃지 않고 그 차례를 바꾸지 않으며, 순환하고 변화하여 생성하고 소멸하는 관점을 지니고 있다.[11] 봄에는 만물이 싹트고, 여름에는 만물이 성장하며, 가을에는 만물이 성숙하여 열매를 맺게 하고, 겨울에는 만물을 갈무리하는 것이다. 자연이 지닌 이 네 가지의 특징이야말로 떳떳한 법칙이다. 사계절로 상징되는 원형이정元亨利貞이 자연의 법칙이라면, 화자는 자연과 사회와의 갈등에서 벗어나 조화롭게 중도를 지키며 지선至善을 실천하고 있다. 벼슬을 그만 둔 화자가 고향으로 돌아와 생활하는 목적은 이 작품이 지닌 '자연으로 돌아가자!'라는 녹색사상의 실천이라 할 수 있다. 인간이 자연에서 태어나 자연으로 돌아간다는 말은 인간이 근원적으로 자연과 한 몸이라는 인식의 표현이다. 하지만 오늘날 인간은 자연에서 나고 자연으로 돌아간다는 사실을 의식하지 않고 살아가고 있다. 인간이 태어나서 자연으로 돌아간다고 할 때에는 자연과 더불어 건강하게 살아간다는 것을 전제로 하고 있다.

생태학에서는 물질의 순환과 에너지의 흐름을 무엇보다도 가장 중요하게 여긴다. 생물이 살아가려면 몸을 구성하는데 필요한 에너지를 섭취하여야 한다. 에너지는 궁극적으로 태양으로부터 나오고 물질은 주위의 환경으로부터 공급받는다. 인간은 말할 것도 없고 인간

---

11) 김신중, 「사시가형 시조의 강호인식」, 『시조학논총』 제8집, 1992, pp.42~43.

이 아닌 다른 생물도 이러한 삶의 순환과정에 따라 삶을 영위한다. 심지어 죽음마저도 이러한 물질의 순환과 에너지의 흐름과 깊이 관련이 있다. 이러한 순환론의 세계관에서는 오직 앞만 바라보고 나아가는 진보와 발전을 찾아보기 힘들다고 할 수 있다.

　과학기술을 기반으로 한 진보와 발전에 대한 지나친 믿음이 오늘날 우리가 겪고 있는 환경 위기나 생태계 위기를 가져온 것이다. 이에 비해 순환론의 세계관은 생태계라는 공간의 안정과 조화를 추구하고 있다. 이처럼 〈강호사시가〉에 나타난 순환론의 시간관은 '자연으로 돌아가자!'라는 철학으로 생태계 위기를 극복할 녹색낭만주의 사상으로 그 의미를 지닌다고 할 수 있다.

3. 자연과 공생을 추구하는 산수시조

　산수시조에 나타난 자연에 대한 작가의 의식지향은 '자연과 함께 공생하자!'라는 구호로 집약될 수 있다. 사람들이 모여 사는 곳은 인간세상이다. 인간세상은 산수자연에서 동떨어져 있는 것이 아니라, 산수자연 가운데서 인간세상이 만들어 졌다. 인간세상에서는 각축角逐이 있기에 홍진紅塵이 인다. 그로 인해서 무구無垢한 산수자연과 인세홍진人世紅塵이 구분되었다. 오늘날 우리가 경험하고 있는 생태계의 위기에는 인간중심주의가 자리하고 있다. 인간이 만물의 영장이며 우주의 중심이라는 그 오만한 태도가 자연을 파괴하고 환경을 훼손하는데 결정적인 역할을 한다. 지나친 인간 중심주의에 맞서 온갖 삼라만상에 영혼이 깃들어 있고 생명이 있다는 사고가 우리 민족에게 널리 퍼져 있었다. 산수자연과 '물아일체物我一體'를 노래하며 자연미를 발견하는 산수시조는 녹색을 사랑하는 선조들의 진보된 상상력이다. 살아있는 동물은 말할 것도 없고 나무와 풀 같은 식물로부터 산, 토지, 강 같은 자연물, 그리고 해, 달, 별 같은 천체에 이르기까지 소중하게 다루었다.

이황(1501~1570)은 〈도산십이곡〉[12]에서 자연의 천성을 인성과 같은 것으로 보았다. 자연이 인간과 더불어 유기체의 일원으로 존재한다는 산수시조의 세계관은 인간만이 유일하다는 인간중심의 사고를 극복하고 있다.

> 이런들 엇더ᄒ며 뎌런들 엇더ᄒ료
> 초야우생草野愚生이 이러타 엇더ᄒ료
> ᄒ물며 천석고황泉石膏肓을 고텨 므슴ᄒ료

> 연하煙霞로 지블 삼고 풍월風月로 버들 사마
> 태평성대太平聖代에 병病으로 늘거가뇌
> 이 듕에 ᄇ라는 이른 허므리나 업고쟈

> 순풍淳風이 죽다 ᄒ니 진실眞實로 거줏마리
> 인성人性이 어다다 ᄒ니 진실眞實로 올흔마리
> 천하天下애 허다영재許多英才를 소겨 말슴ᄒ가

> 유란幽蘭이 재곡在谷ᄒ니 자연自然이 듣디 됴해
> 백운白雲이 재산在山ᄒ니 자연自然이 듣디 됴해

---

12) 이황, 『도산십이곡』; 이황, 『도산전서』 3, 정신문화연구원, 1980.

이 듕에 피미일인彼美一人을 더욱 닛디 못ᄒ애

산전山前에 유대有臺ᄒ고 대하臺下에 유슈流水ㅣ로다
ᄠᅦ 만흔 굴며기는 오명 가명 ᄒ거든
엇더타 교교백구皎皎白駒는 머리 므슴 ᄒᄂᆫ고

춘풍春風에 화만산花滿山ᄒ고 추야秋夜에 월만대月滿臺라
사시가흥四時佳興이 사룸과 ᄒ가지라
ᄒ믈며 어약연비魚躍鳶飛 운영천광雲影天光이야 어늬 그지 이슬고

위의 작품에서 화자는 자연의 천성天性을 인성人性과 같은 것으로 보았다. "사시가흥四時佳興이 사룸과 ᄒ가지라"라는 구절은 인간만을 이 세계의 중심으로 보았던 인간중심의 사고방식을 반성하게 하며 세상만물이 모두 서로 면밀한 유대관계를 지닌 유기체의 사고로 물아일체物我一體의 조화를 가능하게 한다. 이 작품에서는 동물과 식물을 포함한 모든 사물과 자연을 인간의 수단이나 도구의 위치에서가 아닌 인간과 같은 수준으로 생태계의 핵심과 중심에 올려놓고 논의하고 있다. 작가는 하늘과 땅 사이에 존재하는 모든 사물과 자연의 질서가 모두 인간과 함께 공생하며 대등한 가치를 지니고 있어 인간과 사물이 모두 공생하며 평등하다는 의식을 표현하고 있다.

생태계의 위기는 인간과 세계 그리고 자연을 대립적인 관계로 파악한 것에 그 원인이 있다. 세계를 정신과 물질, 정신과 자연으로 이원화시키는 이원론의 세계관은 인간을 위해서라는 대명제 아래 자연을 개발 대상으로 단순화시켰다. 이후 세계는 정신과 자연으로 완전히 분리되었고, 자연은 길이와 넓이와 높이 혹은 깊이를 갖는 물질로

서 착취의 대상이 되었다. 이러한 이원론의 세계관이 지닌 문제점을 극복하기 위해서 자연과 인간이 더불어 유기체로 존재한다는 세계관인 녹색합리주의가 싹트게 되었다.

〈도산십이곡〉에 나타난 유기체의 세계관은 인간 중심의 세계관으로 인한 자연의 지배와 그에 따른 인간의 소외를 극복할 수 있는 대안이라 할 수 있다. 인간 중심이라는 명제는 인간이 자기 자신만을 지나치게 사랑하는 일이라 할 수 있지만, 이 사실은 인간이 자기 자신을 진정하게 사랑하는 방법을 모르는 것이라 할 수 있다. 반대의 경우도 마찬가지인데 오직 다른 사람 밖에 사랑할 수 없다는 명제는 역시 자기 자신에 대한 사랑이 불가능하다는 말과 같다. 인간은 혼자서 존재할 수 있는 것이 아니며, 자연과 함께 공생해야만 비로소 그 존재가 오랫동안 지속 가능한 것이다. 생태주의의 관점은 인간이 지닌 소외의식의 극복을 위해서 인간의식의 변화를 강조하고 있다. 이런 점에서 〈도산십이곡〉은 인간이 세계를 지배하고 소유하려는 욕망의 근원인 이기적인 지식과 모순된 이성을 버리고 순수한 자연의 일부로 돌아갈 때만이 세계와 인간의 공생이 가능하다는 녹색합리주의의 관점을 견지하고 있다.

4. 자연을 활용하는 생활시조

생활시조에 나타난 자연에 대한 작가의 의식지향은 '자연을 이용하자!'라는 구호로 집약될 수 있다. 조선 후기에는 거듭된 전란으로 농토가 황폐화되고 경작면적이 줄어들고 토지대장을 분실하여 과세할 토지가 점차 줄어들었다. 소수의 문벌을 중심으로 지배 체제가 굳어져 갈 무렵 국가적으로 심각하게 제기된 문제는 향촌의 선비들에게 관직의 진출 기회가 점차 봉쇄되어 신분제가 동요되면서 선비들도 궁핍한 생활을 감당해야만 했던 것이다. 이를 타개하기 위해서 지배층은 농업을 중시하고 농업에 관련된 기술을 개발하여 보급했다.

조선후기 17세기 초에 보급된 이앙법移秧法은 그 효과적인 면에서 선비들이 농업에 종사할 경제기반을 마련할 기술이라 할 수 있다. 이앙법은 못자리에서 모를 길러 적당히 자란 후에 본답으로 옮겨서 기르는 것으로 유휴 토지에 보리를 심을 수 있어 이모작을 가능하게 했다. 보리가 성숙하여 수확하는 6월까지 벼를 못자리에서 기르고, 그 후에 보리를 베어낸 본답으로 벼를 이앙하여 기르면 이모작이 된다. 이로 인해 보리의 생산량이 증가하고 벼의 단위당 생산량도 증가하였다. 이러한 현상으로 인해 조선 후기에는 한 사람의 농부가 경작할 수 있는 토지의 양이 증가하여 선비가 농사를 지어도 어느 정도 경제적 기반을 갖출 수 있었다.

이러한 시대의 상황 속에서 선비들은 농사에 관심을 가졌고 농촌생활을 시조로 노래하였다. 조선 후기 생활시조로 주목을 받는 작품은 〈농가구장農歌九章〉[13]이다. 18세기 후반에 지은 위백규魏伯珪(1727~1798)의 〈농가구장〉은 향촌사회가 처한 위기의 현실을 극복할 대안으로 녹색경제주의의 담론을 모색하고 있다.

> 서산西山에 도들볏 서고 굴음은 느제로 낸다
> 비 뒷 무근 풀이 뉘 밧이 짓텃든고

---

13) 위백규, 『존재전서』, 경인문화사, 1974.

두어라 추례지운 일이니 미는대로 미오리라   조출朝出

도롱이예 홈의 걸고 쏼 곱은 검은쇼 몰고
고동풀 뜯머기며 깃믈곳 느려갈 제
어듸셔 픔진 벗님 홈쯰 ᄒ느고   적전適田

둘너 내자 둘너 내자 긴츳골 둘너 내자
바라기 역괴를 골골마다 둘너 내자
쉬 짓튼 긴 ᄉ래는 마조 잡아 둘너 내자   운초耘草

씀은 듣는대로 듯고 볏슨 쐴대로 쐰다
청풍淸風에 옷깃 열고 긴 파람 흘리 불 제
어듸셔 길 가는 손님 아는드시 머무는고   오식午憩

힝긔예 보리뫼오 사발의 콩닙치라
내 밥 만흘셰요 네 반찬 젹글셰라
먹은 뒷 흔숨 줌경이야 네오 내오 달을소냐   점심点心

돌아 가쟈 돌아 가쟈 히지거다 돌아 가쟈
계변의 손발을 싯고 홈의 메고 돌아올 제
아듸셔 우배초적牛背草笛이 홈쯰 가쟈 빗아는고   석귀夕歸
<농가구장, 1~6연>

위의 시조는 아침에 농사일을 나가 저녁에 집으로 돌아올 때까지
의 과정을 노래한 <농가구장>의 내용이다. 시간의 순서에 따라 아침
에 일어나 일터로 나가고 저녁에 집으로 돌아오는 과정을 서술하고
있는 것 같지만 자세히 살펴보면 시간의 질서가 깨어져 있음을 알아

낼 수 있다. 2연과 3연은 시간의 순서에 관계하기보다는 화자가 밭에
서 일하는 현실 체험의 공간을 사실적으로 표현하고 있다. 이처럼 작
품에 나타난 순차적 시간의 질서는 밭이라는 노동 공간의 개입으로
초점이 흐려지고 있다.

이 작품은 자연의 순리에 따라서 농사를 지으며 아무런 욕심도 없
이 한가롭게 전원생활의 여유를 즐기는 전원시조가 아니라 삶의 현장
인 농촌의 체험을 사실적으로 표현하는 생활시조라 할 수 있다. 이
작품의 화자는 변화하는 조선 후기의 시대 상황을 반영하여 선비의
자리에서 자영농의 위치로 옮겨 가는 모습을 전형적으로 보여주고 있
다. 조선 후기 정부에서는 많은 선비들을 벼슬자리에 오르게 할 관직
도 없었고, 농토의 황폐로 국가의 재정은 극도로 궁핍해졌다. 이러한
현상을 타개하기 위해서 국가는 선비들에게 농업을 중시하는 사상과
그 실천을 강조했다. 그래서 향촌의 선비들은 농사의 일에 관심을 가
지고 궁핍한 현실을 농업으로 타개할 수 있다는 녹색경제주의의 의식
을 지니게 되었다.

조선시대 정부의 농업정책은 단위당 농산물 생산량의 증대에 맞추
어 나가기보다는 주로 양반층의 토지분배와 맞물려 토지정책에 주력
했다. 조선 후기에 선비들의 숫자가 늘어나고 벼슬자리는 한정이 되고
몇몇 가문과 당파에 의해 벼슬자리의 독점이 강화되자 향촌 선비들의
위치는 더욱 위축되었다. 정부에서는 이러한 사실을 타개하기 위해
선비들이 경제기반을 갖출 수 있도록 농업을 장려하는 정책을 펼치게
되었다. 선비들도 경제적 기반을 갖추기 위해 농사일과 독서를 겸하면
서 현실적인 삶을 살아가기도 했다. 〈농가구장〉에서는 농사일과 독서
를 겸비한 선비들의 향촌 생활을 사실적으로 표현하고 있어 지속가능

한 발전의 기초가 되는 녹색경제주의의 시각을 견지하고 있다.

5. 자연시조와 지속가능한 성장

지금까지 살펴본 조선시대의 자연시조는 우리 선조들이 자연과 생태계를 인식하는 세계관의 변화를 잘 반영하고 있다. 자연은 전통적으로 인간과 밀접한 관련을 지니고 있다. 인간이 자연을 바라보는 세 가지 시각은 대체로 자연을 생활의 현장이나 예술미의 대상이나 교훈의 대상으로 바라보는 점이다. 현대사회에서 인간은 자연과의 동일성의 철학을 상실하여 환경을 파괴하여 생태계의 위기라는 현실에 직면하게 되었다. 이러한 상황에서 살펴본 자연시조에 나타난 녹색담론은 우리의 선조들이 지녔던 산수와 자연에 대한 다양한 시각과 철학을 시조라는 문학의 갈래를 통해서 표출하고 있었다. 조선시대 자연시조의 유형 변화는 조선시대 선비들이 지닌 녹색에 관련된 현실인식과 그 세계관의 변화와 관련이 깊다고 할 수 있다. 선비들은 시조를 창작하면서 자연과 산수를 감상하고 심성心性을 도야했으며 녹색의 다양한 사상을 함양하였다.

조선시대의 자연시조는 전원시조와 산수시조 그리고 생활시조를 포함하는 유형이라 할 수 있다. 조선 초기에는 귀향의식에 바탕을 두고 귀거래를 주제로 한 전원시조가 자연시조를 대표하고, 조선중기에는 자연의 풍경風景을 묘사하며 산수에서 예술미를 발견하는 산수시조가 자연시조를 대표하며, 조선 후기에는 삶의 현장이 되는 농촌의 체험을 사실적으로 표현한 생활시조가 창작되었다.

조선 전기 전원시조에 나타난 녹색담론은 귀거래를 통한 귀향의식
을 주된 미의식으로 하면서 녹색낭만주의의 시각을 견지하고 있으며,
16세기 산수시조에서는 자연과 인간이 대등한 관계에서 산수자연을
통해 예술미를 발견하는 녹색합리주의의 시각을 견지하고 있었고,
조선 후기 생활시조에 나타난 녹색담론은 생활의 체험을 위주로 하여
생산성의 발전을 기대하면서 자연을 잘 활용하여 지속가능한 발전이
라 할 수 있는 녹색경제주의 시각을 견지하고 있었다.

녹색의 생태계에서 바람직한 발전이란 지속가능한 성장이다. 지속
가능한 성장은 낮은 수준의 경제와 기술의 발전 속에서 자신들의 지
역 환경과 조화를 이루며 존재했던 소규모 수렵 채집 및 농경 사회를
제외하고는 어디에서도 이루어본 일이 없다. 이제 환경에 대한 대중
의 논의는 지속가능한 발전이라고 할 수 있다. 본질적으로 지속가능
한 발전이란 산수시조와 생활시조에 나타난 녹색합리주의와 녹색경
제주의의 시각을 바탕으로 자연과 인간이 공생하며 자연환경을 이용
하고 개발하는 작업과 비슷하다고 할 수 있다.

이러한 지속가능한 발전은 자원의 이용과 투자의 방향, 기술발전
의 지향, 제도의 변화가 모두 조화를 이루고 인간의 필요와 열망을
충족시켜주며, 현재의 가능성과 미래의 잠재능력을 동시에 증진시켜
주는 변화의 과정이라 할 수 있다.

참고문헌

1장. 시조문학의 정체성과 향유방식
한국 시조문학의 존립기반과 그 본질에 관한 시고

구인환 외, 『문학교육론』, 삼지원, 1988.
국어국문학회, 『국어국문학의 세계화』, 삼지원, 1994.
김대행, 『국어교과학의 지평』, 서울대학교 출판부, 2000.
김동준, 『시조문학론』, 우성출판사, 1981.
김영락, 『영역시조-한시선』, 전망, 2001.
김학성, 『한국고전시가의 정체성』, 성균관대학교 출판부, 2002.
문학과문학교육연구소, 『문학교육의 인식과 실천』, 국학자료원, 2000.
_____, 『문학교육의 탐구』, 국학자료원, 1996.
우한용, 『문학교육과 문화론』, 서울대학교 출판부, 2001.
철학연구회, 『근대성과 한국문화의 정체성』, 철학과현실사, 1998.
최준식, 『한국미, 그 자유분방함의 미학』, 효형출판, 2002.
최진원, 『고시조감상』, 월인, 2002.
탁석산, 『한국의 정체성』, 책세상, 2000.
_____, 『한국의 주체성』, 책세상, 2000.
한국고전문학회, 『국문학과 문화』, 월인, 2001.
한국문학교육학회, 『문학교육의 민족성과 세계성』, 태학사, 2000.
한국문학교육학회, 『문학교육의 새로운 구도와 실천』, 태학사, 2000.
한국시조학회, 『시조학논총』 제16~18집, 2000, 2001, 2002.

16세기 〈어부가〉와 〈오륜가〉의 표현의도와 수사학

이현보(李賢輔), 「농암집(聾巖集)」, 『한국문집총간』 제17권.
주세붕(周世鵬), 『무릉속집(武陵續集)』(권일(卷一) 오륜가(五倫歌).
_____, 「무릉잡고(武陵雜稿)」, 『한국문집총간』 제27권.

김홍규, 「강호자연과 정치현실」, 『세계의 문학』 제19호, 1981, 민음사.
류해춘, 「고려시대 정치민요의 기능과 그 미학」, 『어문학』 제65집, 1998.

이동영, 『조선조 영남시가의 연구』, 부산대학교 출판부, 1998.
이동환, 「퇴계문학 연구의 성과와 과제」, 『퇴계학과 한국문화』 제18집, 1990.
이민홍, 『조선중기 시가의 이념과 미의식』, 성균관대학교 출판부, 1993.
조윤제, 『한국문학사』, 동국문화사, 1963.
＿＿＿, 『조선시가사강』, 박문출판사, 1937.
최진원, 『국문학과 자연』, 성균관대학교 출판부, 1977.
로만 야콥슨(신문수 편역), 『문학속의 언어학』, 문학과 지성사, 1989.
마이클 라이언(나병철, 이경훈 옮김), 『포스트모더니즘 이후의 정치와 문화』, 갈무리,
　　　1996.

〈도산십이곡〉과 〈어부사시사〉의 표현의도와 수사학

김흥규, 「강호자연과 정치현실」, 『세계의 문학』 제19호, 1981, 민음사.
류해춘, 「고려시대 정치민요의 기능과 그 미학」, 『어문학』 제65집, 1998.
박준규, 『호남가단의 연구』, 전남대학교 출판부, 1996.
이동영, 『조선조 영남시가의 연구』, 부산대학교 출판부, 1998,.
이동환, 「퇴계문학 연구의 성과와 과제」, 『퇴계학과 한국문화』 제18집, 1990.
이민홍, 『조선중기 시가의 이념과 미의식』, 성균관대학교 출판부, 1993.
전재강, 「토산십이곡의 이론적 근거와 내적 질서 연구」, 『어문학』 제70집, 2000.
조동일, 「고산연구의 회고와 전망」, 『고산연구』 제1집, 1987.
조윤제, 『한국문학사』, 동국문화사, 1963.
최진원, 『국문학과 자연』, 성균관대학교 출판부, 1977.
로만 야콥슨(신문수 편역), 『문학 속의 언어학』, 문학과 지성사, 1989.
마이클 라이언(나병철, 이경훈 옮김), 『포스트모더니즘 이후의 정치와 문화』, 갈무리,
　　　1996.
월터 J, 옹(이기우 · 임명진 옮김), 『구술문화와 문자문화』, 1995.

시조와 가사의 갈래와 향유방식

김흥규 외, 『고시조대전』, 고려대학교 민족문화연구원, 2012.
심재완, 『역대시조전서』, 세종문화사, 1972.
임기중, 『한국가사문학주해연구』, 아세아문화사, 2005.

김대행, 『시가 · 시학연구』, 이화여자대학교 출판부, 1991.
김문기, 『서민가사연구』, 형설출판사, 1982.

김사엽, 『이조시대의 가요연구』, 대양출판사, 1956.

남송우, 「서사시·장시·서술시의 자리」, 『한국서술시의 시학』, 현대시학회편, 태학사, 1998.

류해춘, 『가사문학의 미학』, 보고사, 2009.

서원섭, 『가사문학연구』, 형설출판사, 1979.

_____, 『시조문학연구』, 형설출판사, 1977.

성기옥, 「악학궤범과 성종 대 속악 논의의 행방」, 『시가사와 예술사의 관련양상』, 보고사, 2000.

신은경, 「사설시조와 가사의 서술방식 대비」, 『서강어문학』 제4집, 1984.

안자산, 『시조시학』, 교문사, 1947.

윤성현, 「후기가사의 이행과정」, 『연세어문학』 27집, 1991.

윤영옥, 『시조의 이해』, 영남대학교 출판부, 1986.

이능우, 『가사문학론』, 일지사, 1977.

이혜순, 『가사·가사론』, 서울대학교 석사학위논문, 1966.

임종찬, 『시조문학의 본질』, 대방문화사, 1986.

장사훈, 『국악논고』, 서울대학교 출판부, 1993.

정병욱, 『한국고전시가론(증보)』, 신구문화사, 1983.

조규익, 『가곡창사의 국문학적 본질』, 집문당, 1994.

조윤제, 『한국시가의 연구』, 을유문화사, 1948.

최동원, 『고시조론』, 삼영사, 1980.

최진원, 『국문학과 자연』, 성균관대학교 출판부, 1971.

마이클 라이언(나병철, 이정훈 옮김), 『포스트모더니즘 이후의 정치와 문화』, 갈무리, 1996.

로만 야콥슨(신문수 편역), 『문학 속의 언어학』, 문학과지성사.

월터 J. 옹(이기우·임명진 옮김), 『구술문화와 문자문화』, 1995.

2장. 시조문학과 여가활동

산수시조와 여가활동의 양상

박을수, 『한국시조대사전(상, 하)』, 아세아문화사, 1991.

심재완, 『역대시조전서』, 세종문화사, 1972.

강남국, 『여가사회의 이해』, 형설출판사, 1999.

김광득, 『여가와 현대사회』, 백산출판사, 1997.

김대행, 『시가 시학 연구』, 이화여자대학교 출판부, 1991.

김흥규, 「강호자연과 정치현실」, 『세계의 문학』 19호, 1981, 민음사.

나정순, 「조선 전기 강호 시조의 전개 국면」, 『시조학논총』 29집, 한국시조학회, 2008.

류해춘, 「사설시조에 나타난 여가활동의 양상」, 『시조학논총』 21집, 한국시조학회,
　　　　2004.

＿＿＿, 「웰빙시대의 시조미학(가을편)」, 『시조세계』 제16호, 2004.

＿＿＿, 「웰빙시대의 시조미학(겨울편)」, 『시조세계』 제17호, 2004.

＿＿＿, 「웰빙시대의 시조미학(봄편)」, 『시조세계』 제18호, 2005.

＿＿＿, 「웰빙시대의 시조미학(여름편)」, 『시조세계』 제15호, 2004.

신연우, 『시조속의 생활, 생활속의 시조』, 북힐스, 2000.

신영명, 「16세기 강호시조의 연구」, 고려대학교 박사학위논문, 1990.

신은경, 『풍류』, 보고사, 1999.

윤영옥, 『자연산수와 인세홍진』, 『시조학논총』 29집, 한국시조학회, 2008..

이민홍, 『사림파문학의 연구』, 형설출판사, 1985.

이찬욱, 「시조낭송의 콘텐츠화 연구」, 『시조학논총』 제19집, 한국시조학회, 2003.

임재해, 『한국민속과 오늘의 문화』, 지식산업사, 1994,

임종찬, 「장시조의 문예학적 연구」, 부산대학교 박사학위논문, 1983.

조규익, 『만횡청류』, 박이정, 1996.

조윤제, 『한국문학사』, 동국문화사, 1963

＿＿＿, 『한국문학사』, 동국문화사, 1963.

최동국, 「조선조 산수시가의 이념과 미의식」, 성균관대학교 박사학위논문, 1992.

최진원, 『국문학과 자연』, 성균관대학교 출판부, 1977.

허왕욱, 『생활정서로 그려낸 시조미학』, 이회출판사, 2003.

한국여가문화학회, 『well-being과 여가문화(발표요약집)』, 2004.

Aristotle, 『Nichomachean Ethics』, New York : Random House, 1948.

J. Dumazedier, 『Toward a Society of Leisure』, The Free Press, New York, 1967.

S. de Grazia, 『Of time, Work, and Leisure』, Doubleday & Company Inc., New York,
　　　　1964.

사설시조에 나타난 여가활동의 양상

김흥규, 『사설시조』, 고려대학교 민족문화연구소, 1993.

박을수, 『한국시조대사전(상, 하)』, 아세아문화사, 1991.

심재완, 『역대시조전서』, 세종문화사, 1972.

강남국, 『여가사회의 이해』, 형설출판사, 1999.
김광득, 『여가와 현대사회』, 백산출판사, 1997.
김대행, 『시가·시학 연구』, 이화여자대학교 출판부, 1991.
김용찬, 『18세기의 시조문학과 예술사적 위상』, 월인, 1999.
류해춘, 「웰빙시대의 시조미학(여름편)」, 『시조세계』 제15호, 2004.
신연우, 『시조속의 생활, 생활속의 시조』, 북힐스, 2000.
신은경, 『풍류』, 보고사, 1999.
이찬욱, 「시조낭송의 콘텐츠화 연구」, 『시조학논총』 제19집, 2003.
임재해, 『한국민속과 오늘의 문화』, 지식산업사, 1994,
임종찬, 「장시조의 문예학적 연구」, 부산대학교 박사학위논문, 1983.
조규익, 『만횡청류』, 박이정, 1996.
한국여가문화학회, 『웰빙과 여가문화(발표요약집)』, 2004.
허왕욱, 『생활정서로 그려낸 시조미학』, 이회출판사, 2003.
Aristotle, 『Nichomachean Ethics』, New York : Random House, 1948.
J. Dumazedier, 『Toward a Society of Leisure』, The Free Press, New York, 1967.
S. de Grazia, 『Of time, Work, and Leisure』, Doubleday & Company Inc., New York,
    1964.

사대부시조와 여가활동의 양상

강남국, 『여가사회의 이해』, 형설출판사, 1999.
김광득, 『여가와 현대사회』, 백산출판사, 1997.
김대행, 『시가 시학 연구』, 이화여자대학교 출판부, 1991.
김용찬, 『18세기의 시조문학과 예술사적 위상』, 월인, 1999.
류해춘, 「웰빙시대의 시조미학(가을 편)」, 『시조세계』 제16호, 2004.
_____, 「웰빙시대의 시조미학(겨울 편)」, 『시조세계』 제17호, 2004.
_____, 「웰빙시대의 시조미학(봄 편)」, 『시조세계』 제18호, 2005.
_____, 「웰빙시대의 시조미학(여름 편)」, 『시조세계』 제15호, 2004.
박을수, 『한국시조대사전(상, 하)』, 아세아문화사, 1991.
신연우, 『시조속의 생활, 생활속의 시조』, 북힐스.
신은경, 『풍류』, 보고사, 1999.
심재완, 『역대시조전서』, 세종문화사, 1972.

이찬욱, 「시조낭송의 콘텐츠화 연구」, 『시조학논총』 제19집, 2003.

임재해, 『한국민속과 오늘의 문화』, 지식산업사, 1994,

임종찬, 「장시조의 문예학적 연구」, 부산대학교 박사학위논문, 1983.

조규익, 『만횡청류』, 박이정, 1996.

최동국, 「조선조 산수시가의 이념과 미의식」, 성균관대학교 박사학위논문, 1992.

허왕욱, 『생활정서로 그려낸 시조미학』, 이회출판사, 2003.

한국여가문화학회, 『well-being과 여가문화(발표요약집)』, 2004.

Aristotle, 『Nichomachean Ethics』, New York : Random House, 1948.

J. Dumazedier, 『Toward a Society of Leisure』, The Free Press, New York, 1967.

S. de Grazia, 『Of time, Work, and Leisure』, Doubleday & Company Inc., New York, 1964.

3장. 대중예술과 사설시조

대중예술의 미학으로 본 사설시조

김학성, 「조선후기 시가에 나타난 서민적 미의식」, 『한국인의 생활의식과 민중예술』, 성균관대학교 대동문화연구원, 1984.

김흥규 역주, 『사설시조』, 고려대학교 민족문화연구소, 1993.

류해춘, 「사설시조에 나타난 시적 화자의 유형과 그 특성」, 『어문학』 52, 1991.

박성봉, 『대중예술의 미학』, 동연, 1995.

박이문, 『예술철학』, 문학과지성사, 1983.

박철희, 『한국시사연구』, 일조각, 1980.

심재완, 『역대시조전서』, 세종문화사, 1972

윤영옥, 『시조의 이해』, 영남대학교 출판부, 1986.

최동원, 『고시조론』, 삼영사, 1980.

A. 하우저(임재해 편), 「민중예술과 대중예술」, 『한국의 민속예술』, 문학과 지성사, 1988.

T. W. 아도르노 저(홍승용 역), 『미학이론』, 문학과 지성사, 1984.

사설시조, 시적 화자의 유형과 그 특성

고정옥, 『고장시조선주』, 정음사, 1949.

김대행, 『시조유형론』, 이화여자대학교 출판부, 1986.

김준오, 『시론』, 문장사, 1982.

김학성, 『국문학의 탐구』, 성균관대학교 출판부, 1987.
서원섭, 『시조문학연구』, 형설출판사, 1977.
심재완, 『역대시조전서』, 세종문화사, 1972.
임종찬, 「장시조의 문예학적 연구」, 부산대학교 대학원 박사학위논문, 1983.
장사훈, 『시조음악론』, 서울대학교 출판부, 1986.
장성진, 「사설시조의 작가의식과 그 표현양상」, 경북대학교 대학원 석사학위논문, 1982.
조태영, 「사설시조의 작가층」, 『한국문학사의 쟁점』, 집문당, 1987.

대화체를 수용한 사설시조와 그 실현양상

김대행, 『한국시의 전통연구』, 개문사, 1980.
김홍규 역주, 『사설시조』, 고려대학교 민족문화연구소.
심재완, 『역대시조전서』, 세종문화사, 1972.
임종찬, 『시조문학의 본질』, 대방출판사, 1986.
욜란디 야코비(이태동 역), 『칼 융의 심리학』, 1978.

강명혜, 「사설시조의 언술 연구」, 『시조학논총』, 10집, 1994.
김대행, 「시조의 화자와 청자」, 『시조유형론』, 이화여자대학교 출판부, 1986.
류해춘, 「사설시조에 나타난 시적 화자의 유형과 그 특성」, 『어문학』, 52집, 1991.
_____, 「상행위를 매개로 한 사설시조의 성담론」, 『우리문학연구』, 22집, 2007.
박기호, 「대화체 장시조 연구」, 『시조학논총』, 7집, 1991.
박상영, 「사설시조 웃음의 미학적 연구」, 경북대학교 박사학위논문, 2009.
박애경, 「사설시조의 여성화자와 여성 섹슈얼리티」, 『여성문학연구』, 3집, 2000.
신은경, 「사설시조의 시학연구」, 서강대학교 박사학위논문, 1988.
이형대, 「사설시조와 여성주의 독법」, 『시조학논총』, 16집, 2000.

현상적 청자를 설정한 사설시조의 유형과 존재양상

김홍규 역주, 『사설시조』, 고려대학교 민족문화연구소, 1993.
김홍규 외, 『고시조대전』, 고려대학교 민족문화연구원, 2012.
심재완, 『역대시조전서』, 세종문화사, 1972.

김대행, 『한국시의 전통연구』, 개문사, 1980.
임종찬, 『시조문학의 본질』, 대방출판사, 1986.
조규익, 『가곡창사의 국문학적 본질』, 1994.

율란디야코비(이태동 역), 『칼 융의 심리학』, 1978.

강명혜, 「사설시조의 언술연구」, 『시조학논총』 제10집, 1994.
김대행, 「시조의 화자와 청자」, 『시조유형론』, 이화여자대학교 출판부, 1986.
류해춘, 「대화체를 수용한 사설시조와 그 실현양상」, 『국학연구론총』 제9집, 2012.
_____, 「사설시조에 나타난 시적 화자의 유형과 그 특성」, 『어문학』 제52집, 1991.
_____, 「상행위를 매개로 한 사설시조의 성담론」, 『우리문학연구』 제22집, 2007.
박기호, 「대화체 장시조 연구」, 『시조학논총』 제7집, 1991.
박애경, 「사설시조의 여성화자와 여성 섹슈얼리티」, 『여성문학연구』 제3집, 2000.
신은경, 「사설시조의 시학연구」, 서강대학교 박사학위논문, 1988.
이형대, 「사설시조와 여성주의 독법」, 『시조학논총』 제16집, 2000.

함축적 청자를 지향한 사설시조의 화자와 그 실현양상

김흥규 역주, 『사설시조』, 고려대학교 민족문화연구원, 1993.
김흥규 외, 『고시조대전』, 고려대학교 민족문화연구원, 2012.
심재완, 『역대시조전서』, 세종문화사, 1972.

김대행, 『한국시의 전통연구』, 개문사, 1980. 78면.
율란디야코비(이태동 역), 『칼 융의 심리학』, 1978.

강명혜, 「사설시조의 언술연구」, 『시조학논총』 10집, 1994.
김대행, 「시조의 화자와 청자」, 『시조유형론』, 이화여자대학교 출판부, 1986.
류해춘, 「대화체를 수용한 사설시조와 그 실현양상」, 『국학연구론총』 9집, 2012.
_____, 「사설시조에 나타난 시적 화자의 유형과 그 특성」, 『어문학』 52집, 1991.
_____, 「현상적 청자를 설정한 사설시조의 유형과 그 존재양상」, 『온지논총』 35집.
박기호, 「대화체 장시조 연구」, 『시조학논총』 7집, 1991.
박애경, 「사설시조의 여성화자와 여성 섹슈얼리티」, 『여성문학연구』 3집, 2000.
신은경, 「사설시조의 시학 연구」, 서강대학교 박사학위논문, 1988.
이형대, 「사설시조와 여성주의 독법」, 『시조학논총』 16집, 2000.

4장. 자연시가와 녹색담론

15세기 자연시가에 나타난 녹색담론

김사엽, 『국문학사』, 정음사, 1956.

김신중, 「전남의 누정과 그 연구동향」, 『국학연구론총』 8, 택민국학연구원, 2011.

_____, 「한국사시가의 연구」, 전남대학교 대학원 박사학위논문, 1992.

김흥규, 「강호자연과 정치현실」, 『고전시가론』, 새문사, 1984.

류해춘, 「16 · 17세기 사대부가사의 연구」, 『가사문학의 미학』, 보고사, 2009.

_____, 「17세기 가사에 나타난 선비의 성격변화」, 『가사문학의 미학』, 보고사, 2009.

박경주, 「정극인의 시가 작품이 지닌 15세기 사대부문학으로서의 위상 탐구」, 『고전문학과 교육』 29, 2015.

박규홍, 「15세기 시조문학연구」, 『영남어문학』 21집, 1992.

심재완, 『시조의 문헌적 연구』, 세종문화사, 1972.

윤영옥, 『시조의 이해』, 영남대학교 출판부, 1986.

이민홍, 『조선중기 시가의 이념과 미의식』, 성균관대학교 출판부, 1993.

이병휴, 『조선 전기 기호사림파연구 연구』, 일조각, 1984.

이종주, 「맹사성론」, 『속고시조작가론』, 백산출판사, 1990.

이형대, 「강호사시사의 장르적 성격과 세계형상」, 『어문논집』 36, 안암어문학회, 1997.

정병욱, 『고전시가론』, 신구문화사, 2000.

정주동, 유창균 역주, 『진본청구영언』, 명문당, 1967.

조동일, 「산수시의 경치, 흥취, 이치」, 『한국시가의 역사의식』, 문예출판사, 1993.

조성래, 「전원사시가와 사시가의 구조문체」, 『동서어문학』 16집, 동서어문학회, 2001.

조윤제, 『한국문학사』, 동국문화사, 1963.

_____, 『한국시가사강』, 동광당서점,1937.

최동원, 「15세기 시조의 양상과 성격」, 『배달말』 7집, 배달말학회, 1982.

최진원, 『국문학과 자연』, 성균관대학교 출판부, 1977.

한창훈, 「강호시가의 문학교육적 가치에 관한 연구」, 고려대학교 박사학위논문, 2000.

존 S, 드라이제크(정승진 역), 『지구환경정치학 담론』, 에코, 2005.

자연시조에 나타난 녹색담론

김천택(정주동, 유창균 역주), 『진본 청구영언』, 명문당, 1957.

위백규, 『존재전서』, 경인문화사, 1974.

이 황, 『도산십이곡』.

_____, 『도산전서』, 한국정신문화연구원, 1980.

김복근, 『생태주의 시조론』, 도서출판 경남, 2009.

김욱동, 『한국의 녹색문화』, 문예출판사, 2000.

김흥규, 『강호자연과 정치현실』, 고전시가론, 새문사, 1984.

도정일, 『시인은 숲으로 가지 못한다』, 민음사, 1994.

박희병, 『한국의 생태사상』, 돌베개, 1999.

손오규, 『산수문학연구』, 부산대학교 출판부, 1994.

이민홍, 『조선 중기 시가의 이념과 미의식』, 형설출판사, 1985.

조윤제, 『조선시가사강』, 동광당서점, 1937.

최진원, 『국문학과 자연』, 성균관대학교 출판부, 1977.

메리 에벌린터커, 존버스롱(오정선 역), 『유학사상과 생태학』, 예문서원, 2010.

존 S. 드라이제크(정승진 역), 『지구환경정치학 담론』, 에코, 2005.

김석회, 「존재 위백규의 생활시에 관한 연구」, 서울대학교 박사학위논문, 1992.

김신중, 「사시가형 시조의 강호인식」, 『시조학논총』 제8집, 한국시조학회, 1992.

류해춘, 「산수시조에 나타난 여가활동의 양상」, 『시조학논총』 제31집, 한국시조학회, 2009.

신영명, 「16세기 강호시조의 연구」, 고려대학교 박사학위논문, 1991.

조동일, 「산수시의 경치, 홍취, 주제」, 『국어국문학』 98호, 국어국문학회, 1987.

찾아보기

류해춘(柳海春)

거창 고등학교와 경북대학교 국문과를 졸업하고, 1993년에는 「장편서사가사의 서술방식과 작가의식 연구」라는 논문으로 경북대학교에서 문학박사 학위를 받았다. 1998년부터 현재까지 성결대학교 국어국문학과 교수로 재직하고 있으며 인문대학장과 대학평의원 등을 역임하였다. 현재 국제펜클럽의 정회원이며, 학회활동으로는 2015년에 한국시조학회장을 역임하였으며, 저서로는 『장편서사가사의 연구』(1995), 『상아탑의 여운』(1996, 공편), 『가사문학의 미학』(2009) 등이 있다.

시조문학의 정체성과 문화현상

2017년 11월 15일 초판 1쇄 펴냄

지은이 류해춘
펴낸이 김흥국
펴낸곳 보고사

책임편집 김하놀
표지디자인 오동준

등록 1990년 12월 13일 제6-0429호
주소 경기도 파주시 회동길 337-15 보고사 2층
전화 031-955-9797(대표)
         02-922-5120~1(편집), 02-922-2246(영업)
팩스 02-922-6990
메일 kanapub3@naver.com / bogosabooks@naver.com
http://www.bogosabooks.co.kr

ISBN 979-11-5516-709-0 93810
ⓒ 류해춘, 2017

정가 23,000원